CB025386

Quantas vezes você se atormenta, recordando acontecimentos desagradáveis do dia a dia, que gostaria de esquecer, mas que reaparecem como fantasmas interiores?

Somam-se a isso, os fatos mal resolvidos de vidas passadas, que continuam a influir no cotidiano, confundindo o presente.

Esquecer o passado infeliz é um alívio; deixar de cultivar sentimentos depressivos, culpa, ódio, insegurança e vingança é, sobretudo, libertar-se dos tormentos e conquistar a paz. Impossível esquecer o que está mal resolvido, porque a vida não deixa passar aquilo que ainda está sem solução. Então, questionar-se passa a ser uma urgente necessidade: O que a vida quer de mim?

A inteligência da vida mostra qual atitude está ocasionando tais impasses. Se aceitar e promover sua melhora interior, então vencerá e os problemas farão parte do passado. A liberdade o tornará mais lúcido e mais feliz.

Os protagonistas, aqui, enfrentam esse dilema com sucesso. Prepare-se para enfrentar os seus!

Zibia Gasparetto

Lucius

Esse amigo espiritual, que vem me inspirando em todos os romances, trabalhou sem revelar seu nome quando eu comecei a psicografar. Eu sentia sua presença, cheguei a vê-lo algumas vezes, mas nunca perguntei nada. Prefiro as manifestações espontâneas. Só quando terminei o livro *O amor venceu*, na última página, ele assinou Lucius.

A respeito de sua trajetória só sei o que ele revelou no livro *O fio do destino*, em que relata duas encarnações na Terra: a mais antiga, como membro do parlamento inglês, e a outra, como escritor e juiz na França.

Para mim ele tem sido um mestre. Suas energias são prazerosas e, quando ele se aproxima, meu pensamento torna-se claro, lúcido. Sinto-me muito bem.

Nos primeiros tempos em que trabalhamos juntos, ele costumava andar comigo e, conforme o lugar, as cenas que eu presenciava, me orientava, fazendo-me ir mais fundo nas observações. Depois de algum tempo, ele passou a vir apenas nos momentos de trabalho.

Aprendi muito, tanto com seus conselhos quanto com as histórias que ele me passou.

Algumas pessoas me perguntam "por que você?" Não sei por que ele me escolheu, mas sinto que os laços que nos unem são antigos e continuarão existindo pela eternidade.

Zibia Gasparetto

Projeto Gráfico: Priscila Noberto e Luiz Antonio Gasparetto
Assistente de Designer: Marcio Lipari
Revisão: Grace Guimarães Mosquera
Diagramação: Cristiane Alfano

1ª edição — 28ª impressão
8.000 exemplares — julho 2015
Tiragem total: 602.000 exemplares

Dados Internacionais de Catalogação na Publicação (CIP)
(Câmara Brasileira do Livro, SP, Brasil)

Lucius (Espírito).
Vencendo o passado / pelo espírito Lucius;
[psicografados por] Zibia Gasparetto.
São Paulo : Centro de Estudos Vida & Consciência Editora.

ISBN 978-85-7722-030-4

1. Espiritismo 2. Psicografia 3. Romance espírita
I. Gasparetto, Zibia. II. Título.

08-10062 CDD-133.93

Índices para catálogo sistemático:
1. Romances espíritas psicografados: Espiritismo 133.93

Este livro adota as regras do novo acordo ortográfico (2009).

Editora Vida & Consciência
Rua Agostinho Gomes, 2.312 — São Paulo — SP — Brasil
CEP 04206-001
editora@vidaeconsciencia.com.br
www.vidaeconsciencia.com.br

Vencendo o passado

Prólogo

Os sinos da igreja repicavam alegres chamando os fiéis para a missa das dez. O dia estava lindo, as pessoas chegando e logo a nave estava lotada. Na pequena e linda cidade de Bebedouro, no interior de São Paulo, era o acontecimento mais importante dos domingos.

As famílias abastadas ocupavam seus lugares nas primeiras filas enquanto os mais pobres contentavam-se em ficar nos últimos lugares, mas todos vestiam suas melhores roupas, conservando a fisionomia séria em sinal de respeito.

Augusto Cezar Monteiro entrou de braço dado com sua esposa Ernestina, acompanhado de seus filhos Carolina e Adalberto.

Enquanto o rapaz de dezenove anos olhava em volta como que procurando alguém, olhos alegres, rosto expressivo, Carolina, aos dezoito, rosto voluntarioso contraído, lábios cerrados, cabeça erguida desafiadora, demonstrava desagrado e irritação.

Sentaram-se ocupando o lugar de costume. A missa começou e Adalberto de vez em quando olhava em volta ansioso. Depois, aproximou a boca ao ouvido da irmã dizendo:

— Vai ficar com essa cara de espantalho o tempo todo?

Ela o fuzilou com os olhos e respondeu:

— O que você tem com isso? Cuide de sua vida.

— As pessoas estão olhando e comentando como você está feia.

Ela deu de ombros:

— Pouco me importa a opinião dos outros. Não gosto de vir à igreja. Sinto-me mal todas as vezes que ponho meus pés aqui.

— Deixe de drama. O que custa ficar aqui uma hora e agradar nossos pais?

— Eu sei por que você diz isso. Mas eu não me vendo.

Ernestina colocou o dedo nos lábios e pediu silêncio. O sermão ia começar. Os dois se calaram. Enquanto o padre falava, Adalberto finalmente sorriu satisfeito. Localizara Ana Maria, uma morena linda, de olhos negros e lábios carnudos que andava povoando seus sonhos.

Piscou para ela que sorriu, mas disfarçou. Sentia-se lisonjeada pelo interesse dele, que nos últimos tempos ficara evidente, mas apesar de Adalberto ser um rapaz bonito, rico, era jovem demais e ela não estava interessada.

Ela tinha outros planos. Sonhava ir morar em São Paulo ou Rio de Janeiro, ser atriz, fazer carreira, tornar-se famosa.

O padre continuava falando e Carolina entediada não prestava atenção ao que ele dizia. A ela bastava os sermões que tanto sua mãe como seu pai faziam todos os dias, vigiando até seus pensamentos. Além disso, estudava em um colégio de freiras onde tudo era pecado.

Não via a hora de ser maior de idade para livrar-se deles. Havia pensado em se casar com o primeiro que aparecesse, mas depois, pensando melhor, o que desejava mesmo era ser independente e não apenas mudar de dono.

Suspirou entediada. Aquele sermão não terminava nunca. Quando acabou, o órgão voltou a tocar. A missa era solene, o padre rezava em latim.

Carolina olhou em volta com raiva. Tinha certeza de que ninguém estava entendendo o que o padre falava, mas todos, rostos contritos, fingiam participar.

Isso para ela era demais. Parecia que aquela missa não tinha fim. Fechou os olhos e viu um rapaz à sua frente dizendo:

— Venha. Vou levá-la para dar uma volta.

Ela sorriu e seu corpo escorregou do banco, enquanto Ernestina, assustada, tentou segurá-la auxiliada por Adalberto.

Carolina, pálida, havia perdido os sentidos. Augusto Cezar tomou a filha nos braços e, pedindo licença, saiu acompanhado da mulher e do filho.

Uma vez lá fora, sentou-a em um banco tentando reanimá-la. Mas ela não voltava. Assustado, mandou Adalberto ir à farmácia próxima buscar alguma coisa para fazê-la voltar a si.

Ele foi e voltou com um vidro de amoníaco que destapou e colocou próximo às narinas dela. Pouco depois, Carolina suspirou, abriu os olhos e disse:

— Por que me acordaram? Quero dormir.

Ernestina sacudiu-a dizendo:

— Você não está em casa. Desfaleceu na igreja no momento mais delicado da missa.

— Eu não queria vir. Sempre me sinto mal na igreja.

— Vamos para casa — decidiu Augusto Cezar. — Amanhã mesmo você vai levá-la ao doutor Jorge para uma consulta. Isso não é normal.

No carro, durante o trajeto de volta para casa, Carolina estava pensativa. Tinha certeza de que não fora um sonho. De onde conhecia aquele moço bonito ao lado do qual havia caminhado por um jardim maravilhoso, sentindo alegria e uma sensação de liberdade que nunca tivera antes? Sua fisionomia era-lhe familiar. Sabia que o conhecia, mas de onde?

Seja como for, ele a livrara de um momento tedioso e dera--lhe motivo para, dali em diante, recusar-se a ir novamente àquela missa de domingo.

***

Augusto Cezar entrou em casa nervoso. Olhou para Carolina que havia recuperado a cor e parecia bem. Enquanto ela foi para o quarto, ele disse para Ernestina:

— Amanhã cedo você marca uma consulta com o doutor Jorge.

— Você acha que é preciso? Foi uma indisposição passageira. Ela não tem nada.

— Como pode saber? Você não é médica. Depois, ele tem de fazer alguma coisa. Nossa filha não pode ser tão fraca a ponto de não conseguir nem assistir a uma missa. Às vezes chego a desconfiar que ela esteja fingindo para não ir à igreja.

— Ela não faria isso. Você não viu como estava pálida?

— É, vi. Mas dela pode-se esperar tudo. Está sempre pensando em me contrariar.

— Você está enganado. Ela ficou mal mesmo.

— E você sempre acobertando os erros dela. Assim eu perco a força para educá-la. Precisa ser mais enérgica com Carolina.

Ernestina enrubesceu de raiva, mas não disse nada. Estava acostumada. Qualquer coisa que os filhos fizessem a culpa era sempre dela. Ele vivia dizendo que ela era muito permissiva e não sabia determinar os limites dos filhos.

Estava cansada da intolerância do marido. Não sentia vontade de discutir para não piorar a situação.

Limitou-se a dizer:

— Vou à cozinha ver o almoço.

Sentia-se cansada da rotina em que se transformara sua vida. Durante o almoço, Adalberto comeria depressa para acabar logo e ter a permissão do pai para sair; Carolina estaria com a cara amarrada, como se fizesse um favor de estar ali, não diria uma palavra. Augusto Cezar falaria o essencial para que fosse bem servido.

Depois, ele iria dormir um pouco, enquanto ela, sozinha, teria um tempo para escolher entre um trabalho manual ou uma leitura qualquer.

Ele acordaria duas horas depois e desceria para o café da tarde. Depois, iria se sentar na sala e ligaria a televisão para escolher um programa adequado.

Augusto Cezar fora um dos primeiros a comprar uma televisão, logo que a novidade chegara à cidade. Contudo, em sua casa ninguém tinha permissão de ligá-la.

Era ele quem determinava a hora e o que assistir. No domingo, depois do café, ele a ligava e reunia a família para assisti-la.

Adalberto preferia sair e Carolina, apesar de curiosa com a novidade, não gostava dos programas que o pai escolhia e preferia ir para o quarto ler.

Ela tinha uma amiga que lhe emprestava alguns livros que ela lia às escondidas. Tinha certeza de que seus pais não os aprovariam. Eram romances, e Augusto Cezar só aprovava livros educativos. Considerava os romances perniciosos e uma perda de tempo.

Depois do jantar, Ernestina ficava ao lado do marido assistindo à televisão. Passadas algumas horas, ele desligava o aparelho. Às vezes a convidava para dar uma volta na praça, onde cumprimentavam os amigos e conversavam um pouco.

Era esse o momento que ela mais gostava, porque, enquanto ele conversava, ela podia apreciar o movimento, os vestidos das outras mulheres, os jovens que circulavam alegres.

Quando não saíam, ele ficava lendo na sala durante uma hora, depois ia dormir. Ela terminava os arranjos na cozinha junto com Rute, programava com ela o cardápio da semana seguinte e depois ia dormir.

Augusto Cezar era muito exigente com a comida e com a organização da casa.

Quando Ernestina entrou na cozinha, Rute notou logo que ela estava aborrecida.

Trabalhava na casa havia mais de dez anos e gostava muito da patroa. Percebia claramente que ela não vivia feliz, não havia alegria naquela casa.

Não comentava nada, porém procurava ajudá-la no que pudesse tentando corresponder de alguma forma ao bondoso tratamento que ela lhe dispensava.

— Aconteceu alguma coisa? A senhora parece aborrecida.

— O de sempre. Carolina desmaiou na hora mais importante da missa e Augusto precisou carregá-la para fora.

— Imagino como ele ficou nervoso.

— Ele quer que eu a leve ao médico amanhã.

— Em qual, dona Ernestina? Carolina não tem nada.

— É o que eu penso. Mas ele insiste, quer tirar as dúvidas.

— Existem pessoas que se sentem mal quando entram em uma igreja.

— Eu sei. Minha tia Eugênia tinha isso. Acho que é o cheiro de incenso ou das velas.

— Eu não acho isso, não. Minha mãe costuma dizer que as almas do outro mundo que estão em sofrimento vão às igrejas em busca de ajuda. Quem é mais sensível sente a presença delas.

Ernestina sentiu um arrepio:

— Não diga uma coisa dessas, Rute. Que horror. A igreja é um lugar de paz. Não tem nada disso. Quem morre vai para o céu ou para o inferno. Não vai ficar dentro da igreja.

— E o purgatório, onde fica? Das pessoas que eu conheço, não tem nenhuma que mereça ir para o céu, a maioria vai mesmo do purgatório para baixo.

Ernestina balançou a cabeça sorrindo:

— Você tem cada uma! Cuide para que seu patrão não escute essas besteiras. Ele já implica porque você não vai à igreja!

— Eu não vou porque também não me sinto bem. Prefiro ir ao Centro Espírita de dona Antonia.

Ernestina colocou o dedo nos lábios dizendo nervosa:

— Cuidado com o que diz. Ninguém em casa pode saber que você anda nesses lugares. Eu a deixei ir porque sei que sofria muito com aquela dor de cabeça, nenhum remédio curava e que ela desapareceu depois que esteve lá. Mas Augusto Cezar não pode saber. Ele tem pavor dessas coisas.

— Eu sei. Não direi mais nada. As coisas não são como muitos pensam. Quando alguém precisa aprender a verdade sobre o mundo dos espíritos, não dá para fugir. Foi o que aconteceu comigo.

— Está bem. Vamos servir o almoço que já está passando da hora. Não podemos nos atrasar.

Carolina, sentada na cama, tendo nas mãos um livro aberto, não conseguia prestar atenção na leitura. Fechou o livro e colocou-o novamente no esconderijo.

Ela não podia esquecer o rosto do rapaz que viera buscá-la na igreja. Ele a tomara pela mão e ambos haviam flutuado por caminhos floridos enquanto ele lhe sorria.

Ela sentira-se livre como nunca e uma sensação de prazer encheu seu peito de alegria. Haviam se sentado em um banco do jardim e ele lhe dissera:

— Você precisa retomar sua força espiritual. Não pode se deixar abater agora. Você tem tudo para vencer. Lembre-se disso. Eu estarei sempre a seu lado.

Ela queria que aquela situação não acabasse, mas de repente sentiu uma sensação de queda e um cheiro horrível. Viu o rosto de Adalberto irônico e a fisionomia preocupada do pai.

Era o fim do sonho. Havia retornado à realidade. Seu primeiro impulso foi de brigar. Por que não a deixaram onde estava?

Mas a lembrança dos momentos agradáveis que vivera ainda estava muito presente e ela suspirou tentando entender o que estava acontecendo à sua volta.

Adalberto bateu na porta do quarto dizendo:

— Carolina, abra. Não sei por que se tranca no quarto. Mamãe está chamando para o almoço.

Resignada, Carolina abriu a porta e desceu para almoçar.

1

Quando Carolina desceu para o almoço, notou logo que o ambiente estava pesado.

O pai, sisudo, olhou-a fixamente como querendo penetrar seus mais íntimos pensamentos.

A mãe, inquieta, controlava a ansiedade, tentando dissimular a preocupação.

Adalberto remexia-se na cadeira, dissimulando a pressa que sentia de sair.

Ninguém tinha permissão para levantar-se da mesa antes que o pai terminasse de comer.

Carolina desejou não estar ali. Preferia ficar sem comer a ter de suportar aquele ambiente desagradável. Depois, ela sentia alguma coisa no ar e, claro, após o que lhe acontecera, iria desabar sobre ela.

Ela, porém, sentia-se contente com o acontecido, desejava recordar aquele sonho agradável e não estava disposta a deixar ninguém estragá-lo.

Resolveu enfrentar a situação. Estava cansada da intolerância do pai. A pretexto de educá-los, protegê-los, sufocava-os com exigências descabidas.

Sentou-se e, notando que ele continuava a fixá-la de modo inquisidor, levantou a cabeça encarando-o desafiadoramente.

Ernestina mandou servir logo o almoço e Rute colocou as travessas sobre a mesa.

Augusto, irritado, olhava para Carolina, e o que a princípio era um olhar inquisidor, passou a ser de raiva. Tentando controlar a voz, o pai disse entre dentes:

— Na igreja você parecia que ia morrer, agora está aí, corada, bem-disposta, nem parece a mesma pessoa.

— De fato, papai. Estou muito bem. O mal-estar passou.

— Assim, de repente, como um passe de mágica? Quer que eu acredite nisso?

— É verdade. Eu me sinto mal na igreja.

— Mentira! Você faz isso de propósito para me contrariar e me fazer passar vergonha diante de todos.

Carolina enrubesceu e levantou-se irritada. Seus olhos fixaram-se nele rancorosos e ela gritou nervosa:

— Está me chamando de mentirosa? Se eu lhe digo que me sinto mal é porque estou me sentindo mal mesmo.

Ernestina tentou intervir:

— Acalme-se, Carolina. Onde já se viu? Sente-se, como ousa falar assim com seu pai?

Augusto, que havia emudecido pela surpresa, por sua vez levantou-se e controlando a voz que a raiva deixava trêmula disse:

— Saia da minha frente, vá já para o quarto e hoje não vai mais sair de lá.

Vendo que Carolina continuava a olhá-lo com ar de desafio continuou:

— Amanhã sua mãe vai levá-la ao médico. Se não estiver doente, no próximo domingo estará na igreja e ai de você, se desmaiar de novo.

Carolina foi para o quarto aliviada. Fechou a porta com a chave e sentou-se pensativa. Pouco se importava de ficar sem almoço. O pior era que teria de ir novamente à missa.

Se ela fosse, será que teria aquele sonho de novo? Ah! Se ela pudesse ir com aquele rapaz para o maravilhoso jardim, iria convencê-lo a levá-la para muito longe e nunca mais voltar.

Mas enquanto isso não acontecia, teria de passar mais um domingo aborrecido, sem nada de interessante para fazer.

Foi até a janela, abriu-a e olhou para fora entediada. O que adiantava ser alegre, cheia de vida, se tinha de ficar presa à rotina que o pai impunha?

O futuro não lhe parecia nada promissor. Conforme sua mãe dizia, seu destino seria casar com um homem que pudesse dar-lhe o mesmo conforto a que estava habituada, ter filhos e viver a mesma vida da maioria dos casais da cidade.

Não era isso que Carolina queria. Para ela amor não era nada do que via à sua volta. Os casais que conhecia, formais, pareciam estar sempre bem, eram como bonecos acomodados de acordo com a rotina social que haviam herdado dos seus ancestrais.

As regras do certo e errado eram repetidas constantemente pelos pais, e Carolina não aceitava isso.

— Não pode fazer isso, é errado!

Muitas vezes Carolina não concordava com as proibições e questionava:

— Errado nada. Por que preciso ser igual a todas as moças da cidade? Eu sou diferente.

Ao que a mãe respondia:

— Infelizmente. Mas não vou deixar que você saia da linha. Terá de se submeter aos costumes. Além de ser criança, você é uma mulher. E mulher precisa cuidar da reputação.

O pai afirmava sempre:

— Filha minha tem de se comportar. Não quero que fique falada.

Carolina olhou a praça que ficava um pouco além e pensou: "Não tem ninguém na rua. Mesmo que eu pudesse sair, não ia acontecer nada de novo. Melhor eu voltar a ler".

Verificou se a porta estava fechada com a chave, apanhou o livro e estirou-se na cama.

O único prazer que tinha era ler. Por meio dos livros ela viajava, vivia as aventuras dos personagens, imaginava-se uma heroína como as das histórias.

Gostava também das biografias de pessoas famosas. Cientistas, artistas, filósofos. Por meio delas, renovava as esperanças de um dia poder sair dali e partir rumo a outros lugares, livre para viver como gostaria.

Os livros representavam para ela uma forma de fugir da vida sem graça que vivia. Lendo, era como se estivesse vivendo tudo aquilo.

Mergulhou na leitura e logo se esqueceu de tudo.

Havia escurecido quando bateram na porta de seu quarto com insistência. Carolina escondeu o livro e foi abrir.

— Por que fecha a porta desse jeito? Faz tempo que estou batendo — disse Ernestina entrando com uma bandeja e colocando-a sobre a mesa de estudos.

— Estava com sono e não queria que ninguém me acordasse.

— Trouxe seu jantar.

— Obrigada, mãe. Não estou com fome.

— Não é possível. Você não almoçou e não pode ficar sem se alimentar. Sente-se e coma tudo.

— Você trouxe muita comida.

— Não é muito, não. Trate de comer tudo. Mais tarde virei buscar a bandeja.

Ernestina saiu contrariada e desceu as escadas. Não gostava quando Augusto castigava os filhos. Às vezes ele exagerava. Carolina havia desmaiado mesmo e não era culpada. O problema é que ela sempre se rebelava contra o pai e isso também não era certo.

Embora não concordasse com o marido, ela não se atrevia a dizer nada. Com o coração batendo descompassado, pedia a Deus que fizesse os filhos obedecerem ao pai. Assim, estaria tudo resolvido.

Augusto, sentado na sala, esperava-a para assistirem ao programa de televisão. Vendo-a entrar disse:

— Venha, o programa está começando.

Ernestina sentou-se ao lado dele, que continuou:

— Onde está Adalberto?

— Ele saiu logo após o jantar.

— Sem me dizer nada? Ele sabe que só pode sair depois de ver nosso programa semanal.

— Ele foi à casa do Ari buscar um material para o trabalho da faculdade.

Augusto meneou a cabeça desgostoso:

— Esse menino sempre arranja jeito de me contrariar. Eu me preocupo com a formação cultural dele, escolho um bom programa na televisão e ele vai embora? Isso não está certo.

— Ele saiu por causa do trabalho.

— Ele precisa valorizar a união da nossa família. Pelo menos aos domingos terá de ficar um pouco em casa. Esse menino não para.

Ernestina não respondeu. Estava cansada de sempre ter de arranjar desculpas para os filhos.

Na televisão, uma cantora cantava um trecho de ópera e ela deixou o pensamento vagar livremente.

Sentia orgulho do marido. Um engenheiro, homem bonito, culto, bem de vida, que vivia para a família e para o trabalho. O que poderia desejar mais?

Sua mãe lhe dizia que havia tirado a sorte grande casando-se com ele. Que deveria ser muito grata a Deus por essa dádiva.

Ela reconhecia tudo isso, mas havia momentos em que se sentia triste, sem vontade de fazer as coisas. Então, rezava pedindo a Deus que a perdoasse por ser ingrata e se sentir infeliz apesar do marido que Ele lhe dera.

O programa acabou, e Ernestina levantou-se e foi até a janela dizendo:

— A noite está linda. Você não gostaria de dar uma volta na praça?

Ele pensou um pouco e respondeu:

— Está bem. Vamos. E Carolina?

— Rute não vai sair e poderá ficar com ela.

Mais animada, Ernestina foi apanhar a bolsa e ambos saíram. Foram andando de braço dado até a praça.

A noite estava quente e havia muitas pessoas caminhando, outras sentadas nos bancos e algumas crianças brincavam alegres.

Eles sorrindo cumprimentavam os conhecidos até que Augusto viu Ari conversando com duas moças. Ele parou e perguntou a Ernestina:

— Você não disse que Adalberto tinha ido à casa do Ari?

— Foi o que ele me disse.

— Pois mentiu. O Ari está na nossa frente com aquelas moças. Onde será que Adalberto foi?

— Faz tempo que ele foi lá, já pode ter saído. Talvez tenha ido para a casa e nos desencontramos.

— Você está sempre arranjando desculpas para nossos filhos. É por esse motivo que não consigo educá-los como se deve. A culpa é sua.

Ernestina não respondeu. Acabava de ver Adalberto encostado em uma árvore conversando com uma garota. Augusto não podia vê-los.

Não queria que Adalberto namorasse enquanto não terminasse a faculdade. Se os visse seria um desastre.

Felizmente ela viu Jorge, o médico, com a esposa que se aproximava, e disse aliviada:

— Olha o doutor Jorge e a dona Silvia. Vamos cumprimentá-los.

Assim que se aproximaram do casal, o médico estendeu a mão sorrindo:

— Que bom vê-los!

— Como está, Ernestina? — disse Silvia abraçando-a.

Ernestina sorriu satisfeita. Os dois eram muito amigos. Ele tinha o rosto redondo, pele morena, olhos pequenos, mas muito vivos, lábios grossos e sorridentes mostrando dentes alvos e bem formados, que o tornavam muito simpático. Silvia tinha a pele clara, cabelos louros, rosto delicado, olhos azuis, era amável e muito querida pelos pacientes do marido.

Ernestina gostava da maneira como ela olhava nos olhos quando conversava, sentia que era pessoa confiável.

Depois dos cumprimentos, Augusto contou o que acontecera na missa e finalizou:

— Quero que marque uma consulta para Carolina. Receio que esteja doente.

— Desmaiar na igreja não é assim tão grave. Já vi acontecer algumas vezes — respondeu Jorge sorrindo. — A igreja lotada, o calor e o cheiro de incenso podem ter causado esse mal-estar. Como está ela agora?

— Bem. Nem parece que esteve tão mal. Isso me fez suspeitar de que ela estivesse fingindo.

— Ela não faria isso! — interveio Ernestina.

— Carolina não gosta de ir à missa. Pode ter simulado o desmaio para não ir mais à igreja.

— O mais provável é que ela tenha se sentido mal mesmo. Mas leve-a amanhã às quinze horas em meu consultório que vou examiná-la.

***

Na tarde seguinte, Ernestina com Carolina entraram no consultório de Jorge, que se levantou para cumprimentá-las.

Carolina, corada, parecia bem-disposta. Mesmo assim, o médico examinou-a minuciosamente.

Depois, sentou-se novamente diante das duas.

— Então, doutor? — indagou Ernestina ansiosa.

— Está tudo bem. Não notei nada de anormal.

— Está vendo? — disse Ernestina em tom desconfiado dirigindo-se a filha: — Diga a verdade, você estava fingindo?

— Claro que não! Você mesma disse que eu estava pálida.

— Não sei como dizer isso a Augusto Cezar.

— Você preferia que eu estivesse doente? — tornou Carolina irritada.

Jorge interveio:

— Calma. Não há motivo para tanto. Como eu disse ao Augusto, desmaiar na igreja é comum.

Carolina franziu a testa preocupada:

— Eu não quero ir porque me sinto mal. Mas papai não entende.

— Ele deseja o seu bem. É dever dos pais ensinar os valores da religião. Uma pessoa sem fé é fraca, sem condições de enfrentar os desafios da vida — interveio Ernestina.

— Isso é verdade, Carolina — concordou o médico.

— Mas eu tenho fé, rezo todos os dias, o problema é que me sinto mal dentro da igreja. Além do mais, não entendo por que temos de ir lá, ficar ouvindo o padre dizer coisas que não entendemos. Isso é hipocrisia.

— Carolina, não diga isso! — repreendeu Ernestina escandalizada. — Nós não temos condições de entender os mistérios de Deus. Só precisamos ouvir o sermão, e isso o padre faz em português.

— Duvido que alguém entenda aquele sermão. Ele diz coisas que não têm lógica.

— São palavras da Bíblia! — rebateu Ernestina.

— Ditas por um estrangeiro que fala mal nosso idioma, numa linguagem confusa, que se presta a muitos significados.

Ernestina levantou-se irritada:

— O doutor me desculpe. Infelizmente minha filha não sabe o que está falando. Chegando em casa vamos ter uma conversa séria.

— Não há o que desculpar. Carolina tem opinião própria. Os jovens de hoje pensam diferente de nós.

— Não os meus filhos. Se Augusto souber vai ficar muito aborrecido. Para nós, a religião está em primeiro lugar.

Ele olhou-a pensativo, escolhendo as palavras que ia dizer. Depois respondeu:

— Não leve isso tão a sério. Carolina disse que tem fé, que reza. Só não quer ir à igreja porque passa mal. Acho que vocês, por enquanto, não deveriam insistir. Com o tempo creio que isso vai passar, então, ela mesma há de querer frequentar a missa.

Ernestina pensou um pouco, depois disse:

— Carolina, vá esperar-me lá fora. Quero conversar com o doutor a sós.

Imediatamente ela levantou-se, despediu-se e saiu. Ernestina, que havia se sentado novamente, disse angustiada:

— Essa menina é muito rebelde. Não aceita nossa opinião, está sempre nos questionando. Por outro lado, meu marido é muito exigente e ambos estão sempre se confrontando. Eu não gosto de discussões. Fui filha obediente em tudo. As atitudes de Carolina tiram Augusto do sério e ela acaba sempre de castigo. Mas isso, em vez de resolver, faz com que ela fique pior. Eu fico no meio deles sem saber como agir, querendo pôr panos quentes, evitar que discutam, mas não consigo.

Ela calou-se esforçando-se para conter as lágrimas.

— Se a senhora não controlar seu nervosismo, vai acabar doente e não vai conseguir o que deseja.

— Quer dizer que não tem remédio?

— Precisa entender o que está acontecendo. Carolina é uma moça muito inteligente.

— Não creio. Se fosse assim, ela não ficaria criando caso.

— Ao contrário. Para aceitar as coisas, ela precisa entendê-las. A senhora ouviu que ela não gosta da missa, porque não entende o que está acontecendo.

— Todo mundo vai e aceita. Por que Carolina tem de ser diferente?

— Ela não quer ser hipócrita. E para ser sincero, quando vou à igreja, não consigo manter meu pensamento no que o padre está dizendo. Quando percebo, já estou pensando em outras coisas. A senhora consegue não dispersar o pensamento quando está na missa?

— Bem, todos temos nossas fraquezas. Às vezes me acontece. Mas nessa hora temos de nos esforçar para rezar e prestar atenção.

— As pessoas não são iguais. Sua filha tem outra maneira de ver, diferente da sua. Enquanto a senhora se conforma em aceitar o que os outros dizem, ela não aceita. Primeiro precisa entender para depois aceitar.

— Se eu pensasse assim meu casamento teria acabado. Na família há uma hierarquia, primeiro o pai, depois a mãe. Os filhos devem obedecer.

O médico olhou-a pensativo e não respondeu de imediato. Ela continuou:

— Eu tenho feito minha parte. Há muitas coisas que eu gostaria que fossem diferentes, mas Augusto Cezar quer de determinado jeito e eu preciso aceitar. Ele é o chefe da família. Adalberto aceita e não nos dá nenhum trabalho. Por que Carolina não faz o mesmo?

— É o temperamento dela.

— Um bom calmante não a tornaria mais calma?

— Não posso fazer isso, sua filha não precisa. Noto que a senhora está nervosa, gostaria que pensasse no que vou lhe dizer. Carolina é inteligente, questiona a razão das coisas. Reflete sobre o que ouve ou vê. A senhora deve orgulhar-se de ter uma filha com essas qualidades.

— Eu queria que ela fosse como as outras.

— Mas ela não é. Ela pensa, analisa, percebe. Vou conversar com Augusto sobre isso. Seria bom que a ouvissem e respeitassem sua opinião.

— Não dá para fazer isso! Seria o caos.

— Muito pior é forçá-la a fazer coisas de que ela não gosta e a deixam mal. É a natureza dela. Vocês não vão conseguir fazê-la mudar. Afinal, não gostar de ir à missa não é tão grave assim. Vocês podem ensinar os valores espirituais em casa. Isso é o mais importante.

— Augusto nunca vai aceitar uma coisa dessas! Quer dizer que eu vou ter de continuar no meio desses desentendimentos dentro de casa?

— Acalme-se dona Ernestina. Vou receitar-lhe um calmante leve, para que se sinta melhor. Quer que sua filha mude para que a senhora não tenha de enfrentar nenhum confronto. Mas a vida é cheia de confrontos. Todos os dias são colocadas em nosso caminho situações que teremos de enfrentar. Fugir não resolve; ao contrário, os problemas crescem e, enquanto não os enfrentamos, eles não se resolvem.

— Mas eu estou enfrentando. Quero manter a paz na família.

— A senhora quer que sua filha mude o temperamento. Isso não é possível.

Ernestina levantou-se nervosa:

— Como não? Ela é jovem e tem que mudar. Até parece que o senhor está contra mim!

— Acalme-se. Sente-se e me ouça. Eu estou do lado do bom senso. Desejo que vocês tenham um bom relacionamento. Mas agindo desse jeito, vocês só vão conseguir que sua filha fique pior. Quanto mais usarem autoridade, mais ela vai resistir.

— É assim mesmo que ela faz — concordou Ernestina sentando-se novamente.

— Vocês precisam usar a inteligência. Ela quer entender as coisas, vocês devem conversar, esclarecer.

— Ela faz perguntas que não sei responder.

Ele riu e considerou:

— Diga que não sabe e procure se informar a respeito. Em nossa cidade temos uma biblioteca muito boa.

— Estudar, doutor, na minha idade?

— O que é que tem? Eu e Silvia estamos sempre estudando alguma coisa. Isso torna a vida mais interessante. Há muitas coisas para aprender. Experimente. Vai se surpreender.

— Vou tentar — mentiu ela.

Não tinha nenhuma intenção de seguir esse conselho que considerou ridículo. Achou que não tinha nada mais que fazer ali.

O médico prescreveu uma receita e entregou a ela.

— Tome vinte gotas antes de se deitar. Vai fazer-lhe bem.

Ela agradeceu e saiu. Sentia-se decepcionada. Carolina a esperava na outra sala lendo uma revista.

Ela pagou a consulta para a recepcionista, depois se aproximou de Carolina:

— Vamos embora.

Saíram. Durante o trajeto de volta, Ernestina não disse uma palavra. Carolina notou logo pela fisionomia dela que não estava satisfeita.

O que teria conversado com o médico durante tanto tempo? O que ele lhe teria dito? Ela não saíra feliz depois daquela conversa.

Aliás, ela sentia que sua mãe não era uma pessoa feliz. Fechada, nunca expressava seus sentimentos. Apesar de a mãe se esforçar para demonstrar a todos que ela e o marido eram um casal feliz, Carolina tinha certeza do contrário.

Quando seu pai estava em casa, percebia nela uma ansiedade, sempre querendo descobrir o que ele queria, para que ele não precisasse reclamar de nada.

Ela se orgulhava de ser uma dona de casa perfeita. Adorava colocar pessoalmente nas gavetas a roupa, impecavelmente lavada e passada, cada coisa rigorosamente limpa no lugar certo.

Seus olhos brilhavam satisfeitos quando alguém elogiava suas prendas domésticas.

Carolina notava que o pai nunca a elogiava. Exigente nos mínimos detalhes, achava que a esposa tinha obrigação de fazer tudo perfeito.

Ela nunca tinha visto a mãe despenteada, vestida de maneira mais displicente. Às vezes tinha a impressão de que ela se deitava vestida e não se mexia para não despentear os cabelos.

Quando era criança, muitas vezes desarrumava as gavetas da mãe, escondia seus pertences, para ver se ela ficava mais à vontade. Sua mãe a castigava e a obrigava a colocar tudo no lugar. Depois, arrumava do seu jeito.

Assim que chegaram em casa, Carolina foi para o quarto, interessada em continuar a leitura do romance.

Ernestina foi ver como estavam os preparativos para o jantar. Augusto Cezar não havia chegado. O que lhe diria? Sabendo que Carolina não estava doente, certamente seria mais exigente com ela e a situação poderia piorar.

Talvez fosse melhor dizer-lhe que o médico iria conversar com ele sobre o assunto.

Pensando assim, subiu para trocar de roupa e descansar até a hora do jantar.

2

Naquela tarde, Augusto Cezar procurou por Ernestina.

— Ela está no quarto — informou Rute.

Ele subiu para falar com a esposa. Estava ansioso para saber o que o médico dissera sobre Carolina.

Ernestina estava se arrumando como fazia todas as tardes para esperar o marido.

— E então? — indagou ele. — Levou Carolina ao médico, o que ele disse?

— Bem... ele a examinou e ficou de conversar com você sobre isso.

— Como? Ele não lhe disse nada?

— Disse que é frequente mocinhas desmaiarem na igreja por causa do cheiro de incenso, do ambiente etc.

— Isso ele já me havia dito. Mas quanto à saúde dela?

— Não encontrou nada.

Ele meneou a cabeça com irritação:

— Eu não disse? Essa menina está fingindo. Mas não vou permitir que ela nos engane de novo. Domingo terá de ir à missa como é preciso.

— Antes de decidir seria melhor conversar com ele. Tenho a impressão de que ele não disse tudo.

— Por que não?

— Talvez por estar diante dela, não sei. Vá conversar com ele.

— Está bem. Irei. Onde ela está agora?

— No quarto.

— Ela vive no quarto. Até parece que não gosta de ficar com as pessoas da família.

— Não é nada disso. Eu estou sempre ocupada, Adalberto estudando com os amigos, ela não tem com quem conversar. Se tivesse uma irmã seria diferente. Na idade dela eu estava sempre com minhas duas irmãs.

— Falarei com ele amanhã mesmo. Agora vou tomar um banho e descer para o jantar.

— Faça isso, hoje fiz aquela torta de palmito de que você gosta.

Antes de descer, Ernestina passou pelo quarto de Carolina, girou a maçaneta, a porta estava trancada. Irritada, bateu com insistência. Quando Carolina abriu, ela disse:

— Já lhe disse para não trancar a porta. Por que você faz isso?

— Eu fechei por causa do Adalberto. Queria dormir um pouco. Ele não respeita minha privacidade. Costuma entrar, gritar na minha orelha, puxar o lençol.

— Ele não faria nada se você não ligasse para as palhaçadas dele. Quanto mais você se irrita, mais ele sente prazer em fazer. Também não é só com ele, você implica com tudo o que ele faz. Nunca vi dois irmãos tão briguentos. Eu sempre me dei bem com minhas irmãs.

— Já sei, vocês eram muito amigas. Pois eu fecho a porta para evitar brigar. Só por isso.

Ernestina suspirou desanimada:

— Seu pai está no banho e logo vou servir o jantar. É melhor se arrumar e descer. Não quero me atrasar.

— Eu não estou com fome. Preferia ficar sem jantar.

Ernestina sacudiu energicamente a cabeça:

— Sabe que seu pai exige todos à mesa na hora do jantar. Trate de descer. Chega de confusão. Não invente moda senão eu mesma vou lhe dar um castigo. Estou cansada, mereço jantar em paz.

Carolina concordou. Se ela não fosse, teria de ouvir vários sermões. Era melhor obedecer. Queria voltar logo para o quarto e continuar sua leitura. O livro estava muito interessante.

Quando desceu, Adalberto já estava na sala e ela olhou-o com raiva. Sabia que ele era dissimulado. Fingia obedecer a tudo que os pais diziam, mas longe deles fazia o que queria.

Em uma das suas discussões ele lhe dissera:

— Você é boba. Eu sou muito mais inteligente do que você.

— É um fingido. Na frente deles é um santo, educado, gentil, mas pelas costas faz tudo diferente.

— O que você ganha sendo revoltada, discutindo com eles? Só arranja encrenca. Faça como eu. Esteja em casa na hora do almoço e do jantar, vá com eles à missa aos domingos, diga sim para tudo, elogie a vida familiar e verá que não terá mais problemas.

— Não tenho estômago para ser falsa. Gosto de dizer o que sinto. Ser verdadeira.

— Então não se queixe. Continue dando vexame como o que deu no domingo.

Vendo-a entrar na sala Adalberto sorriu:

— O doutor Jorge encontrou a sua doença? Receitou-lhe algum remédio?

— Eu não estou doente.

— Eu sei. Ele não receitou porque ainda não inventaram um remédio para burrice.

Carolina fuzilou-o com o olhar e não respondeu. Ernestina, que estava entrando e ouvira a frase dele, interveio:

— Cale-se, Adalberto. Suas brincadeiras sempre dão mau resultado.

— É que Carolina não tem senso de humor.

— Eu disse para ficar calado. Seu pai está descendo.

Augusto Cezar entrou na sala de jantar, olhou em volta e disse:

— Boa noite. Vamos nos sentar. Pode mandar servir.

O jantar decorreu em silêncio. Carolina estava com os olhos no prato e a mãe cuidava para que nada faltasse e nenhum dos filhos dissesse alguma besteira. Augusto Cezar, de vez em quando, lançava um olhar inquiridor sobre todos.

Querendo melhorar o clima, Adalberto tentou conversar sobre suas aulas na faculdade e o pai interessou-se. Augusto Cezar preferia que o filho fosse engenheiro, como ele, mas para isso ele teria de ir estudar em outra cidade, e ele não queria que o filho ficasse fora do seu controle.

Quando Adalberto decidiu estudar Direito, ele concordou. Como advogado também poderia trabalhar na empresa da família como desejava.

— Trate de estudar bastante. Assim que passar para o segundo ano, começará a trabalhar em nossa empresa para familiarizar-se.

— Não sei se estarei preparado para trabalhar. Estou começando. Eu ainda não sei nada. Acho cedo.

— Ao contrário. Quanto mais cedo começar, melhor será. O estudo é importante, mas a prática é que vai mostrar a melhor forma de usar as teorias. Para ter sucesso profissional, uma coisa não pode existir sem a outra. Já decidi. No começo do ano que vem você vai começar a trabalhar.

Adalberto baixou a cabeça sobre o prato para que o pai não percebesse sua contrariedade e respondeu:

— Está bem.

Os olhos de Carolina brilharam irônicos quando fixou o irmão. Mas não disse nada. Queria que a refeição terminasse logo para que pudesse retomar a leitura.

Assim que o pai levantou-se da mesa, Carolina foi para o quarto, fechou a porta, apanhou o livro e acomodou-se gostosamente na poltrona.

Abriu o livro, mas sentiu sono. Fechou-o novamente colocando-o sobre a mesinha. Recostou-se e adormeceu.

Sonhou que caminhava por uma trilha em um campo verde. Ela admirou o céu de um azul forte e brilhante e notou que o verde das plantas era mais vivo do que costumava ver.

Sentia-se leve, alegre, bem-disposta. Caminhou depressa, ansiosa para chegar, sem saber aonde.

Encontrou uma praça em que havia um coreto branco cercado de flores. O jardim era maravilhoso. Encantada, Carolina sentou-se em um banco, olhando à sua volta querendo observar tudo.

Foi quando viu o rapaz que havia visto na igreja e que a levara passear aproximar-se.

— Conheço você! — disse ela, levantando-se e indo ao encontro dele.

— Eu sei. Vamos nos sentar e conversar.

— Apesar de nunca haver estado aqui, este lugar me é familiar.

— Claro. Você costumava vir muito aqui.

— Eu não me lembro.

— É natural. Você reencarnou e essa fase é de esquecimento. Mas conforme combinamos antes de você nascer, estou a seu lado.

— Sinto que o conheço, mas não sei de onde. Quem é você, como se chama?

— Marcos. Somos amigos há muito tempo. Trouxe-a aqui para falar sobre nossos projetos.

Ele colocou a mão direita sobre a testa dela dizendo:

— Você agora vai se lembrar de mim.

Da mão dele saía uma energia colorida que entrava pela testa e circulava pela nuca dela.

Carolina estremeceu, abriu os olhos e disse alegre:

— Marcos, é você! Que alegria!

Abraçou-o com carinho. Permaneceram assim alguns segundos, depois ele disse:

— Lembra-se?

— Sim. Que bom vê-lo.

— Trouxe-a aqui porque é hora de darmos andamento aos nossos projetos. Sei que não será fácil. Por outro lado, você terá toda ajuda que for preciso.

Continuaram conversando durante algum tempo. Por fim ele tornou:

— É hora de voltar. Quando acordar, você esquecerá essa nossa conversa, mas essa experiência ficará gravada em sua memória e será um ponto positivo que vai ajudá-la.

— Está tão bom aqui! Eu gostaria de ficar um pouco mais.

— Eu também gostaria. Mas é preciso voltar.

— É que lá eu me sinto deslocada. As pessoas são tão diferentes de mim.

— Você é mais experiente do que elas, o que lhe concede maior responsabilidade no relacionamento. Por ter vivido mais, tem mais condições de entender o relativismo deles sem deixar de ser você mesma.

— É o que tenho tentado fazer.

— O confronto nem sempre é o melhor caminho. A firmeza é necessária, mas sem agressividade ou revolta. É cruel exigir de alguém o que eles ainda não podem dar.

— Mas se eu deixar, eles vão transformar minha vida e atrapalhar nossos projetos.

— Você pode ser firme sem ser revoltada. Coloque-se de maneira clara, mas sem raiva. Olhando nos olhos da pessoa envolvendo-a com pensamentos de luz e amor.

— É que quando estou lá, esquecida de tudo, tenho encontrado dificuldade em vencer a irritação. Se ao menos eu pudesse me lembrar da nossa conversa aqui...

— Eu sei como é isso. Mas precisa se esforçar. Você pode vencer tudo isso.

— Vou tentar. Mas sempre que eu cometer um deslize, faça alguma coisa, avise-me.

Marcos sorriu e respondeu:

— Vou ver o que posso fazer. Agora vou levá-la de volta. Lembre-se, quando ficar contrariada, coloque-se com firmeza, olhe nos olhos de seu interlocutor, mande a ele luz e amor.

Carolina acordou, ouvindo as últimas palavras de Marcos. Sentia ainda no peito grande euforia que lhe causava uma sensação agradável.

Olhou em volta esforçando-se para recordar-se do sonho. Tinha certeza de que havia se encontrado com o rapaz que a visitara na igreja e que ele se chamava Marcos. Lembrava-se de tê-lo abraçado, de haver conversado. Mas sobre o quê?

A cena ainda estava nítida em sua lembrança, a beleza do lugar... Mas, por mais que se esforçasse, não conseguia recordar-se de tudo que haviam conversado, só as últimas palavras dele ainda soavam aos seus ouvidos:

"Você pode ser firme sem ser revoltada. Coloque-se de maneira clara, mas sem raiva. Olhando nos olhos da pessoa, envolvendo-a com pensamentos de luz e amor."

Lembrou-se das exigências descabidas do pai e da excessiva passividade da mãe, além das provocações do irmão e pensou:

"Ser firme vai ser fácil. Mas só em pensar o que eles fazem, sinto raiva. Vai ser difícil conseguir nessas horas ter pensamentos de luz e de amor. Em todo o caso, vou tentar."

***

No sábado à noite, depois do programa de televisão com a família, Carolina levantou-se:

— Vou subir para dormir. Boa noite a todos.

— Espere, Carolina — tornou Augusto Cezar. — Amanhã vamos à missa das dez. Quero todos prontos meia hora antes.

Carolina sentiu um impulso de raiva, mas esforçou-se para controlá-lo. Parou diante do pai, que a olhava com ar de desafio, olhou nos olhos dele imaginando que raios de luz o envolviam e disse com voz calma:

— Não gosto de ir à missa, não entendo nada do que o padre fala. Sinto-me mal cada vez que vou. Não quero ir. Prefiro rezar em meu quarto, do meu jeito. Mas não desejo desobedecer a uma ordem sua; se me obrigar, irei. Mas ficaria feliz se me deixasse ficar em casa.

Augusto Cezar olhou-a admirado e no primeiro momento não soube o que dizer. Ernestina trocou um olhar surpreendido com Adalberto.

Notando que os três o olhavam atentos, esperando uma resposta, ele reagiu:

— Quero todos juntos na missa. Faço isso para pedir proteção a Deus. Nós não sabemos o que pode acontecer amanhã, os perigos a que vocês, que são jovens, estarão sujeitos. É uma tradição da nossa família, meus avós, meus pais, todos fizeram assim. Apesar de nossa família ser numerosa nunca ninguém ousou romper esse costume.

Ele fez uma pausa e, notando que os três continuavam esperando, continuou:

— Quando eu tinha a sua idade, também não entendia o que o padre dizia, achava cansativo, preferia jogar bola com os amigos. Mas hoje eu entendo que meus pais agiam assim para me proteger e sou grato pelo que fizeram por mim. Como pai, tenho o dever de dar-lhes uma boa formação espiritual. Por esse motivo, amanhã você terá de ir à missa.

O tom dele era carinhoso, Carolina pela primeira vez entendeu por que ele agia dessa forma, e respondeu:

— Está bem, pai. Irei. Boa noite a todos.

Ela saiu da sala e Adalberto comentou:

— O que deu nela? Eu não acredito nessa mansidão. Cuidado, ela vai aprontar alguma.

— Não gostei do seu comentário maldoso — disse Augusto Cezar. — Tenho observado que você gosta de provocar sua irmã. É falta de respeito e eu não gosto nada disso.

— Desculpe, pai, não vou mais agir assim — prometeu ele tentando dissimular a contrariedade. — Vou sair, dar uma volta. Não me demoro.

Depois que ele se foi, Ernestina comentou:

— Carolina parece mudada.

— Ela não é mais uma menina, sinto que amadureceu.

Ernestina suspirou aliviada. Ela esperava uma discussão desagradável, que não aconteceu. Apesar da atitude cordata da filha, temia que ela mudasse de ideia.

Carolina foi para o quarto, trancou a porta, apanhou o romance que estava lendo e acomodou-se na poltrona. Não abriu o livro. Ficou pensando no seu encontro com Marcos, esforçando-se para lembrar alguma coisa mais.

O lugar, o abraço, o bem-estar, a alegria que sentira continuavam vivos em sua lembrança, mas da conversa apenas recordava as últimas palavras.

Ele estava certo. Seu pai nunca explicava por que dava uma ordem. Pela primeira vez, havia se justificado. Carolina notou que ele agia daquela forma pensando em protegê-los.

Claro que ela pensava diferente. Não se comovia com rituais que não entendia, mas era sensível à beleza das coisas, via Deus em todos os lugares, acreditava que o Universo era comandado pela fonte da vida e que a essência divina estava dentro do seu coração.

Quando sentia necessidade de falar com Deus, recolhia-se e deixava sua alma expressar-se. Tinha certeza de que estava sendo ouvida.

Mas seu pai não sabia disso. Cumprindo o ritual religioso da família ele acreditava estar cumprindo seu papel de pai. Obrigando os filhos a obedecerem cegamente suas determinações, pretendia saber o que seria melhor para eles serem felizes. Que ilusão!

Não querendo confronto, Adalberto assumira uma postura falsa diante da família; longe dos pais, agia de outra forma.

A experiência que acabara de ter fora reveladora. Marcos estava certo. Ela cedera ao desejo do pai, não por medo, nem por haver mudado sua forma de ver, mas por notar que ele os amava e pensava estar lhes fazendo um bem.

Como explicar-lhe suas razões mais íntimas? Sentia que ele não estava pronto para entender. Gostaria muito de conversar com ele sobre sua forma de ver o mundo, a vida.

Mostrar-lhe que havia muitas coisas além das aparências, que a vida era mais do que parecia ser.

Mas sentia que ele ainda não estava pronto. Marcos a havia aconselhado a ter paciência. Agora entendia o porquê.

Pensou na mãe, sempre temendo alguma coisa, ocultando seus verdadeiros sentimentos, insegura, sem coragem de se colocar, aceitando as ordens do marido passivamente.

Carolina não se lembrava de ela as ter discutido uma única vez. Do que ela tinha medo? Por que havia se apagado daquela forma? Era uma mulher bonita, elegante, mas seus olhos eram sem brilho. Como seria seu mundo íntimo? Certamente não era feliz.

Apesar de aparentar alegria e bem-estar, sua família não era feliz. O pai não dividia suas opiniões com a esposa, dava ordens, exibia autoridade. Provavelmente porque não a julgava capaz de uma atitude adequada.

Carolina pensava diferente. Havia notado que quando Ernestina estava distraída, relaxada, e seu pai não estava por perto, ela demonstrava um profundo senso prático, deixando escapar frases reveladoras de um espírito arguto e observador. Por que na presença dele ela se apagava tanto?

Já Adalberto, apesar de estar sempre alegre, bem-disposto e nunca se queixar de nada, ela notava o esforço que ele fazia para não demonstrar contrariedade, sempre que o pai exigia dele alguma coisa. Era um papel que ele exibia, desejando ser querido, passar por bom moço.

Por que será que ele agia assim? Ocultar os sentimentos, demonstrar uma alegria que não sentia, não falar de si mesmo, do que gostava ou não, deveria ser muito penoso.

Carolina não gostava de fingir. Era profundamente verdadeira. Compreendeu que se Marcos não a houvesse auxiliado, ela continuaria a reagir de maneira inadequada.

A pequena experiência daquele dia havia demonstrado que era possível se colocar, falar dos seus sentimentos, ser ouvida.

Era verdade que no domingo teria de ir à missa com a família. Aparentemente nada havia mudado. Mas conhecendo as razões de seu pai, percebendo os limites dele, seria menos penoso lhe obedecer.

Naquele momento, percebeu que a forma como ele lhe dava ordens a incomodava, era como se ela fosse incapaz de escolher seu próprio caminho.

Levou as mãos ao rosto assustada: "Ela era tão vaidosa quanto ele".

Então lhe pareceu ouvir a voz de Marcos dizendo:

"Por que você acha que tem um pai assim? Por que, apesar do conhecimento que você já tem, precisou nascer em uma família como a sua? Saiba que a vida faz tudo certo. Ninguém é vítima."

Quantas coisas havia dentro dela que ainda não sabia? O que precisaria aprender para ser feliz?

Sentiu-se um tanto insegura. Lembrou-se de que Marcos prometera ajudá-la.

Ah! Se ela pudesse estar com ele de novo! Sentir aquela sensação de leveza e alegria!

Se ao menos pudesse recordar-se do que haviam conversado! Na próxima vez em que estivessem juntos, iria lhe pedir que não a deixasse se esquecer.

Desejava guardar todos aqueles momentos mágicos de espiritualidade e entendimento.

Pensando nisso, juntou as mãos e murmurou uma prece de agradecimento por poder ter esse amigo.

Depois, prometeu a si mesma esforçar-se para seguir os sábios conselhos que ele lhe havia dado.

Aliviada e tranquila, abriu o livro e desta vez mergulhou na leitura prazerosamente.

3

Eram sete horas da noite de sábado quando Adalberto finalmente conseguiu sair de casa. Seu amigo Romeu havia confidenciado que Ana Maria estaria na praça com Sônia.

Romeu estava interessado em Sônia e marcara um encontro com ela, que lhe dissera ir junto com Ana Maria, uma vez que seu pai não a deixava sair sozinha.

Ele apressou-se em avisar Adalberto. Sabia que o amigo ficaria contente em acompanhá-lo. Fazia algum tempo que Adalberto desejava aproximar-se da moça. Mas ela era difícil e não lhe dava chance.

Ele aprontara-se cedo, caprichara na toalete, mas justamente naquela noite o jantar, apesar de ter sido servido no horário de sempre, demorou mais do que o habitual.

Seu pai estava falante, animado, fazendo planos para o futuro e ele não via a hora de sair. Estava a ponto de protestar, mas conseguiu controlar-se. Se protestasse poderia ser pior.

Só Carolina notou a impaciência dele e o apuro com que se arrumara para sair. Mas Augusto Cezar, bem-humorado, não percebeu nada.

Uma vez na rua, Adalberto foi ao encontro do amigo a passos rápidos.

— Puxa, você demorou! — reclamou ele assim que o viu.

— Por mim eu estaria aqui muito antes. Mas parece que meu pai adivinha. Ele tem o poder de ser desagradável. Destampou a falar e não parava mais.

— Por que você não pediu licença e saiu?

— Porque ele iria zangar-se e eu sou de boa política. Não quero lhe aborrecer.

— E por causa disso você prefere aborrecer-se e arriscar-se a perder a chance de conversar com Ana Maria? Na minha casa quando quero sair mais cedo, eu aviso e pronto.

— Não posso fazer isso.

— Você acha que ele vai se aborrecer só porque quer sair um pouco mais cedo?

— Ele gosta de unir a família durante as refeições. Quer todos à mesa na hora do jantar. É uma regra, quase um ritual. Ele ficaria zangado se eu saísse antes.

Os dois foram caminhando apressados. A praça estava repleta. Deram uma volta, procurando as duas moças, mas elas não estavam.

— São sete e cinco — murmurou Adalberto. — Será que elas desistiram?

— Não creio. Sônia ficou muito emocionada quando marcamos o encontro. Tenho certeza de que virá.

Alguns minutos depois, elas chegaram. Após os cumprimentos Sônia tornou:

— Vim para dizer que é melhor marcarmos outro dia. Ouvi meu pai convidar mamãe para vir na praça tomar um sorvete. Não quero que nos vejam juntos.

— Faz tempo que desejo conversar com você e não quero perder esta oportunidade — alegou Romeu. — Vamos sair daqui, procurar um lugar discreto para conversarmos.

Adalberto devorava Ana Maria com os olhos. Ela estava linda em seu vestido de seda vermelho, os cabelos ondulados caindo nos ombros, os lábios carnudos entreabertos em um sorriso.

Ele queria conversar, ser interessante, mas ao lado dela permanecia calado, sem saber o que dizer. Ela notou o embaraço dele e sorriu satisfeita.

Eles foram andando lado a lado. Romeu um pouco a frente com Sônia. Adalberto respirou fundo e reagiu:

— Faz tempo que eu queria conversar com você. Mas sempre que nos encontramos você está com alguém de sua família.

— Meus tios são muito exigentes em matéria de amizades.

— Eu soube que você veio para cá porque sua mãe morreu.

— Foi. Meus tios são meus únicos parentes. Meu pai morreu quando eu era pequena, minha mãe quando eu estava com dezesseis anos. Meus tios foram me buscar. Tia Ângela é a única irmã de mamãe e não tenho outros parentes.

— Você morava em São Paulo, já se acostumou a viver aqui?

— A princípio foi difícil, os costumes são diferentes. Além disso eu era muito ligada a minha mãe e senti muito a falta dela.

Os olhos dela brilhavam emocionados e Adalberto disse:

— Posso imaginar.

— Minha vida mudou radicalmente. Meus tios são muito bons, mas quando eu puder pretendo voltar a morar na capital.

— Seus tios têm vontade de ir para lá?

— Não. Eles adoram isto aqui. Mas eu desejo uma vida diferente. Gosto do movimento da cidade grande. Tudo por aqui é calmo demais para o meu gosto. Mas chega de falarmos de mim. E você, gosta de morar aqui?

— Eu nasci aqui. Estou habituado a esta vida calma.

— Sei que estuda Direito. Pretende ficar aqui depois que se formar?

— Ainda não sei.

— Em São Paulo você teria mais oportunidade de fazer carreira, ganhar dinheiro. Se continuar aqui nunca subirá na vida.

— Nunca me preocupei com isso. Meu pai se formou, sempre morou aqui e fez uma boa carreira. Vivemos muito bem.

— Vocês se conformam com pouco.

O tom que ela disse isso o incomodou e ele rebateu:

— Engana-se. Temos um bom padrão de vida. Aliás, meu pai gosta do luxo e do conforto.

— Se vocês estão satisfeitos com o que têm, não questiono. Só sei que eu, assim que alcançar a maioridade, vou morar na cidade.

— Mas você disse que seus tios não vão.

— O que tem isso? Vou de qualquer jeito.

— Uma moça sozinha na capital, acha certo?

Alçando a cabeça para trás ela riu sonoramente:

— Você já está contaminado pela mentalidade do interior. Pensa pequeno. Não me conformo. Em São Paulo há muitas moças que não vivem com a família. Desejam progredir na vida. Estudam e trabalham para se manter.

— É isso que você chama de uma vida boa? Aqui com seus tios você não precisa se preocupar em ganhar a vida. Pelo que tenho observado, eles vivem muito bem. Você estuda na melhor escola, está sempre bem-arrumada, tem a companhia e o carinho deles que a amam. É loucura abandonar tudo isso para sofrer sozinha em uma cidade grande.

— Eu vim morar com eles, vivo às expensas deles. Por causa disso sou forçada a obedecê-los, fazer o que eles querem. Meu tio é mais liberal, mas minha tia é muito exigente. Quer tudo do jeito dela.

Eles continuaram caminhando lentamente até chegarem a uma pequena praça. Vendo que Romeu e Sônia haviam se sentado, procuraram um banco um pouco à frente e se acomodaram.

Adalberto retomou o assunto:

— Sua tia está cumprindo seu papel. Faz isso pensando no seu bem.

— Reconheço. Mas sou diferente dela. Quero ter o direito de viver do meu jeito. Daqui a alguns meses completarei vinte e um anos. Então vou embora.

— Como pensa viver na cidade?

— Os bens que meus pais me deixaram estão nas mãos dos meus tios até eu completar a maioridade. Com eles, penso que poderei viver em São Paulo muito bem.

Adalberto segurou a mão dela dizendo:

— Sentirei sua falta. Não vá.

Ela olhou-o nos olhos, retirou a mão e respondeu:

— Nada me fará desistir dos meus planos. Neles você não está incluído.

A resposta direta dela fez o sangue subir no rosto de Adalberto, que reagiu:

— Eu disse que sentirei sua falta, não que pretendo me casar com você.

A resposta inesperada despertou a curiosidade dela, que resolveu provocá-lo:

— Por que não?

— Porque é ambiciosa e não gosto disso. Prefiro escolher uma moça que aprecie a vida familiar.

— Você faz bem o gênero do povo desta cidade. Ainda bem que não temos nada a ver um com o outro.

— Como é que pode saber? Estamos conversando pela primeira vez.

— É o suficiente — respondeu ela olhando-o desafiadoramente.

Adalberto irritado não se conteve, agarrou-a e beijou-a nos lábios com paixão. Apesar de surpreendida, ela correspondeu ao beijo e ele emocionado continuou beijando-a.

Por fim ela separou-se dele dizendo:

— Você me pegou de surpresa. Por que fez isso?

— Faz tempo que desejava beijá-la. Não podia perder a oportunidade, uma vez que logo você vai embora.

— Você é um cínico.

— Quis que você experimentasse o gosto dos meus lábios.

— Pretensioso! Para mim esses beijos não significaram nada.

— Mas você bem que correspondeu.

Ela levantou-se irritada:

— Essa conversa sem graça já foi longe demais. Vou embora. Se Sônia quiser ficar, que fique.

Adalberto segurou o braço dela e pediu:

— Sente-se, por favor. Prometo que vou me comportar. Se você for embora, Romeu vai brigar comigo. Ele está muito interessado em Sônia.

— Espero que ele seja mais confiável do que você.

— Sente-se, vamos.

Ela sentou-se conservando certa distância.

— Já disse que vou me comportar — repetiu ele aproximando-se dela. — Reconheça que você provocou.

— Não é verdade. Eu não queria vir porque notei seu interesse por mim. Primeiro porque não pretendo namorar ninguém, depois, mesmo que eu tivesse essa vontade, nunca seria com você. Fui sincera ao dizer que você não estava incluído em minha vida.

Ela era direta e suas palavras caíram sobre o entusiasmo dele como um balde de água fria. Ele esforçou-se para controlar a decepção. Não queria que ela notasse seu desapontamento.

— Você está exagerando. Eu não disse que queria namorá-la. Você tem uma boca apetitosa e eu queria beijá-la. Mas não estou apaixonado por você. Mas já que foi tão franca, diga, por que tanta aversão por mim?

— Não se trata de aversão. Nem nos conhecemos. Acontece que tenho meus planos de vida. Você é muito jovem e inexperiente. Eu quis evitar que se iludisse. Quando eu morava em São Paulo tive muitos aborrecimentos por causa de um admirador apaixonado, que prometia até me matar se eu não o aceitasse. Pretendo me casar com um homem mais velho do que eu, com a vida definida. Estou sendo sincera com você.

— Até demais. Apesar de tudo, você correspondeu a meu beijo e eu gostei da experiência.

Ele disse isso em tom de gracejo e ela sorriu:

— Para ser sincera, também gostei.

— Se quiser podemos repetir a dose. Estou à disposição.

— Não vamos repetir nada. Algum dia você encontrará uma moça bonita e vai se apaixonar de verdade.

Romeu e Sônia estavam se aproximando e eles levantaram-se também.

— Vamos embora — convidou Sônia.

Eles foram caminhando de volta até as proximidades da casa dela.

— Vamos nos despedir aqui. Não quero que ninguém nos veja.

Despediram-se. Romeu estava radiante.

— Estamos namorando — disse assim que elas se afastaram.

— Parabéns.

— Você também se deu bem. Pensa que não vi os beijos?

— Ao contrário. Ela me disse claramente que não pretende namorar. Quer ir embora para São Paulo.

— Não entendo. Então por que o beijo?

— Ela estava me provocando, dizendo que não queria nada comigo, então eu a beijei.

— Puxa, que coragem! Ela não reagiu?

— Ela gostou, isso sim. Correspondeu, mas veio com uma conversa que não quer namorar ninguém, que vai embora.

— Pois eu estou apaixonado.

— Melhor para você.

— Vai desistir de Ana Maria?

— Não sei. Ela se acha muito segura com seus planos, tanto que dá vontade de insistir só para fazê-la mudar de ideia.

Romeu olhou-o incrédulo e respondeu com certo ar de malícia:

— Acha que conseguiria?

— Tenho certeza. Só não sei se vale a pena. Ela me atrai, mas não estou apaixonado.

— Você diz isso porque está com raiva. Nunca havia levado um fora como esse.

— De fato, há muitas garotas que dariam tudo para que eu as escolhesse. Só que nenhuma delas me atrai.

Romeu riu e objetou:

— Se Ana Maria se interessasse por você, garanto que ficaria feliz. Reconheça que está apaixonado por ela.

— Não estou. Por que insiste nisso?

— Está bem. Não direi mais nada. Estou muito feliz hoje para discutir com você. Vamos embora, amanhã tenho de acordar cedo.

Adalberto chegou irritado em casa. Carolina estava na cozinha tomando água e vendo-o disse:

— Que cara é essa? Tomou o fora da garota?

O rubor coloriu as faces de Adalberto, que nervoso disse:

— Não me provoque que não estou bem.

Ernestina que os observava da porta interveio:

— O que é isso? Vocês nem parecem irmãos. Vivem discutindo. Parem com essa discussão. Onde já se viu?

— Foi ela quem começou — retrucou ele apontando para Carolina.

— Eu não faria isso se você deixasse de implicar comigo e me deixasse em paz.

— Chega. Vocês deveriam estar na cama. Seu pai está na sala e, se ele ouvir, vocês não vão se livrar de um bom sermão.

Essas palavras tiveram o dom de fazê-los subir em silêncio, cada um para o seu quarto.

Adalberto estirou-se na cama relembrando o encontro com Ana Maria. Não estava apaixonado, mas se ela houvesse se mostrado um pouco interessada nele, talvez acabasse se apaixonando.

Lembrou-se dos beijos que haviam trocado. Se ela não sentisse nada por ele, por que correspondera com tanto ardor?

A esse pensamento sentiu um calor gostoso no peito. "Ela gostou. Quem despreza compra", pensou.

Se ele conseguisse conquistá-la, seria a glória. Não só diante dos amigos como de Carolina.

Não, ele não desistiria. Talvez precisasse mudar de técnica. Até então se mostrara muito interessado. E se ele agisse exatamente ao contrário? Se aparentasse gostar de outra?

Lembrou-se de Áurea, a moça mais bonita do colégio em que Carolina estudava. Ela mostrava-se muito interessada por ele. Seus amigos haviam comentado que ela estava apaixonada.

Apesar da sua beleza, Adalberto não se interessara. Ela deveria ter uns dezessete anos, ele preferia mulheres mais adultas. Costumava dizer:

— Ela não me interessa. É muito criança. Deve ser dessas meninas mimadas, cheias de suspiros, indecisas, penduradas na mãe, que não sabem manter uma boa conversa. Gosto de mulheres inteligentes, mais independentes.

Áurea estava terminando o colegial e sempre que ele a via estava de uniforme. Nunca haviam conversado, mas ele sabia que ela era muito assediada pelos rapazes.

Apesar de não se interessar por ela, ficava envaidecido quando os amigos mais próximos lhe diziam que ela era apaixonada por ele e sempre que conversavam ela fazia perguntas sobre ele. Do que gostava, como pensava, o que fazia.

O que Ana Maria faria se ele começasse a namorar aquela moça?

Sorriu pensando como faria. Primeiro, conversaria com Ana Maria mostrando que desejava apenas ser seu amigo. Assim, ela baixaria a guarda e ele poderia acompanhar de perto as reações dela durante o namoro com a outra.

Claro que seria aborrecido fazer a corte a essa menina apaixonada. Mas ela era bonita e ele teria prazer de desfilar com ela pela cidade.

Em sua fantasia, ele imaginava que aos poucos Ana Maria se sentiria enciumada até que, não podendo mais controlar seus sentimentos, finalmente iria procurá-lo revelando seu amor.

Então, eles trocariam um beijo apaixonado. Ele terminaria tudo com a Áurea e ficaria com ela para sempre.

Dando asas à imaginação, ele se viu casado com Ana Maria, vivendo uma lua de mel ardente e apaixonada.

Pensando assim, ficou muito excitado e custou a dormir. Mas estava disposto a agir colocando seus planos em prática.

Segunda-feira, no fim da tarde, quando Carolina saiu do colégio teve a surpresa de ver Adalberto com dois amigos parados diante do colégio.

Passou por eles sem dar importância, porém Nelson a deteve:

— Como vai, Carolina?

— Bem, obrigada. E você, o que está fazendo aqui?

— Estávamos passando e, vendo que vocês estavam saindo, resolvemos esperar — explicou Adalberto.

— Estão de olho em quem? — indagou ela irônica.

— Em ninguém — respondeu ele querendo despistar. — Paramos aqui como poderíamos ter parado em qualquer lugar.

— Está bem — concordou ela maliciosa. — Vou fazer de conta que acredito. Já vou indo.

Nelson pediu:

— Fique. É cedo.

Adalberto cutucou o amigo que fez de conta que não percebeu. Há tempos gostava de Carolina e aquela era uma boa oportunidade para aproximar-se dela.

— Tenho de ir. Meu pai não gosta que eu demore.

— Vai sozinha?

— Vou, minha colega que mora perto de casa não veio hoje.

— Nesse caso posso acompanhá-la?

— Não é preciso. Ela sabe o caminho — tornou Adalberto.

— Sei mesmo. E gosto de ir sozinha. Tchau.

Ela se foi e Nelson reclamou:

— Por que fez isso? Você sabe que me interesso muito por Carolina.

— Mas ela não se interessa por você. Depois, é cedo para ela namorar. Meu pai é muito severo e não iria deixar.

— Você que quis vir. Mas já que a encontramos eu bem que poderia pelo menos acompanhá-la até em casa. Não ia acontecer nada.

— Não ia mesmo.

Naquele momento, Áurea e mais duas moças estavam saindo, Adalberto deixou os amigos e atravessou a rua parando diante delas, que o olharam surpreendidas.

— Estou procurando Carolina. Alguma de vocês a viu?

— Carolina saiu antes de nós. Acho que já foi embora — disse uma delas.

— Cheguei tarde. Que pena! Sou o irmão dela, meu nome é Adalberto.

Elas se apresentaram e ele apertou a mão de cada uma. Sentiu que a mão de Áurea estava fria. Notou que ela havia ficado emocionada.

Sorriu confiante. Seu plano tinha tudo para dar certo.

Os amigos estavam se aproximando e ele apressou-se em despedir-se:

— Foi um prazer conhecê-las. Vemo-nos por aí.

— Não vai apresentar as meninas? — indagou Rodrigo.

— Acho que vocês já se conhecem — respondeu Adalberto.

— De fato. Já nos conhecemos — concordou Nelson.

— As meninas querem ir para a casa. Já nos despedimos. Vamos embora.

Elas se foram e Nelson comentou:

— O que disse a elas?

— Tive vontade de vê-las de perto. Nada de importante. Vamos embora.

— Vai me dizer que está interessado em uma delas? — tornou Rodrigo.

— Ele gosta de mulheres mais velhas — comentou Nelson.

— Pois eu gostei. Se a Áurea me quisesse eu toparia — comentou Rodrigo.

Adalberto sorriu satisfeito. Afinal, apesar de criança, Áurea de perto era de fato muito bonita. Não tinha o ar provocante de Ana Maria, mas seus olhos verdes e misteriosos eram impressionantes.

Desfilar com ela certamente provocaria ciúmes em Ana Maria, além de fazê-la acreditar que ele não estava interessado nela. Ferindo seu amor próprio, esperava que ela o valorizasse.

Naquela noite, ao chegar a sua casa para o jantar, seu pai o esperava com ar preocupado.

— Finalmente você chegou. Onde andou durante toda a tarde?

— Conversando com alguns amigos. Estou em dia com meus estudos e não me atrasei para o jantar.

— Não se trata disso. Sente-se. Precisamos conversar.

Adalberto obedeceu. Augusto Cezar suspirou e tornou com ar triste:

— Amanhã cedo terei de viajar. Recebi um chamado urgente de sua avó. Meu pai está doente e ela estava muito aflita.

— Espero que não seja nada e que ele se recupere logo.

— Eu também espero. Mas vou para São Paulo ver o que está acontecendo. Conforme as coisas estiverem, voltarei dentro de dois dias. Enquanto eu estiver fora, você cuidará do que for preciso. Ajudará sua mãe no que ela precisar.

— Está bem, papai. Não quer que eu tome conta do escritório?

— Não é preciso. Dona Adelaide tem todas as orientações e fará isso muito bem. Não pretendo demorar. Prefiro que tome conta da casa e não fique dando voltinhas por aí enquanto eu estiver fora.

— Pode deixar. Hoje à noite combinei de ir buscar uma matéria na casa do Rodrigo. Mas amanhã só sairei para ir à faculdade.

— É melhor não sair hoje, quero todo mundo na cama cedo.

— Preciso dessa matéria para a aula de amanhã. Não vou demorar. Só o tempo de ir e voltar.

— Nesse caso vá depois do jantar e volte logo.

O jantar foi servido no horário de sempre, mas Augusto Cezar estava mais calado do que de costume.

Ernestina esforçava-se para mostrar-se natural, mas Carolina notou logo que ela estava muito nervosa.

Qualquer coisa que preocupasse o marido a deixava inquieta. Ela dava-se bem com os sogros, embora nunca houvessem morado perto.

Guilhermina, sua sogra, era uma mulher de classe, muito reservada, que apesar de tratá-la muito bem conservava certa distância. Já Norberto, o sogro, era mais amável. Tratava os netos com carinho, conversava com eles, interessando-se por seus planos e aspirações.

Depois do jantar, Carolina, como de hábito, foi para o quarto ler. Trancou a porta, apanhou o livro, acomodou-se na poltrona e começou a ler.

Mas de repente um sono incontrolável a acometeu e o livro escorregou de suas mãos, sua cabeça pendeu para o lado e ela adormeceu.

Viu-se no teto do quarto, olhou para baixo e viu seu corpo adormecido na poltrona. Era a primeira vez que isso lhe acontecia e ela aproximou-se para observar melhor.

O que estaria acontecendo? Teria morrido? Naquele instante, Marcos tocou em seu braço e ela o fixou assustada:

— Não se assuste, Carolina. Você não morreu, apenas deixou o corpo, conforme faz todas as noites quando está dormindo.

— Isso nunca me aconteceu antes.

— É que agora você está lúcida. Vim buscá-la para um passeio.

Ela sentiu um bem-estar muito grande e sorriu alegre.

— Vamos — disse ele passando o braço em volta da cintura dela.

Ambos se elevaram volitando. Carolina sentia uma energia deliciosa e seu rosto se transfigurou tornando-se mais belo, irradiando luz.

Durante alguns minutos deslizaram pela noite, olhando o céu estrelado e as luzes embaixo que iam aos poucos ficando para trás.

Depois, desceram suavemente em uma rua larga, diante de um portão imenso. Marcos estendeu a mão e ele abriu imediatamente. Entraram por uma alameda florida cujo perfume delicioso os envolveu.

— Que beleza — murmurou ela.

— Eu adoro este lugar. Vamos, um amigo nos espera.

Chegaram diante de um prédio rodeado por jardins e cujas paredes pareciam de vidro, embora não fossem transparentes.

Carolina olhava tudo, não querendo perder nenhum detalhe. Entraram, caminharam por um largo corredor e finalmente Marcos disse:

— É aqui.

Disse algumas palavras, a porta abriu e Marcos entrou conduzindo Carolina pela mão.

A sala era ampla e havia uma mesa circular, rodeada de poltronas em um dos lados; na frente algumas fileiras de poltronas. Não havia ninguém sentado nas cadeiras.

Marcos caminhou com ela até a mesa onde um homem aparentando meia-idade estava sentado. Vestia uma túnica branca e, vendo-os, levantou-se para recebê-los.

— Como vai, minha querida? — perguntou a Carolina.

— Bem. Sinto-me emocionada. Dei-me conta de que há muito tempo não vinha aqui.

Ele abraçou-a carinhosamente.

— De fato, faz algum tempo. Pedi que viesse porque se aproximam momentos de decisão, e desejo que se recorde dos nossos projetos.

Ele colocou a mão direita sobre a testa dela cuja fisionomia transformou-se em uma mulher mais velha e um pouco diferente do que era.

— Benício! — exclamou ela emocionada. — Que saudade!

Abraçaram-se alegres. Tomando-a pela mão, Benício levou-a a sentar-se ao redor da mesa, sentou-se de um lado e Marcos do outro.

— Você demorou muito para trazer-me aqui.

— Você sabe que vir muitas vezes torna mais difícil permanecer encarnada. A diferença vibratória é muito acentuada.

— De fato. A Terra é um planeta abençoado, cheio de beleza e de luz, porém, a carga mental das pessoas é muito pesada.

— Você sabia disso quando decidiu voltar a trabalhar lá.

— Sim. Mas não me arrependo. É triste sentir a inquietação, a tristeza, a angústia, a revolta, a raiva, o rancor, o despreparo para lidar com as próprias emoções da imensa maioria dos encarnados, quando sabemos que a vida deles poderia ser muito melhor se tomassem conhecimento da espiritualidade. Se soubessem o bem-estar que proporciona a prática da generosidade, do amor incondicional, a conquista da lucidez, o desenvolvimento dos próprios talentos, não ficariam tanto tempo no círculo vicioso do negativismo e não resistiriam tanto à prática do bem maior.

— De fato, há tantos séculos nossas equipes trabalham na crosta terrestre, seja do lado astral ou vestindo o corpo de carne para atuar diretamente no meio social, e só agora sentimos que o processo está se acelerando. A transformação, que era muito lenta, tornou-se mais rápida, com resultados mais positivos.

— Poucos na Terra percebem o que está acontecendo. As agremiações das trevas que se instalaram nas proximidades da crosta precisam ser transformadas. Muitos dos que viviam nelas estão reencarnados como última chance de melhora — comentou Marcos.

— É o fim de um ciclo. Para desmantelar essas dimensões pesadas que eles criaram e que tornam muito densa a atmosfera terrestre, foi preciso fazê-los reencarnar. Essa é a causa da onda de violência que assola o mundo. Entretanto, os que não aproveitarem a oportunidade e persistirem na maldade, ao desencarnarem, serão atraídos para um planeta que foi preparado para eles e onde, por suas condições primitivas de vida, vão ensinar-lhes o que precisam aprender.

Carolina suspirou e disse:

— Isso vai demorar muito ainda?

— Não sabemos quanto tempo. Mas é irreversível. Quem não conquistar determinado índice energético, não reencarnará mais na Terra. As pessoas não sabem, mas depois que esse processo de violência esgotar-se e todos esses espíritos forem para longe, a atmosfera da Terra vai se tornar muito mais leve, as pessoas mais saudáveis, a natureza muito mais bela — respondeu Benício.

— Espero um dia poder ver isso.

— Todos desejamos um mundo mais feliz. Esse dia chegará para a alegria de todos os que estão trabalhando para isso.

— Nós a trouxemos aqui para reforçar sua coragem — disse Marcos.

— Sim. Sua vida familiar vai mudar e, aconteça o que acontecer, não se impressione. Está tudo certo. Quero que se recorde disso. Lembre-se de que estaremos sempre a seu lado, auxiliando-a. Agora precisa voltar.

Abraçaram-se com amor e Marcos saiu conduzindo Carolina, cuja aparência havia voltado a ser como antes.

Abraçados, os dois regressaram à casa de Carolina, entraram através do telhado e Carolina o abraçou dizendo:

— Obrigada por ter me proporcionado tantas alegrias. Deus o abençoe.

— Vou ajudá-la a acordar.

Carolina sentiu o corpo pesado. Quando acordou sentiu-se leve novamente. A sensação agradável ainda a envolvia. Naquele momento, a figura de Benício ainda estava nítida em sua lembrança, parecia ouvir suas palavras: "Sua vida familiar vai mudar e, aconteça o que acontecer, não se impressione. Está tudo certo".

Olhando em volta, reconhecendo seu quarto, lembrou-se de Marcos com carinho. Quem seria o outro homem? Sabia que tinham conversado muito, mas o quê? Não conseguia lembrar-se.

Sua vida iria mudar. O que iria acontecer?

4

Na manhã seguinte, Carolina acordou cedo. Imediatamente se recordou do seu encontro com Marcos na véspera.

Lembrava-se da sensação agradável de ter volitado abraçada a ele, do local onde entraram e da figura de um homem com o qual havia conversado. Dessa conversa somente se recordava da última frase:

"Sua vida familiar vai mudar e, aconteça o que acontecer, não se impressione. Está tudo certo."

O que ele quisera dizer com isso? Teria alguma coisa a ver com a viagem do pai a São Paulo?

Curiosa, levantou-se, arrumou-se depressa e desceu. Seus pais estavam na copa tomando café. Vendo-a entrar Ernestina comentou:

— É muito cedo. Não precisava se levantar.

— Quis desejar boa viagem ao papai.

— Obrigado, minha filha.

— Sente-se e tome café — tornou Ernestina.

Carolina obedeceu. Serviu-se de café com leite, mas alguma coisa a deixava inquieta. Não se conteve:

— Esta noite tive um sonho curioso. Encontrei uma pessoa que me deu um aviso.

— O que foi? — perguntou Ernestina.

— Ele disse: "Sua vida familiar vai mudar e, aconteça o que acontecer, não se impressione. Está tudo certo".

Ernestina olhou o marido com ar preocupado. Augusto Cezar olhou para Carolina dizendo:

— E você ficou preocupada! Bobagem. Sonho é fantasia.

Ernestina desanuviou o rosto:

— É. Sonho é imaginação. Não vai acontecer nada.

— Claro que não — reforçou Augusto Cezar. — E você, Carolina, não fique inventando histórias para preocupar sua mãe. Ela acredita em tudo! Sonhos! Onde já se viu?

Carolina calou-se. A inquietação, porém, continuou a incomodando.

— Pai, você precisa mesmo fazer essa viagem?

— Claro. Por quê?

— Não sei. Quando penso nisso, fico inquieta. Preferia que não fosse.

Augusto colocou a mão sobre a da filha sorrindo:

— Você não quer que eu vá porque tem medo de ficar sozinha. Não vai acontecer nada. Seu irmão prometeu que vai ficar em casa durante a minha ausência. São apenas dois dias. Logo estarei de volta.

Carolina não respondeu. Ele levantou-se, despediu-se, colocou a mala no carro e se foi, acenando para as duas que o acompanharam até a garagem.

Ernestina olhou para Carolina e perguntou:

— Por que você ficou tão impressionada com esse sonho? Foi um pesadelo?

— Não. Pelo contrário. Foi até um sonho muito bonito, onde andei por lugares cheios de flores.

— Então não entendo por que se preocupou.

— Porque tenho certeza de que o recado que me deram foi verdadeiro. Nossa vida familiar vai mudar. Mas como? De que forma? Papai está pensando em se mudar desta cidade?

— Que ideia, minha filha. De onde tirou isso? Ele adora morar aqui. É melhor deixar de fantasiar.

Carolina não respondeu. Silenciosamente foi para o quarto estudar. Logo começariam as provas no colégio.

Algumas horas depois, Augusto Cezar parou diante da casa dos pais, no bairro de Higienópolis.

Era uma casa bonita que seu avô construíra e seus pais haviam herdado. Lá, ele e sua irmã Odete haviam crescido e morado até se casarem.

Ele casara-se primeiro, Odete três anos depois. Ela não foi feliz no casamento. Osmar, seu marido, rapaz de boa aparência, apaixonou-se por outra mulher e uma noite foi embora para nunca mais voltar.

Arrasada, infeliz, Odete voltou para a casa dos pais. Nunca mais souberam nada do Osmar.

Augusto Cezar tocou a campainha e logo o jardineiro abriu o portão e ele entrou, estacionando na garagem.

Olhando aquele jardim onde passara sua meninice, Augusto emocionou-se recordando os velhos tempos.

Desceu do carro e Antonio o esperava atencioso.

— Como vai, Antonio? Melhorou seu reumatismo?

— Vou bem, doutor Augusto. Mas a perna ainda me atormenta. É a idade, não tem quem dê jeito, não! Já o senhor está sempre bem-disposto!

— Estou sim.

Ele apanhou a mala e Antonio disse logo:

— Deixe que eu a levo. Estou velho, mas ainda posso fazer isso.

— Não se incomode. Eu posso levá-la.

— De jeito nenhum. Não vou permitir. Por favor, doutor, dê-me esta mala.

Augusto Cezar sorriu e entregou a mala a Antonio.

Depois entrou, Odete estava na sala. Vendo-o, correu para ele, abraçou-o chorando.

— O que foi Odete? O que aconteceu?

— Ainda bem que chegou. Estamos desesperadas.

— Por quê? O que houve?

— O papai. Está muito doente.

— O que ele tem?

— Não gosto de dizer o nome dessa doença. Mas é muito grave. Ele está mal e mamãe está com ele. Vamos subir.

Augusto subiu rapidamente as escadas sem esperar pela irmã. Sabia que ela era exagerada, dramática. Precisava saber até que ponto estava dizendo a verdade.

Bateu levemente na porta e entrou. Guilhermina estava sentada em uma poltrona ao lado da cama e, vendo-o, levantou-se e foi a seu encontro abraçando-o.

— Ainda bem que veio. Como você está?

— Estou bem. E você, papai, como está?

— Mais ou menos — respondeu ele.

Augusto segurou sua mão e notou que ele havia emagrecido, estava abatido. Dissimulou a preocupação.

— O que você tem?

— Uma dor danada na barriga que não me dá sossego. O doutor Roberto não consegue dar jeito. Quero que você procure outro médico.

— Estivemos aqui há um mês e você estava bem.

— Começou há duas semanas — esclareceu Guilhermina.

— Mas desde ontem a dor apertou — disse Norberto. — O remédio alivia, eu durmo. Mas depois, volta a doer. Penso que o doutor Roberto não está acertando com essa doença. Quero ver outro médico.

— Faremos o que for preciso. Tenha calma.

Augusto tentou esconder a preocupação e procurou conversar com naturalidade. Aos poucos, Norberto foi se acalmando e por fim conseguiu adormecer.

Guilhermina levantou-se e fez sinal ao filho que a acompanhasse. Saíram do quarto e ela segurou o braço dele dizendo aflita:

— Não sei o que fazer. Estou com medo. O doutor Roberto disse que o estado dele é muito grave.

— Não podemos pensar no pior. Vocês deveriam ter me avisado antes.

— Eu queria, mas Norberto achava que logo estaria bom. Mas não foi isso o que aconteceu. Faz dois dias que os exames ficaram prontos e descobrimos que ele tem um tumor no intestino. O doutor Roberto sugeriu uma cirurgia.

— Ele não é cirurgião. Não se desespere. Teremos que consultar um especialista e fazer essa cirurgia. Ele vai ficar bom.

— Gostaria de acreditar. Mas ele emagreceu muito e as dores estão aumentando.

— Não podemos esperar. Vou procurar o doutor Roberto agora mesmo e ver o que se pode fazer.

— Faça isso.

— Vou pedir-lhe que nos indique um bom especialista. Vou ligar para ele. Onde está a receita?

Guilhermina entrou no quarto, apanhou a receita e entregou-a ao filho que foi até a sala e ligou imediatamente.

Conversaram e Augusto descobriu que o estado de saúde do pai era grave, porquanto o tipo de tumor progredia rapidamente. O médico aconselhava a cirurgia, mas não garantia que Norberto ficaria curado.

Indicou-lhe um especialista e Augusto Cezar marcou a consulta para a manhã seguinte.

Quando desligou o telefone, Odete estava do lado dele e perguntou:

— E então?

— Marquei a consulta para amanhã cedo. Quero que você separe todos os exames que ele fez. Vamos precisar.

— Vou preparar tudo, mas temo que não vai adiantar nada.

— Pare com isso. Ele vai ficar bom.

Ela rompeu em pranto e Augusto disse enérgico:

— O que está fazendo? Trate de se controlar.

— Essa cirurgia não vai adiantar. Só vai judiar dele.

— Aconteça o que acontecer você precisa se controlar. O que papai pensará vendo sua atitude? Quer que ele desanime? Temos de dar coragem a ele para fazer o tratamento que precisa e acreditar que ficará curado.

Ela soluçava e Augusto passou o braço em seus ombros, continuando:

— Chorar não vai curar papai. Vai deixá-lo preocupado e deprimir mamãe. Nós precisamos ser corajosos e dar força a eles.

— Eu sei. Mas quando penso que ele pode morrer fico desesperada. O que será de mim se ele se for?

— Não se angustie antes do tempo. Ele vai se curar. Mas lembre-se de que, se acontecer alguma coisa a ele, mamãe e eu estaremos a seu lado.

— É que ele é tão bom amigo. Não merecia tanto sofrimento.

— As coisas não são como nós queremos. Não podemos entregar os pontos antes da hora. Penso que você está exagerando, que amanhã teremos boas notícias.

— Essa doença é incurável.

— Pois eu conheço pessoas que conseguiram curar-se. Vamos falar de coisas boas. Enxugue esses olhos e vamos conversar. Quero saber o que tem feito nos últimos tempos.

— Quase nada. Depois que papai adoeceu, não saí mais de casa, a não ser para trabalhar.

— Vamos à copa ver se tem um café.

— Vamos. Você chegou de viagem, deve estar cansado, com fome, e eu não lhe ofereci nada.

— Não estou com fome, mas um café vai bem.

Foi à noite que ele ligou para Ernestina e colocou-a a par da situação. Finalizando:

— Talvez eu não possa voltar em dois dias como havia programado. Em todo o caso, amanhã cedo é que saberei o que está acontecendo de fato. Depois que voltarmos do especialista, ligarei novamente.

Eles se despediram e Ernestina desligou o telefone. Carolina estava passando e ela a chamou:

— Carolina, seu pai ligou.

— Ele não vai poder voltar em dois dias — disse ela.

— Como você sabe? Estava ouvindo nossa conversa na extensão?

— Claro que não. Eu estava aqui quando o telefone tocou. Eu sinto que o vovô vai precisar do papai e ele vai ficar mais tempo lá.

— Seu pai vai me ligar amanhã, depois que chegar do médico para dizer quando voltará. Espero que não se demore muito.

Carolina viu a figura do avô perto da porta, estava pálido, abatido. Ela assustou-se e disse:

— O vovô está mal e papai não vai voltar logo.

— O que é isso, menina? A doença de seu avô é coisa séria e você não pode brincar com um assunto desses.

— Não estou brincando, mãe. O papai não vai voltar logo. Acho que nós é que iremos ver o vovô.

— Vamos mudar de assunto que essa conversa está me deixando nervosa. Você tem cada uma!

Carolina obedeceu. Não contou que viu o avô e sentiu que ele não estava bem. Ernestina nunca iria acreditar.

Adalberto desceu as escadas e perguntou:

— O vovô melhorou?

— Acho que não. Amanhã vão consultar um especialista e vamos saber. Mas seu pai acha que vai precisar ficar lá mais alguns dias.

— Espero que tudo se resolva e ele volte logo.

— Eu também — respondeu Ernestina.

No dia seguinte, passava do meio-dia quando Augusto ligou. Ernestina atendeu prontamente.

— E então? — indagou ansiosa.

— Infelizmente a situação dele se complicou. O especialista quer tentar uma cirurgia, mas não garante a cura. Papai não quer fazer, está com medo.

— Será que não é melhor procurar outro médico?

— Não. Acontece que o tipo de tumor que ele tem é dos mais agressivos e está crescendo rapidamente. O médico queria interná-lo e operar amanhã mesmo. Mas ele se recusou.

— O que pensa fazer?

— Não sei. O doutor Roberto informou-me que se ele não operar, sofrerá dores terríveis. Se o fizer, talvez tenha uma sobrevida menos dolorosa.

— O doutor Norberto sabe de tudo isso?

— Nós não tivemos coragem para lhe contar.

— Vocês não podem tomar nenhuma decisão antes disso. Ele tem o direito de escolher como viver esse momento.

— Estou angustiado. Não sei o que fazer. Mamãe e Odete estão desesperadas. Mas diga-me como estão as coisas aí em casa?

— Aqui está tudo bem, como sempre. Só estamos preocupados com vocês. Vou à igreja acender uma vela e pedir a ajuda de Deus.

— Faça isso. Vamos ver como ficam as coisas. À noite eu telefono de novo.

Ernestina desligou o telefone preocupada. Seu sogro era um homem bom, por que teria de passar por uma doença tão cruel?

Carolina estava na sala, aproximou-se dela dizendo:

— Aceitar o inevitável é confiar na vida. Ela sempre sabe o que faz.

Ernestina olhou-a surpreendida:

— Por que disse isso?

Ela deu de ombros e respondeu:

— Eu disse alguma coisa? Não me lembro.

Ernestina sentiu um arrepio percorrer seu corpo e ao mesmo tempo foi acometida de um triste pressentimento. Assustada pensou: "Vou à igreja rezar. As coisas não estão nada bem".

Eram cinco horas da tarde quando Adalberto postou-se sozinho na porta do colégio onde Carolina estudava para esperar a saída.

Áurea saiu com uma colega e ele aproximou-se delas estendendo a mão:

— Como vai, Áurea?

— Bem, e você?

— Muito bem.

Antes que ele dissesse alguma coisa, Áurea informou:

— Se espera por Carolina, ela está conversando com uma professora, mas penso que não vai demorar.

— Eu não vim ver Carolina, estava esperando por você.

Ela corou:

— Eu?!

— Sim. Outro dia quando nos encontramos, não tivemos oportunidade de conversar. Hoje vim especialmente para isso.

— Nesse caso, fiquem à vontade. Eu preciso ir — tornou a colega dela estendendo a mão para se despedir.

Quando se viram a sós, Adalberto disse:

— Vamos dar uma volta e conversar?

— Vamos.

Os dois foram caminhando lado a lado e Adalberto notou que ela tinha um andar elegante.

— Vim até aqui, mas não sei se estou sendo inconveniente. Uma moça bonita como você pode estar comprometida e eu não quero causar-lhe nenhum problema.

— Fique tranquilo. Não há ninguém. Podemos conversar à vontade.

Continuaram caminhando e conversando até uma praça e Adalberto convidou:

— Vamos nos sentar um pouco. A tarde está tão linda!

— De fato. Os pássaros estão cantando, gosto muito de observar a natureza. Você não?

Ele preferia outras coisas, mas concordou:

— Também adoro. Este jardim, por exemplo, é encantador.

Ela sorriu e ele viu que ela tinha dentes alvos e bem distribuídos, uma boca benfeita e carnuda. Não tinha notado isso antes. Pensando bem, ela até que era atraente. Isso tornaria mais agradável sua intenção.

Em certo momento da conversa, Adalberto segurou a mão dela e comentou:

— Sua pele é macia, delicada.

Em seguida, levou-a aos lábios beijando-a. Áurea retirou a mão e ele olhou-a surpreendido:

— O que foi?

— Por que está fazendo isso?

— Desculpe, mas não resisti.

Ela olhou-o firme nos olhos e respondeu:

— Não acredito que seja isso.

— Por quê? Não se julga atraente?

— Sei que sou bonita e os rapazes vivem me dizendo isso. Nossa cidade é pequena, vemo-nos com frequência e você nunca se interessou por mim. O que mudou?

— Éramos crianças. Outro dia quando a vi saindo do colégio notei que você cresceu, tornou-se uma moça atraente e senti vontade de conhecê-la melhor.

— Por outro lado, nos últimos tempos tenho ouvido alguns comentários sobre você.

— É? O povo gosta mesmo de fofoca.

— Como sabe que esses comentários não foram bons?

— Pelo tom de desconfiança de sua voz.

Ela riu e respondeu:

— De fato. Você tem fama de namorador e o que fez há pouco justifica essa crença.

— Não fiz nada de mais. Só expressei meus sentimentos. Você me atrai e notei também que se interessa um pouco por mim.

Ela olhou-o séria, ficou pensativa por alguns instantes, depois disse:

— Não nego que acho você um rapaz atraente, mas isso não significa que o tenha autorizado a tomar certas liberdades comigo.

— Pensei que estivesse sentindo o mesmo que eu.

— Gostei de encontrá-lo, também desejava conhecê-lo melhor, mas nem por isso vou tomar liberdades com você. Eu preservo minha intimidade. Sua atitude faz-me pensar que esteja apenas se divertindo.

— Isso não é verdade. Estou sendo sincero. Não imaginava que você fosse reagir assim. As mulheres hoje estão mais liberais.

— Pode dizer que sou antiquada. Não me importo. O que sei é que nós não nos conhecemos o suficiente para que você tenha certas liberdades.

Adalberto não se conteve:

— Você fala como se eu houvesse cometido um crime!

— Não exagere. Você disse que quer me conhecer melhor. Eu penso a mesma coisa. Mas não gosto de situações dúbias. Podemos ser amigos, chegarmos até a um namoro, ou então à conclusão de que preferimos não estreitar nossa relação.

— Não pensei que você fosse tão dura.

— Não encare dessa forma. Estou sendo sincera. Gosto de ver as coisas como elas são.

— Elas não são desse jeito. E o romantismo, onde fica? Sou um rapaz romântico. Acredito no amor. E quando se ama há o prazer do toque, do beijo, da intimidade.

— Quando se ama! Não é o nosso caso. Se algum dia eu amar alguém e for correspondida, então tudo será diferente.

— Para chegar ao amor há que experimentar. Se você põe uma barreira e não permite nem que alguém beije sua mão, ficará solteirona.

Ela riu sonoramente e Adalberto ficou desconcertado. Ele disse essa frase como se fosse o máximo e não esperava essa reação dela. Era irritante e ele fechou a cara e permaneceu silencioso.

Quando ela parou de rir, olhou-o com olhos brilhantes e disse:

— Não se zangue comigo. É que quando você disse isso, imaginei-me uma solteirona velha, acabada, sentada na sala fazendo crochê. Isso não faz o meu gênero.

Ele sorriu também e ela levantou-se:

— Preciso ir. Minha mãe se preocupa quando demoro depois da aula.

Ele levantou-se também. Apesar de haver melhorado a fisionomia, ele sentia-se desconcertado e sem vontade de bancar o rapaz apaixonado como havia planejado.

Foram andando e Áurea começou a perguntar o que ele achava da faculdade, do curso que estava fazendo. Fez algumas observações inteligentes e sentiu prazer em falar sobre seus projetos.

Na esquina da casa dela, pararam. Áurea estendeu a mão:

— Até outro dia, Adalberto.

— Acho que você quer me ver pelas costas.

— Engana-se. Gostei de conversar com você. Acho que atrás de suas atitudes sociais e de fachada, há um rapaz mais lúcido, capaz de se tornar um bom amigo ou um namorado sincero. Quando desejar conversar, apareça.

Ele ficou mais desconcertado. Procurou dissimular, sorriu e respondeu:

— Está bem. Até outro dia.

Ela se foi e Adalberto foi caminhando pensativo, recordando o que haviam conversado.

Ela era irritante, convencida: "Sei que sou bonita!". Pretensiosa isso sim é o que ela era.

Fazer tanto barulho por causa de um beijo inocente na mão era o cúmulo! Nunca mais iria procurá-la.

Seus amigos diziam que ela estava apaixonada por ele, mas era mentira.

"Não permitia intimidades!" Muitas garotas ficariam felizes por ele haver beijado a mão, mas ela colocara isso como se fosse um crime. "Quem ela pensa que é?"

Inconformado, entrou em casa, onde Ernestina vendo-o disse:

— Ainda bem que chegou. Vá lavar-se porque já vou servir o jantar.

Ele obedeceu rapidamente. Estava com fome e desceu em seguida.

Carolina e sua mãe já estavam à mesa e ele acomodou--se. Os três comeram em silêncio. Ernestina, preocupada com o sogro, Carolina com seu pressentimento ruim e Adalberto com o que Áurea lhe dissera.

5

O telefone tocou e Ernestina correu para atender. Estava preocupada. Fazia uma semana que Augusto tinha se ausentado e as notícias não eram boas.

O estado do sogro havia piorado e os médicos tinham aconselhado uma cirurgia apenas para ver se conseguiam diminuir a dor intensa que o atormentava, mas não ofereciam nenhuma chance de cura.

Era Augusto Cezar.

— E então, como vai o doutor Norberto?

— Na mesma. Como vão as crianças?

— Bem. Mas seu pai não melhorou nada?

— Não. Mamãe está inconformada por causa do sofrimento dele, mas tem medo de que ele faça a cirurgia. Eu e Odete decidimos concordar com os médicos.

— Vão operá-lo?

— Sim. Estamos esperando a ambulância que vai levá-lo ao hospital. Será operado amanhã cedo.

— Sinto muito.

— Temo que aconteça o pior. Por esse motivo quero que vocês venham para cá hoje mesmo. É hora de a família estar reunida.

— Está bem.

— Fale com a Adelaide para providenciar as passagens e me avisar a que horas vocês devem chegar.

Conversaram mais um pouco e havia tanta tristeza na voz de Augusto que Ernestina sentiu o peito oprimido.

Ela não gostava de vê-lo triste e, mesmo sabendo que não poderia evitar, assumira de tal forma a responsabilidade pela felicidade dele que se sentia nervosa, como se fosse culpada pelo sofrimento dele.

Desligou o telefone, subiu para falar com Carolina. Irritou-se ao ver que como sempre ela estava fechada no quarto.

Bateu com insistência. Assim que ela abriu disse nervosa:

— Eu já disse para não passar a chave na porta.

— Desculpe, esqueci-me. Eu ouvi o telefone, era o papai?

— Era. Vamos para São Paulo. Seu avô vai ser operado amanhã cedo. Separe algumas roupas, não sei quanto tempo ficaremos. Eu vou ajudá-la a arrumar a mala. Você sabe onde está o Adalberto?

— Não. Ele nunca diz aonde vai.

— Ainda não sei a que horas embarcaremos. Adelaide está cuidando das passagens. Ligue para o Romeu, veja se seu irmão está na casa dele.

Carolina foi ao telefone para tentar localizar o irmão. O pressentimento de que algo ruim estava para acontecer a incomodou, mas não disse nada. Do que adiantaria? Sua mãe parecia-lhe bastante preocupada e ela não desejava aumentar sua inquietação.

Romeu atendeu ao telefone, disse saber onde Adalberto estava, prontificou-se a chamá-lo.

Encontrou-o na sorveteria ao lado de Áurea. Depois do último encontro que tivera com ela, Adalberto não se conformou com as palavras que ela lhe dissera.

Todos os seus amigos diziam que ela era apaixonada por ele, certamente estava se fazendo de difícil. Ele teria o prazer de acabar com aquela pose. Depois que conseguisse dobrá-la, daria o troco.

Era muita pretensão da parte dela querer dar-se ares de superioridade.

Sabendo que ela, quando saía do colégio, costumava passar na sorveteria, havia ido lá pouco antes. Como que por acaso, estava sentado em uma mesa tomando calmamente seu sorvete, quando ela chegou com uma amiga.

Vendo-as, Adalberto levantou-se e convidou-as a que se sentassem em sua mesa.

Elas pediram o sorvete e quando foram servidas a amiga levantou-se dizendo:

— Não pensei que você fosse sentar, eu não posso me demorar. Vou indo. Tenho um compromisso hoje.

Ela despediu-se e saiu. Adalberto continuava tomando seu sorvete lentamente. Áurea, sentada na sua frente, diante de uma taça de sorvete de chocolate, que começou a saborear com prazer, não parecia muito surpreendida por encontrá-lo.

— Não sabia que gostava de sorvete. É a primeira vez que o vejo por aqui.

— Eu venho sempre, adoro sorvete.

— Eu não sabia.

— Mas fale-me de você. O que tem feito?

— O de sempre. Estudado, ido ao clube.

— Não a tenho visto nos bailes do clube. Não gosta de dançar?

— Adoro. Às vezes vou às matinês. À noite meu pai não me deixa ir. Se eu tivesse um irmão, ele permitiria, mas sozinha, não.

— Não gosto de ir às matinês porque só tem criança. Bom é à noite.

Áurea suspirou:

— Eu sei. Tenho amigas que vão. Eu queria que mamãe me levasse, mas ele não deixa.

— Talvez eu possa dar um jeito nisso. Se Carolina a convidasse e eu as acompanhasse, será que ele permitiria?

Os olhos dela brilharam de alegria:

— Talvez. Não sei, nunca lhe perguntei.

Romeu entrou na sorveteria e aproximou-se:

— Carolina está a sua procura. Seu avô vai ser operado e vocês vão para São Paulo. É para você ir para casa já.

Adalberto levantou-se assustado:

— Meu avô piorou?

— Só sei que ele será operado amanhã cedo e seu pai quer vocês lá.

— Está bem.

Ele pagou os sorvetes e despediu-se de Áurea.

— Espero que não seja nada grave — disse ela.

— Obrigado.

Eles saíram e Romeu não se conteve:

— Você disse que não havia se interessado por ela, mas olhava para ela de um jeito...

— Que nada. Ela quis posar de superior, tentou me esnobar e eu quero dar o troco. Quem ela pensa que é? Uma pirralha que mal saiu das fraldas.

Romeu desatou a rir:

— Você está despeitado. Ela é um mulherão!

— Precisa crescer. Eu gosto de mulher, não de criança.

Quando Adalberto chegou a sua casa, Ernestina o esperava impaciente.

— Essa sua mania de sair sem dizer aonde vai tem que acabar — foi dizendo logo que ele entrou. — Onde estava?

— Na sorveteria. Está muito calor, fui me refrescar.

— Vamos viajar. Vá arrumar sua mala. Não sei quantos dias ficaremos, leve algumas mudas de roupa.

— Quando iremos?

— Ainda hoje, logo mais.

Ele apressou-se a subir e cuidar da sua bagagem. Ernestina havia deixado uma mala sobre a cama. Vendo Carolina passar no corredor, foi ter com ela.

— O vovô piorou?

— Acho que sim.

— Sabe se é grave?

— Mamãe não disse. Desde que papai viajou eu tenho sentido que o vovô não vai viver muito.

— Lá vem você com suas ideias! Como pode saber?

— Eu sinto um aperto no peito todas as vezes que penso nele e um pressentimento que ele logo vai partir.

— Nesta hora não precisamos de pressentimentos ruins. Pois eu acho que ele logo estará bom.

— É melhor assim. Não temos muito tempo. Termina logo com a sua mala.

O ônibus partiu no horário marcado e os três viajaram calados. Ernestina, preocupada com o marido, Carolina tentando esquecer o triste pressentimento e Adalberto pensando em Ana Maria. Ela estava em São Paulo com a tia e ele não sabia quando ela voltaria.

Essa viagem seria uma boa oportunidade para encontrá-la. Mas não sabia o endereço dela. Quando chegasse à casa dos avós, telefonaria para Romeu. Talvez ele conseguisse descobrir.

Uma tarde em que estava com Áurea na praça, ela passara, fingindo não o ter visto. Mas ele tinha certeza de que ela os vira. Teria sentido ciúmes? Era isso o que ele pretendia cortejando Áurea.

E se a tia dela resolvesse mesmo morar na capital? Sua estratégia não ia valer de nada.

Ao chegar a São Paulo, Augusto os esperava na estação. Depois dos cumprimentos, Ernestina perguntou:

— E então, como vão as coisas?

— Na mesma. Papai vai ser operado amanhã cedo. Vamos embora, quero acomodá-los e voltar ao hospital.

Durante o trajeto até a casa dos pais, Augusto informou-se de como estavam as coisas em casa.

— Está tudo bem, como sempre — esclareceu Ernestina.

— Tenho sentido saudades da paz de nossa casa — disse ele pensativo. — A vida aqui é muito agitada, as pessoas nem se conhecem. Não vejo a hora de meu pai melhorar e eu poder voltar para nosso sossego.

— Nós também sentimos muito sua falta. Mas Deus vai nos ajudar e logo o doutor Norberto vai ficar bom e tudo voltará a ser como antes.

Carolina olhou-os séria. Ela sentia que não iria ser assim. Mas calou-se. De que adiantaria falar o que estava sentindo? Além de ser inútil, iria preocupá-los ainda mais.

Ao chegar à casa de Norberto, Odete os recebeu com carinho. Ernestina notou logo seu abatimento, mas não fez nenhuma pergunta.

Levou-os para o quarto de hóspedes, onde Augusto havia se instalado.

— Carolina, por enquanto você ficará comigo no meu quarto. Adalberto no quarto ao lado do nosso. É pequeno, mas confortável.

— Não se preocupe comigo, tia. Estarei bem em qualquer lugar — respondeu ele.

Depois de deixarem as malas, Odete os levou à copa, onde a criada serviu um lanche, mas Augusto não quis comer nada.

— Vocês fiquem com Odete, eu preciso voltar ao hospital. Mamãe está sozinha com papai e pode precisar de alguma coisa.

— Eu vou com você — tornou Ernestina. — Quero desejar a ele boa sorte e abraçar dona Guilhermina.

— Eu não vou voltar logo. Talvez seja melhor você descansar e ir lá amanhã cedo.

— Eu desejo vê-los. Se ficar sei que não vou dormir mesmo.

— Está bem, vamos.

Odete os acompanhou até a porta e pediu:

— Por favor, Augusto, ligue-me para dizer como ele está.

— Acalme-se. Quando saí de lá ele estava dormindo. Deram-lhe um calmante e é provável que durma a noite inteira. Descanse. Não há nada que se possa fazer por agora. Amanhã você vai vê-lo.

— É. Amanhã eu vou.

Augusto saiu com Ernestina, e Odete tentou conversar com os sobrinhos, mas notava-se que ela estava nervosa, inquieta.

— Tia, vá descansar. Não se preocupe comigo. Vou ler um pouco e dormir. Amanhã cedo também quero ir ao hospital ver o vovô.

Carolina passou o braço no da tia dizendo:

— Vamos, tia. Você precisa descansar.

Uma vez no quarto, elas se prepararam para dormir. Deitaram-se, mas Carolina notou que Odete se remexia na cama.

Acendeu o abajur, levantou-se e sentou-se na cama da tia.

— Você não está conseguindo dormir — disse.

Odete suspirou angustiada.

— Desculpe se atrapalhei seu sono. Estou apavorada.

Carolina segurou a mão dela dizendo:

— Eu sei. Você está com medo dessa cirurgia.

— Estou — respondeu ela sem conseguir conter as lágrimas. — Papai é nosso amparo. Se ele se for, o que será de nós?

— Ninguém está desamparado — tornou Carolina alisando a mão da tia com carinho. — Se ele tiver de ir embora, a vovó vai precisar muito de você. É o momento de ser forte e aceitar o que a vida nos dá.

A voz de Carolina tornara-se um pouco mais grossa e as palavras brotavam com facilidade.

— Eu bem que queria ser forte, minha querida, mas não sou. Nunca tive coragem para fazer nada. Sempre dependi deles.

— Talvez seja hora de você andar com suas próprias pernas. Estou certa de que você pode.

— Não quero que ele morra! — exclamou ela soluçando.

— Não diga isso. A vida na Terra é temporária e ninguém pode evitar a morte. Todos teremos de partir um dia. Se for a hora dele, você precisará deixá-lo ir.

— Mas eu não posso. Eu o amo muito!

— O verdadeiro amor liberta, não impede o ser amado de seguir seu caminho.

Odete parou de soluçar. Carolina falava como uma pessoa experiente. Como podia ser? Ela era apenas uma criança.

Olhou-a séria e disse:

— Como você, tão jovem, sabe de todas essas coisas?

— Sou jovem agora, mas já vivi muitas vidas. Não se preocupe com o amanhã. Aceite a vontade de Deus. Vamos rezar, pedir ajuda espiritual.

Ante o olhar surpreendido da tia, Carolina fechou os olhos e fez sentida prece, pedindo proteção para as pessoas da família e que a harmonia pudesse voltar àquele lar.

Aos poucos, os olhos de Odete foram se fechando e ela finalmente adormeceu. Carolina continuou orando. Ela viu que o espírito de Marcos estava à cabeceira de Odete, com a mão direita sobre a testa dela.

Uma sensação de alegria a acometeu.

"Você veio", pensou ela.

— Eu disse que estaria sempre a seu lado. Conseguimos que ela relaxasse, recuperasse suas forças. Ela desgastou-se muito com a doença do pai.

— Por que quando penso nele sinto um aperto no peito?

— Não tema, a morte é apenas uma viagem. No caso dele, uma libertação. Lembre-se, está tudo certo.

Ele desapareceu e Carolina, vendo que a tia estava dormindo tranquila, foi para a cama, apagou o abajur e tentou dormir. Marcos lhe trouxera a paz de que precisava.

Carolina acordou na manhã seguinte e notou que o dia estava claro. O relógio na mesa de cabeceira marcava oito horas e sua tia Odete não estava na cama.

Por que dormira tanto? Levantou-se apressada, arrumou-se e desceu. Na copa, a mesa ainda estava posta com o café.

Vendo-a, a criada aproximou-se:

— O café está quente, pode sentar-se.

— Onde estão todos?

— Estão no hospital. A operação do doutor Norberto estava marcada para as sete horas. Só dona Odete não foi. Ela não se sente bem em hospitais.

— Onde está ela?

— Foi à missa rezar pela saúde do doutor Norberto. Sente-se, tome seu café, o pão está fresquinho.

— Obrigada, Dina.

Adalberto apareceu na copa e sentou-se para o café.

— Pensei que você tivesse ido ao hospital — comentou Carolina.

— Eu dormi demais.

— Papai estava muito nervoso ontem. Seria bom você ter ido com eles.

— Mamãe cuida dele melhor do que eu. Depois, não gosto de ir a hospitais. O cheiro de remédio me faz mal.

— Não é um lugar agradável, mas teremos de ir.

— Pois eu acho que vovô vai melhorar logo e voltar para casa.

Carolina colocou a xícara sobre o pires pensativa, depois disse:

— Ele está muito mal. Não creio que volte para casa.

Adalberto olhou-a assustado:

— Que horror! De onde tirou essa ideia? Isso não vai acontecer. Não sei por que você agora deu para usar esse tom solene e dizer bobagens. Temos de pensar no melhor.

Carolina suspirou e sorriu:

— Tem razão, Adalberto. Temos de pensar no melhor. Mas você sabe o que é melhor para o vovô?

— Claro que sei. Ele vai ficar bom. Se for para falar essas bobagens, é melhor ficar calada. Tia Odete está muito abalada. Quer que ela fique pior?

Carolina não teve tempo de responder porque Odete apareceu na copa. Felizmente não ouviu as palavras de Adalberto.

— Que bom vê-los! Dormiram bem?

— Dormi como um anjo. E você? — perguntou Adalberto.

— Por incrível que pareça, consegui dormir — respondeu Odete. — Acho que um anjo bom rezou comigo e o milagre aconteceu.

— Está mais calma, tia? — indagou Carolina.

— Eu estava muito tensa. Nos últimos dias não conseguia dormir, acordava assustada, perdia o sono. Pensei que não conseguiria dormir esta noite. Mas depois que rezamos juntas, não sei como adormeci e só acordei hoje às sete da manhã.

— Você estava exausta, precisava recuperar suas forças — tornou Carolina.

— Eu acordei antes de Augusto e Guilhermina voltarem ao hospital.

— Pensei que eles tivessem ficado lá direto — disse Adalberto.

— Não. Eles me contaram que voltaram já era madrugada, queriam descansar um pouco. Mas acordaram antes das sete e foram de novo para o hospital fazer companhia para mamãe. Ela deve estar muito nervosa. Augusto ficou de telefonar para dar notícias sobre a cirurgia.

— Ele já ligou? — indagou Adalberto.

— Não. Pelo que sabemos vai ser demorada. Por esse motivo fui assistir à missa e rezar pelo papai.

— Já tomou café? — perguntou Carolina.

— Não. Estou sem fome.

Carolina levantou-se, pegou o braço da tia e pediu:

— Sente-se, tia. Uma xícara de café com leite vai lhe fazer bem. Precisa se fortalecer para ajudar a vovó.

Odete obedeceu. Carolina colocou café e leite na xícara, adoçou e colocou-a diante da tia. Depois, pegou uma fatia de pão, passou manteiga e colocou-a sobre o pratinho ao lado dela dizendo:

— Experimente, tia, está delicioso.

Odete não estava com fome, mas o carinho da sobrinha, os olhos dela brilhantes esperando, fê-la tomar alguns goles do café com leite e comer um pedaço de pão.

— Não está gostoso? — indagou Carolina com tanto carinho que a tia acabou tomando todo o leite e comendo todo o pão.

Quando se levantaram da mesa Odete disse:

— Ainda bem que vocês vieram me fazer companhia. Não podem imaginar o quanto sou grata.

Carolina abraçou-a sorrindo:

— Enquanto esperamos, vamos conversar.

— Eu vou dar uma volta — disse Adalberto —, ver se encontro alguns amigos que conheci durante as férias. Mas não demoro.

Ele saiu e Carolina começou a conversar com a tia falando da vida que levavam em sua cidade, dos seus estudos e dos filmes que assistira.

Odete percebeu que ela procurava distraí-la e, embora estivesse tensa, pensando no pai, percebendo o carinho e o esforço que a sobrinha fazia para que ela ficasse bem, procurava dar-lhe atenção, o que de certa forma acabou por fazer com que as horas fossem passando de maneira menos dolorosa.

Augusto Cezar só ligou depois das dezesseis horas e informou que Norberto fora levado para a UTI onde ficaria até que estivesse fora de perigo.

— Mas ele vai ficar bom? — indagou Odete preocupada.

— Eles ainda não sabem. A cirurgia foi delicada e é preciso ver como ele reage. Está sob efeito de sedativos. Vamos aguardar.

Odete desligou o telefone angustiada, informou os sobrinhos e concluiu:

— Os médicos ainda não sabem se ele ficará bom. Teremos de esperar.

— É natural depois de tantas horas de cirurgia — disse Adalberto tentando acalmar a tia. — Mas estou certo de que ele vai sair dessa.

Carolina abraçou a tia e não respondeu. Ela sabia que ele não mais voltaria para casa com vida. Mas não disse nada.

Começou então para eles a espera. Foram momentos de expectativa, que aos poucos deram lugar ao medo que acontecesse o que eles temiam.

Norberto entrou em coma e a família acompanhava tudo se revezando para cuidar de Guilhermina que, exausta, ia perdendo a esperança de uma recuperação.

Norberto resistiu durante vinte dias, até que numa madrugada chuvosa faleceu. Não voltou do coma.

6

Após o almoço, Augusto Cezar reuniu a esposa e os dois filhos no escritório do pai para uma conversa. A situação era difícil, mas ele precisava tomar algumas providências.

Norberto havia sido enterrado na tarde anterior, e todos se sentiam esgotados. Mas a vida continuava e ele precisava tomar algumas decisões.

Acomodaram-se e esperaram que Augusto falasse. Ele pensou um pouco e começou:

— Estive pensando no que aconteceu e acho que precisamos ajudar mamãe e Odete. O momento é difícil, mamãe está com esgotamento nervoso e muito deprimida. O médico aconselhou repouso, receitou remédios, mas ninguém pode mudar os fatos e ela está sofrendo muito. Quanto a Odete, receio que adoeça também. Era muito apegada a papai e está desesperada.

Ele fez ligeira pausa enquanto os demais com a fisionomia triste ouviam atentos. Ele continuou:

— Não podemos simplesmente ir embora e deixá-las agora. Por outro lado, estamos fora de casa há muito tempo e preciso cuidar dos negócios.

— Podemos levá-las para passar algum tempo em nossa casa. Tratarei delas com muito carinho. Estou certa de que dentro de pouco tempo recuperarão suas forças — sugeriu Ernestina.

— Eu pensei nisso. Falei com elas, mas ambas se recusam a sair desta casa.

— Será apenas até elas melhorarem.

— Mesmo assim. Mamãe não quer de jeito nenhum. Vocês dois estão perdendo aula e isso está me preocupando. Podem perder o ano.

— Eu estava em dia com os estudos. Acho que conseguirei passar — garantiu Adalberto.

— Mas Carolina pode não conseguir terminar o colegial este ano. Ela perdeu várias provas — lembrou Augusto Cezar preocupado.

— Estamos na metade do ano — respondeu Carolina. — Terei tempo de me recuperar.

— Amanhã cedo o médico virá ver mamãe e vou pedir que examine Odete também. Conforme o que ele disser, marcarei nossa volta para casa. Não posso mais ficar fora da empresa.

Ele voltou-se para Adalberto:

— E você, assim que voltarmos, vai começar a trabalhar na empresa comigo. Se eu tivesse feito isso, agora você poderia cuidar dos negócios enquanto eu resolvia os problemas daqui.

— Tudo bem, Augusto, o que decidir, será feito — concordou Ernestina.

Na manhã seguinte, depois que o médico examinou as duas, Augusto Cezar o levou para conversar no escritório.

— E então, doutor, como elas estão?

— Dona Guilhermina, além de esgotada, está com alguma dificuldade respiratória.

— É grave, doutor?

— Não seria se ela reagisse. Mas no caso dela a depressão pode agravar o processo. Ela precisa de alegria, distração, o que não será fácil. Quanto a dona Odete, era muito apegada ao pai e também está se deixando levar pela tristeza. É natural, mas seria bom que pudéssemos encontrar um meio de motivá-las a viver.

— Nas atuais circunstâncias, não sei como fazer isso. Eu também me sinto desolado.

— Pense, doutor Augusto Cezar. Estou certo de que descobrirá um jeito porque o que elas precisam nenhum remédio vai poder dar.

— Eu as convidei para passar algum tempo conosco, mas mamãe se recusa.

— Essa seria uma boa solução. A companhia de seus filhos faria muito bem a elas.

— Vou ver o que posso fazer. Estou pensando em voltar para casa depois da missa de sétimo dia. Até lá terei de decidir.

— Estou certo de que tomará a melhor decisão. Depois de amanhã voltarei para vê-las. Em todo o caso, se precisar de mim, tem meus telefones. Pode me ligar.

Ele despediu-se e foi ter com Ernestina que esperava angustiada. Ela notava a angústia do marido e sentia-se desolada por não poder encontrar uma solução que o satisfizesse.

Nos dias que se seguiram, ela notou que Odete apegara-se muito a Carolina. Queria que ela lhe ministrasse o remédio, ficasse a seu lado quando fosse cuidar de Guilhermina.

Carolina era a única que conseguia fazê-la comer um pouco. Quando a via chorando, fingia não notar, conversava com ela lhe contando histórias agradáveis que lera, falando das flores, dos animais, e Odete acabava prestando atenção, esquecendo-se um pouco das suas tristezas.

Foi o médico que notou esses detalhes quando voltou dois dias depois e surpreendeu-as no quarto de Guilhermina, atentas a uma história que Carolina contava sobre um cãozinho e seu amor pelo dono.

Ela falava com naturalidade, olhos brilhantes, enquanto as outras duas, esquecidas de tudo, estavam presas às suas palavras.

Vendo-o entrar, Carolina se calou ao que ele disse sorrindo:

— Continue, por favor. Eu também gostaria de ouvir o fim dessa história.

— Estava terminando — ela respondeu levantando-se. — Não há mais nada para contar.

Ernestina, que acompanhara o médico, pediu:

— Venha comigo, Carolina. O doutor vai examinar dona Guilhermina.

— Depois você volta — pediu Odete. — Quero que conte aquela história do macaco teimoso para a mamãe. Essa ela ainda não ouviu.

— Está bem, tia. Mais tarde continuaremos.

Ela saiu com Ernestina. O médico as examinou e depois foi falar com Augusto Cezar no escritório. Ele passava a maior parte do tempo lá, usando o telefone, tentando resolver os assuntos da empresa mesmo à distância.

Vendo o médico entrar, levantou-se para cumprimentá-lo. Depois indagou:

— E então, doutor. Como elas estão?

— Um pouco melhor.

— Ainda bem. Não podemos ficar mais tempo longe de casa, dos negócios. Meus filhos precisam estudar.

— Posso dar-lhe uma sugestão?

— Certamente, doutor. Fale, por favor.

— O senhor poderá voltar para casa depois da missa de sétimo dia, mas deixe sua filha ficar aqui por mais algum tempo.

— Carolina? Mas ela precisa continuar os estudos. Não quero que perca o ano.

— Não haveria um meio de ela continuar estudando aqui? Nós temos boas escolas, penso que ela não seria prejudicada.

Augusto meneou a cabeça pensativo, depois perguntou:

— Por que acha que essa seria uma boa solução?

— Observei que sua filha tem um jeito muito bom de lidar com elas. Hoje, quando entrei no quarto, Carolina lhes contava uma história com tanto brilho que as duas a ouviram embevecidas. Esquecidas de seus problemas. É exatamente o que precisam para reagir, sair da depressão.

— Tenho notado que Odete apegou-se muito a ela. Ernestina já havia me contado isso. Mas... não sei...

— Bem, o senhor é quem sabe. Mas eu penso que se deixar sua filha ficar aqui por alguns meses, elas terão mais facilidade em se recuperar.

— Bem... vou ver o que posso fazer. Não deixa de ser uma solução. O que não posso é ficar mais tempo longe de casa.

— Deixei nova receita com dona Ernestina, bem como sugestões de reforço na alimentação delas. Ambas estão enfraquecidas e uma boa alimentação vai ajudá-las na recuperação.

Depois que o médico se foi, Augusto Cezar ficou pensativo. Ernestina aproximou-se:

— O que foi, continua preocupado?

Em poucas palavras ele contou-lhe o que o médico dissera. E finalizou:

— Eu não gostaria de deixar Carolina aqui, longe de nós. Depois, há o colégio.

— Eu também preferia que ela fosse conosco. Mas se o médico acha que ela pode ajudar, talvez seja bom deixá-la. Afinal, alguns meses passam depressa.

— Mas e o colégio? Ela pode perder o ano.

— Você é amigo do diretor. Fale com ele. Talvez ela possa estudar aqui durante alguns meses e prestar lá os exames finais.

— Não sei se ela conseguiria.

— Mas você está preocupado com os negócios. Se Carolina ficar aqui tomando conta delas, iremos mais sossegados.

— Não sei... ela é tão nova. Não será muita responsabilidade para ela?

Ernestina meneou a cabeça.

— Ela tem mais jeito do que eu para conversar com elas. Odete não faz nada sem que Carolina esteja por perto. Dona Guilhermina também já está chamando Carolina para ficar em seu quarto. Elas se dão muito bem.

— Nesse caso, falarei com Carolina. Teremos de programar tudo direito. Ela tem de me prometer que vai estudar e esforçar-se para não perder o ano.

Naquela noite mesmo, depois do jantar, Augusto Cezar chamou Carolina para uma conversa na sala e foi direto ao assunto:

— Tenho notado que tanto mamãe como Odete apegaram-se a você.

— Tenho procurado distraí-las. Elas ainda estão muito abaladas com a morte do vovô.

— Todos nós estamos. Mas a vida continua e precisamos reagir. Tenho urgência de voltar para casa, minha ausência está trazendo problemas para nossos negócios. Não posso esperar mais. O que você acha de nós irmos e você ficar aqui com elas por mais algum tempo?

— Eu gostaria muito. Elas me tratam com muito carinho. Seria uma forma de eu retribuir.

— O único problema é o colégio. Não quero que perca o ano.

— Talvez eu possa me transferir para uma escola daqui.

Augusto meneou a cabeça pensativo:

— Não sei... Nesse caso você teria de ficar até acabar o ano letivo. Não quero que fique tanto tempo. É só até que elas melhorem. Falarei com Odete. Talvez ela possa arranjar uma professora que venha lhe dar aulas. Falarei com o diretor do seu colégio, explicarei as circunstâncias.

— Mas, papai, elas estão muito deprimidas. A recuperação poderá levar muito tempo. Seria melhor transferir minha matrícula e eu cursar o resto do ano aqui.

— Não quero que fique fora de casa tanto tempo. Falarei com Odete para arranjar uma professora.

Carolina não respondeu. Sabia que quando seu pai decidia não havia mais o que dizer. Foi para o quarto e encontrou Odete que, ao vê-la entrar, disse:

— Estava a sua procura. Mamãe está impaciente. Pediu para irmos fazer-lhe companhia.

Carolina acompanhou-a até o quarto da avó. Vendo-as entrar, Guilhermina disse chorosa:

— Até que enfim! Não sei o que será de minha vida agora nesta solidão! Tenho medo.

— Não precisa. Onde está sua fé? Quer que o vovô fique triste?

— Ele está morto, nem sabe o quanto nós estamos sentindo sua falta!

— A morte é apenas uma mudança. O vovô mudou-se para o outro mundo e também sente saudades da família. Precisamos ajudá-lo a seguir seu novo caminho.

Guilhermina rompeu em soluços e Odete a custo segurou o choro. Carolina alisou a cabeça da avó dizendo com suavidade:

— A senhora é uma mulher de coragem. Está cansada, mas sabe que a morte é natural. Todos nós vamos morrer um dia. Quando chega a hora não há como impedir.

— Eu sei, mas ele bem que podia ficar mais um pouco comigo!

— Não podia, não. Chegou a hora de ele ir para o outro mundo. E precisou fazer essa viagem sozinho. Mas mesmo longe, ele continua amando a família, triste por ter de ir e, ao mesmo tempo, aliviado por deixar um corpo doente, que lhe causava tanto sofrimento.

Guilhermina levantou a cabeça, olhando séria para a neta, e disse:

— Você fala com tanta certeza! É quase uma criança, o que sabe da vida? Sei que quer me consolar, mas não consigo me esquecer de todo o sofrimento dele. E de que adiantou? Ele acabou morrendo mesmo.

Carolina puxou uma cadeira, sentou-se ao lado da cama, segurou a mão da avó e pediu a Odete que sentasse a seu lado e segurasse também sua mão.

— Vovó, eu sei que a vida continua depois que o corpo morre. Nosso espírito vai viver em outro mundo.

— Você está dizendo isso só para me animar. Mas eu acho impossível.

— É verdade, acredite. As lágrimas de vocês estão entristecendo a alma do vovô. Ele as ama muito e não quer que sofram. Por ele nunca teria ido embora. Mesmo sofrendo tantas dores ele preferia ficar aqui, ao lado da família.

— Eu sei disso. Ele engolia o sofrimento para não me entristecer — comentou Odete.

— Agora precisamos retribuir esse amor. Ele precisa seguir o novo caminho, mas, enquanto estivermos chorando, tristes, lamentando, ele não vai conseguir. Acham justo que ele, que tudo fez para nos tornar felizes, seja penalizado agora?

As duas pararam de chorar olhando-a pensativas. Carolina continuou:

— É hora de superarmos a nossa dor e reconhecer que os sofrimentos dele acabaram. Deus o libertou. Nós que o amamos não podemos lamentar isso.

Guilhermina fitou-a admirada:

— Eu não tinha pensado nisso!

— É verdade, mãe. Se ele continuasse vivo, estaria sofrendo. Essa doença não tinha cura. Estamos sendo egoístas.

— Eu não queria prolongar seu sofrimento. Queria que ele ficasse curado.

— A vida sabe o que é melhor para cada um de nós.

Elas ficaram caladas por alguns instantes, depois Guilhermina perguntou:

— Você acha mesmo que ele, no outro mundo, pode estar triste por nossa causa?

— Ele está triste porque não queria nos deixar, e mais ainda ao notar nossa tristeza. Se vocês tivessem ido para o outro mundo e ele ficado aqui, como se sentiriam vendo a tristeza dele?

— É verdade — concordou Guilhermina. — Não quero que ele fique triste. Vou pensar que ele se libertou dos sofrimentos daquela doença infeliz.

— Isso mesmo, vovó. A doença dele ficou no corpo, agora ele está curado.

Augusto Cezar e Ernestina haviam entrado há alguns minutos e, vendo a cena das três de mãos dadas conversando, esperaram surpreendidos e em silêncio.

Vendo que Carolina largou as mãos delas, aproximaram-se:

— Viemos conversar porque estamos com vontade de ir embora amanhã.

Odete levantou-se e abraçou Carolina dizendo nervosa:

— Já?

— Sim — reforçou Ernestina. — Estamos fora há muito tempo. Precisamos ir.

— Vão nos abandonar — lamentou-se Guilhermina.

— Não. Você sabe que gostaríamos de levá-las para nossa casa.

— Não sinto vontade de sair daqui — disse Guilhermina.

— Eu também não — respondeu Odete.

— Estamos pensando em deixar Carolina ficar um pouco mais com vocês — tornou Augusto Cezar.

Os rostos das duas se distenderam:

— Deixar Carolina? Que bom! — tornou Odete sorrindo.

Guilhermina olhou ansiosa para Carolina e indagou:

— Você quer mesmo ficar? Não vai se aborrecer com nossa companhia?

— Claro que não, vovó. Eu adoro ficar com vocês.

— Nesse caso — disse Augusto —, vamos amanhã e Carolina fica um pouco mais.

— Obrigada, meu filho — respondeu Guilhermina. — Essa menina tem o dom de fazer-me esquecer um pouco das minhas tristezas.

— Seria bom se ela pudesse ficar morando aqui conosco — sugeriu Odete.

— Isso não — respondeu Ernestina. — Carolina precisa continuar os estudos.

Odete não se deu por vencida:

— Mas aqui perto há ótimos colégios, talvez até melhores do que onde vocês moram.

— Isso está fora de cogitação — tornou Augusto. — Ela vai ficar só até vocês sentirem-se mais fortalecidas. A casa dela é lá, ao nosso lado.

Elas não responderam e Augusto Cezar, voltando-se para Carolina, continuou:

— Vou conversar com o diretor da sua escola, explicar-lhe o que aconteceu e pedir o currículo para os próximos dois meses, tempo mais do que suficiente para que elas melhorem. Odete, você vai contratar uma professora para ministrar-lhe aulas particulares. Vou ver se consigo com o doutor Eurico que você possa prestar os exames quando voltar. Mas você precisa estudar.

— Claro, papai. Minhas notas estão boas e, se eu puder prestar os exames quando voltar, estou certa de que não terei problemas.

Mais tarde, no quarto, enquanto Ernestina arrumava as malas, Augusto Cezar disse pensativo:

— O que você acha desse apego que as duas têm com Carolina?

— É natural. A presença de Carolina está preenchendo um pouco o vazio que a morte do doutor Norberto deixou.

— Não é apenas isso. O que me admira é o jeito que Carolina tem para conversar com elas. Você sabe como mamãe é difícil, gosta de remoer os problemas, e Odete, depois que o Osmar a deixou, ficou amargurada, pessimista. Eu temia que Carolina não quisesse ficar. Sabe como ela é, nem sempre acata nossas decisões. Mas ela aceitou até com certo contentamento.

Ernestina colocou as camisas na mala e parou olhando admirada para o marido:

— Acho que tem razão. Eu observei que Carolina mudou nos últimos tempos. Está amadurecendo. Só tem um problema. Elas podem apegar-se ainda mais a Carolina. Odete quer que ela fique morando aqui. Onde já se viu?

Augusto sorriu:

— Você está com ciúmes. Mas não se preocupe. Não permitirei. Quando chegar a hora, ela voltará para casa e as duas terão de aceitar. Afinal, por que não querem ir morar lá em casa?

— Eu entendo isso. Elas sempre viveram aqui, na casa da família, não iam sentir-se bem em nossa casa. Estão acostumadas a ter seu próprio espaço. Vivem nesta casa enorme, e a nossa, apesar de confortável, é menor.

— Nós poderíamos vender esta casa e comprar uma outra lá em Bebedouro. Assim teriam privacidade e ficaríamos próximos.

— Essa é uma boa ideia. Antes de irmos, conversaremos com Carolina sobre isso e pediremos que nos ajude a convencê-las.

Enquanto isso, Carolina continuava conversando com Guilhermina e Odete.

— Ainda bem que seu pai vai deixá-la aqui. Mas ao mesmo tempo fico pensando, talvez você preferisse ir com eles. Nós não somos boa companhia para você. Duas pessoas amarguradas, tristes.

— Você é jovem, deve preferir a companhia de pessoas da sua idade — considerou Odete.

Carolina olhou-as séria e respondeu com voz firme:

— Não, tia. Eu gosto de ficar aqui. Apesar do momento difícil que estão vivendo, vocês me cobriram de carinho, e amor não tem idade. Eu sinto prazer em corresponder e nessa troca todas nós saímos ganhando. O amor faz bem, conforta e torna a vida melhor.

As duas a abraçaram emocionadas. As palavras dela, seu tom de voz, o brilho sincero de seus olhos, caíam como uma bênção em suas vidas e elas sentiram um calor agradável no peito, abençoando o fato de estarem ali, as três juntas.

7

Na manhã seguinte, às seis horas, Odete e Carolina estavam na copa esperando que todos descessem para tomar café.

Acomodada em uma poltrona, Guilhermina fizera questão de descer para despedir-se.

Ernestina desceu, acompanhada pelo marido e por Adalberto, que carregavam as malas.

Vendo-as, Augusto disse:

— Não precisavam se levantar tão cedo. Já nos despedimos ontem. Mamãe não deveria sair da cama.

— De forma alguma — protestou Guilhermina. — Estou doente, mas não inválida. Quero aproveitar a companhia até os últimos minutos. Já estou sentindo saudades.

— A senhora poderia ir conosco. Ainda está em tempo. Vamos? — convidou Ernestina.

Guilhermina meneou a cabeça:

— Agora não quero deixar esta casa.

— Quando estivermos mais fortes, talvez possamos ir passar pelo menos alguns dias com vocês — prometeu Odete.

Adalberto havia ido acomodar as malas no carro, e quando voltou todos já estavam acomodados tomando café.

Sentou-se e falou:

— Pai, a mala de Carolina não desceu.

— Ela vai ficar aqui um pouco mais, até sua avó se sentir mais forte.

— Nesse caso eu também gostaria de ficar.

— Nada disso. Você não pode perder mais dias de aula.

— E ela pode?

Ernestina olhou para o filho, irritada.

— Pode. Vai continuar estudando aqui mesmo.

Adalberto ia retrucar, mas Augusto olhou-o de um jeito que ele não disse mais nada.

Durante os dias em que haviam ficado em São Paulo, ele conhecera mais a cidade e ficara fascinado.

Apesar das circunstâncias que estavam vivendo e do controle do pai, ele conseguira sair à noite e tivera vontade de morar na capital.

Aquilo sim é que era vida. Não a calmaria da pacata cidade onde moravam. Por que o pai fora viver lá?

Quando a avó se recusou a ir morar no interior com eles, ficou radiante. Seu pai não iria deixá-las sozinhas. Teve esperança de que ele resolvesse se mudar para a capital.

Pensava em Ana Maria. Ela logo estaria se mudando para São Paulo, o que tornaria impossível seu sonho de conquistá-la.

Depois, observando os rapazes da cidade, ele se sentira provinciano. Se pudesse vir morar na capital, logo estaria se tornando um deles.

Como sempre os pais estavam protegendo Carolina. Ela se fazia de amável para com a avó e a tia, com certeza, porque desejava ficar.

Era irritante ver como ela estava sendo gentil, carinhosa para com as duas. Nunca a vira tão comportada e sensata. Estava fingindo, com certeza. De boba ela não tinha nada.

Mas o cenho franzido do pai indicava que ele precisava ficar calado para não arranjar confusão.

Decidiu aceitar temporariamente a situação e fazer uma campanha para convencer o pai a vir para a capital.

Depois das despedidas, eles partiram. Durante o trajeto, Augusto Cezar ia calado, triste.

Ernestina tentou confortá-lo:

— Elas vão ficar bem.

— É triste precisar deixá-las. Se não fosse pelos meus negócios, ficaria um pouco mais.

— Eu disse a Carolina para tentar convencê-las a ir morar em nossa cidade.

— Mamãe disse que não quer morar conosco porque acha que perderemos nossa privacidade. Sabe como ela é. Não deseja incomodar.

Adalberto interveio:

— Elas não incomodariam, mas, se pensam assim, nós poderíamos nos mudar para a capital.

— Estamos habituados no interior onde a vida é mais tranquila. Depois, nossa empresa está lá e seria difícil mudar, recomeçar tudo, além do que eu não gosto da agitação da cidade.

Ele fez ligeira pausa e continuou:

— A morte de papai fez-me pensar que morando longe dele deixamos de usufruir sua companhia todos estes anos. Mamãe não está bem e a morte do marido a abateu muito. Receio que algo lhe aconteça.

— Elas são o que resta da nossa família — tornou Adalberto. — Sempre moraram na capital e não se acostumariam em nossa cidade.

— Por que diz isso? É uma boa cidade. Eu adoro — respondeu Augusto.

— Estive observando. As pessoas da capital são diferentes no falar, no vestir. Diante dos rapazes de lá eu me senti um provinciano. Eu gostaria de ser como eles. Depois, estou certo de que logo nos acostumaríamos.

— Mudar para São Paulo está fora de cogitação. Deixar a calma da nossa cidade seria acabar com nossa paz.

— Para Carolina e para mim seria uma forma de procurar um futuro melhor. Eu não gostaria de me tornar um advogado apagado em uma cidade do interior. É na capital que as coisas acontecem.

— Eu não penso assim. Vocês terão uma vida muito melhor no interior.

Adalberto se calou. Mas naquele momento prometeu a si mesmo que assim que fosse maior de idade, com o pai querendo ou não, se mudaria para São Paulo.

Já em casa, depois do jantar, Adalberto se preparava para dar sua volta pela cidade quando Augusto o chamou para uma conversa:

— Não pode ser amanhã? Perdi muitas aulas e combinei ir à casa de um colega para me atualizar.

— Não vou demorar. Sente-se.

Vendo-o acomodado Augusto continuou:

— A morte de papai fez-me pensar. Tenho boa saúde, mas não sei como será daqui para frente. É meu dever prepará-lo para a vida.

— Para que essa conversa agora? Você vai viver muitos anos, tenho certeza.

— Pode ser, mas aprender é sempre bom. Por isso, a partir de amanhã, você começará a trabalhar em nossa empresa. Vou ensiná-lo a cuidar dos nossos negócios.

— E a faculdade?

— Você vai de manhã, como sempre foi, e depois do almoço vai comigo para o escritório.

— E quando vou estudar?

— À noite e nos fins de semana. Vou estipular um horário e terá de cumpri-lo como qualquer funcionário.

— Não sei se conseguirei. Há muitas matérias para estudar, trabalhos para fazer.

— Conseguirá, sim. Receberá um salário, que ainda vou avaliar.

Adalberto tentou fazê-lo mudar de ideia, porém Augusto estava determinado.

— Você é inteligente e estou certo de que conseguirá fazer tudo. Você não é mais uma criança, é um homem, precisa saber o preço das coisas e o valor do trabalho. Se alguma coisa me acontecer, você saberá cuidar de si mesmo e de sua mãe.

Ele tentou contornar:

— Mas, pai, farei isso depois de me formar. Enquanto isso, terei tempo para me dedicar inteiramente aos estudos.

— Nada disso. Eu deveria ter feito isso antes. Está decidido. Você começa amanhã.

Adalberto não insistiu. Sabia que quando seu pai tomava uma decisão, não voltava atrás. Suspirou resignado, concordou e saiu.

Foi à praça e encontrou Romeu em uma roda de amigos. Aproximou-se. Depois dos cumprimentos, saciou a curiosidade deles sobre o que tinha visto na capital.

Ele deu asas ao entusiasmo, exagerando um pouco. Depois, ele e Romeu deixaram o grupo a pretexto de Adalberto inteirar-se sobre as matérias da faculdade durante sua ausência. Romeu era seu colega de faculdade.

Assim que se viu sozinho com o amigo, quis saber se as garotas haviam sentido sua falta.

— Tem visto Ana Maria? Ela perguntou por mim?

— Não falei com ela, mas Sônia quis saber onde você estava e eu acho que foi para contar a Ana Maria.

— Vai ver que ela sentiu minha falta, estava louca para saber onde eu estava, mas gosta de se fazer de difícil. As mulheres são assim, estão sempre dissimulando.

— Ana Maria pode ser, mas Sônia é diferente. Sincera, simples.

— Hum! Pelo jeito você está apaixonado mesmo!

— Estou, não nego. Ela é demais.

— Tem visto a Áurea?

— No domingo à tarde eu estava na sorveteria com a Sônia e ela entrou com uma amiga. Como você sabe, elas estudam no mesmo colégio. Começaram a conversar e acabaram se sentando em nossa mesa.

— Ela perguntou por mim?

— Não. Mas eu contei a ela que seu avô faleceu e que você ainda estava na capital.

— E ela?

— Não disse nada. Eu pensei que ela fosse se interessar, querer saber quando você voltaria, mas não perguntou nada, nem se interessou muito. Ouvi dizer que ela estava apaixonada por você, mas acho que não é verdade. Sabe como é, esse povo fala muito.

— É, eles falam demais mesmo — respondeu ele tentando esconder a raiva.

Aquela menina petulante era muito antipática. Seria muito bom poder dar-lhe uma lição. Onde já se viu? Ele só se aproximara dela para fazer ciúmes a Ana Maria.

Só porque ele demonstrara um pouco de interesse ela julgava-se no direito de se fazer de indiferente.

Depois de mais um pouco de conversa, Adalberto despediu-se do amigo. Chegou a sua casa desanimado. Estivera fora tantos dias e naquela cidade nada havia mudado. Tudo continuava igual, numa rotina sem graça, onde nada de novo acontecia.

Ele queria mesmo era ir morar em São Paulo. Decidiu que iria insistir com o pai. Caso ele não concordasse, assim que se formasse iria mudar mesmo contra a vontade do pai.

Os dias foram passando e a rotina da família continuava como sempre. Augusto Cezar fora ao colégio onde Carolina estudava e conversara com o diretor que o informou que seria difícil conseguir que ela prestasse os exames apenas no fim do ano letivo.

Para formar-se ela precisaria ter o número de presenças necessário sem o qual não poderia ser aprovada, ainda que fosse bem nos exames. Aconselhou-o a trazê-la de volta para que não perdesse o ano.

Augusto chegou a sua casa nervoso, preocupado. O jeito era trazer Carolina de volta.

— E então? — indagou Ernestina assim que o viu chegar.

— Nada feito. O colégio não pode fazer o que pedi. Aconselhou-me a trazer Carolina de volta para que não perca o ano.

Ele suspirou triste e continuou:

— Elas se apegaram tanto a Carolina e não vão querer que ela venha embora.

— Mas se não há outro remédio...

— Vou ligar para mamãe e saber como estão.

Foi para o escritório, sentou-se e ligou. Odete atendeu. Depois dos cumprimentos ele perguntou:

— Como está mamãe?

— Muito debilitada. Carolina tem sido muito dedicada. Todos os dias agradeço a Deus por ela ter ficado. Mamãe apegou-se tanto a ela! Você precisa ver.

— O médico a tem examinado?

— Sim. Diz que ela está muito deprimida, não sente vontade de fazer nada, não tem apetite. Só Carolina consegue que ela se alimente um pouco.

— Estive hoje com o diretor do colégio de Carolina e ele disse que não há como ela vir prestar os exames no fim do ano. Se ela não voltar logo, será reprovada.

— Você não vai levá-la de volta agora! Por favor, não faça isso. Não estou em condições de cuidar de mamãe sozinha. Tenho estado doente.

— Mas ela está no último ano do colegial.

— Deixe-a aqui, amanhã mesmo vou procurar um bom colégio para ela. O melhor de todos. Por favor. Deixe-a ficar. Não nos tire esse conforto. Você nem precisará preocupar-se, eu mesma pagarei todas as despesas e tomarei conta dela como se fosse minha filha.

Augusto hesitou:

— Não sei... não queria que ela ficasse longe de nós tanto tempo. Tudo seria muito mais fácil se vocês resolvessem vir morar aqui.

— Mamãe não vai concordar. Vocês têm sua privacidade e nós a nossa. Não queremos incomodar.

— Nesse caso, compraríamos outra casa, perto da nossa, e vocês viriam para cá. Teriam privacidade. Aqui é uma bela cidade, boa para morar, e estaríamos todos juntos.

— Ela não quer de forma alguma deixar esta casa, que sempre foi da nossa família.

— Mas eu não posso deixar Carolina para sempre longe de nós, fora de casa.

— Deixe-a conosco pelo menos até ela se formar no fim deste ano. Até lá posso tentar convencer mamãe a ir morar perto de vocês.

— Acha que conseguirá?

— Prometo que tentarei. Com o tempo mamãe vai melhorar e então tudo vai se tornar mais fácil. Será apenas até o fim deste ano. Por favor!

Augusto ficou pensativo por alguns instantes, depois disse:

— Está bem. Mas só até o fim do ano. Você tem de me prometer que cuidará que ela estude para não perder o ano.

A esta altura, mudar de escola, ter outros professores, outro currículo, pode ser difícil para ela.

— Carolina é inteligente. Prometo que vou ajudá-la e fazer tudo para que ela não perca o ano.

— Está bem. Deixe-me falar com ela.

Carolina atendeu e ele colocou-a a par de tudo, recomendando que ela se esforçasse.

— Estou confiando em você — disse ele por fim —, espero que não me decepcione.

— Não se preocupe, papai. Vou me esforçar ao máximo.

Depois de se despedirem, Carolina desligou o telefone. Odete abraçou-a:

— Ele queria que você voltasse para casa, mas eu insisti que ficasse sem lhe perguntar sua preferência. Talvez estivesse com saudades de casa, desejasse voltar... Mas é que só de pensar que você ia embora fiquei apavorada. Você tem sido nosso apoio nesses momentos difíceis.

— Eu não quero ir embora. Prefiro ficar.

O rosto de Odete iluminou-se:

— Ainda bem! Prometi a seu pai procurar uma boa escola. Amanhã mesmo vamos ver isso. Você sempre estudou no mesmo colégio. Acha que será difícil de se adaptar em outro lugar?

— Não, tia. É até bom mudar um pouco. Conhecer outras pessoas, renovar as ideias.

— Ainda bem que pensa assim. Estava me sentindo muito egoísta fazendo-a ficar. Vamos contar a novidade para mamãe.

Na manhã seguinte, elas foram a um colégio tratar do assunto. Carolina gostou do que viu e logo tomaram as providências para a transferência.

Assim que chegaram a casa, Carolina ligou para o pai, conversaram sobre o colégio e Augusto ficou de providenciar a documentação exigida para a transferência.

Assim que Adalberto soube, ficou irritado. Por que Carolina podia estudar em São Paulo e ele teria de ficar no interior?

Mas depois, refletindo, chegou à conclusão de que talvez fosse melhor que ela ficasse lá e se tornasse sua aliada.

Estava certo de que, depois de tão longa estada, Carolina não gostaria de voltar ao interior. Nesse caso, seria mais fácil convencer o pai a mudar-se para a capital.

Naquela tarde, ele foi esperar Áurea na saída do colégio. Desde sua chegada, ele a havia visto algumas vezes, porém ela o cumprimentara e não parara para conversar.

"Ela se faz de difícil", pensou. "Eu vou mostrar-lhe do que sou capaz."

Quando ela saiu ao lado de uma colega, ele aproximou-se. Vendo-o, ela estendeu a mão perguntando:

— Como vai, Adalberto, o que está fazendo por aqui?

— Vim ao colégio saber se os documentos de transferência de Carolina estão prontos — mentiu ele.

— Ela não vai mais voltar?

— Não. Vai estudar em São Paulo.

— Eu preciso ir. Você fica?

— Não. Já obtive as informações que queria.

Foram andando e a colega dela despediu-se dizendo:

— Vou fazer umas compras que mamãe pediu.

A amiga se afastou e Áurea foi caminhando ao lado de Adalberto.

— Soube que seu avô faleceu. Sinto muito.

— Obrigado. Foi muito triste mesmo. Eu nunca havia visto alguém morrer. Ele era muito querido. Minha avó ficou inconsolável, chegou a adoecer e minha tia chorava sem parar. Por tudo isso Carolina ficou com elas, para dar uma força.

— Eu perdi uma irmã dois anos mais nova do que eu. Minha mãe até hoje não se esqueceu.

— Mas você tem outra irmã?

— Tenho. A Cíntia é três anos mais velha do que eu. Foi a Berta que morreu. Tinha apenas oito anos.

— Fiquei impressionado olhando meu avô morto. Parecia outra pessoa. Perdi o sono, não conseguia me esquecer daquela cena.

Áurea olhou-o séria:

— Nesta vida tudo tem uma razão de ser. Depois que Berta morreu, eu mudei muito.

— Mudou como?

— Ela era muito cheia de vida, era apegada a mim, então, olhando seu corpo sem vida tive a sensação de que aquilo não era ela.

— Como assim...?

— Era apenas um pedaço de carne sem vida. Ela havia ido para outro lugar. Desde aquela época, comecei a me perguntar para onde vão as pessoas depois da morte do corpo.

— Eu nunca pensei nisso.

— Ela era inteligente, havia brilho em seus olhos, alegria em seu sorriso. Não creio que tudo isso acabou quando aquele corpo morreu. As pessoas têm uma alma. É ela quem dá a vida.

Adalberto olhava-a admirado.

— Você acha mesmo isso? Parece impossível.

— Por quê? Você nunca esteve em um lugar pela primeira vez e sentiu que já havia estado ali antes?

— Já. Mas isso é apenas impressão, ilusão.

— Pois eu sinto que nós já vivemos em outro lugar antes de estarmos aqui e que quando deixamos este mundo voltamos ao lugar de onde viemos.

— Você está fantasiando. De onde tirou isso? A morte é o fim de tudo.

Áurea olhou-o séria e respondeu:

— A vida é muito mais do que esta passagem por este mundo. Se tudo acabasse mesmo com a morte, viver teria perdido a finalidade.

— Pois eu não acho que viver tenha uma finalidade a não ser aproveitar enquanto somos jovens, temos saúde. É apenas isso, nada mais.

— Eu gostaria de ver as coisas desse modo simplista como você. Seria mais fácil. Mas eu gosto de buscar as causas das coisas e você, falando da morte do seu avô, fez-me pensar. Sabemos tão pouco sobre isso.

— Vamos mudar de assunto e falar de coisas mais alegres.

— Muitas pessoas têm medo, preferem fingir que a morte não existe. Mas isso é uma ilusão. Todos nós teremos de enfrentá-la um dia.

Adalberto persignou-se:

— Deus nos livre! Vamos falar de coisas mais alegres. Sábado vai haver um baile no clube. Você vai?

— Ainda não sei.

— Eu pretendo ir. Meus amigos estão animados por causa do conjunto que vai tocar.

— Ouvi dizer que vem de Ribeirão Preto.

— É quase certo que irei.

Eles aproximaram-se da casa de Áurea que parou dizendo:

— Você quer entrar, tomar um café?

— Não, obrigado. Preciso estudar, recuperar o tempo que estive fora. Se você for ao clube no sábado, podemos nos ver lá.

— Não gosto de decidir nada com antecedência. Se sentir vontade na hora, eu vou.

— Você não vai ao clube com muita frequência. Não gosta de dançar?

— Gosto. Depende da música e com quem. Em nosso clube acontece tudo sempre igual. Sabemos quem vai estar com quem, não acontece nada de novo. Muitas vezes eu prefiro a leitura de um bom livro ou ouvir música em casa mesmo.

— Não podemos nos esquecer de que estamos em uma cidade do interior. Em São Paulo é tudo diferente.

— Você conhece algum clube de lá?

— Conheço — mentiu ele. — Desta vez não pude ir a nenhum por causa do meu avô. Mas em outras vezes fui com amigos. Não tem comparação com os daqui. Mas como não dá para irmos até lá, precisamos aceitar o que temos. Espero que você vá para podermos conversar.

— Vamos ver.

Ela estendeu a mão, ambos se despediram. Ela entrou e ele foi andando pensativo. Queria que Áurea fosse para cortejá-la e provocar ciúmes em Ana Maria.

Começou imaginar como faria isso. No fim, Ana Maria não suportaria o ciúme e cairia em seus braços.

8

Carolina apressou o passo preocupada. Não queria se atrasar. Fazia uma semana que ela estava frequentando as aulas naquele colégio e um mês que seus pais haviam voltado para o interior.

Ao saber que o diretor da escola onde Carolina estudava não havia concordado que ela prestasse exames no fim do ano se não comparecesse às aulas, Odete tratou de matriculá-la em outro colégio o mais rápido possível, com receio de que Augusto Cezar mudasse de ideia e a levasse de volta para casa.

Tanto Odete como Guilhermina não queriam que Carolina fosse embora. Sua presença jovem e bonita, suas palavras de encorajamento, proporcionavam-lhes conforto e bem-estar.

Augusto havia ficado preocupado com os documentos para a transferência de colégio, porém, Adalberto, interessado em manter Carolina em São Paulo, os providenciou rapidamente e no fim a transferência se realizou. Carolina não podia perder o ano.

Nos primeiros dias de aula, Carolina estranhou um pouco. Os professores eram mais severos e a ordem das matérias que haviam sido dadas era diferente, embora fosse quase igual ao do colégio anterior.

Havia algumas que ela já estudara e outras que eles já haviam aprendido e ela ainda não sabia. Os colegas eram mais ruidosos, suas brincadeiras mais agressivas e maldosas. Ela, porém, estava disposta a estudar e conseguir terminar o curso.

Enquanto caminhava, pensava no que deveria fazer para vencer esse desafio.

Entrou na sala de aula no exato momento em que o professor entrava. Rapidamente foi sentar-se no seu lugar tentando ignorar o olhar irritado que ele lhe lançou.

O professor Bento dava aulas de Ciências Sociais naquele colégio havia mais de quinze anos e era conhecido pela sua intolerância. Fazia questão de manter uma rotina que não modificava por nada e para ele a pontualidade era reveladora do caráter de cada um.

Começou a aula chamando Carolina e fazendo-lhe algumas perguntas. Ela notou logo que ele pretendia colocá-la em dificuldade diante dos outros alunos, contudo se manteve calma, e as duas primeiras respostas ela acertou. A terceira, porém, foi sobre um assunto que ela ainda não havia estudado, assim justificou-se:

— Desculpe, professor, mas eu ainda não tive aulas sobre esse assunto.

— Nós já demos esta aula no início do ano letivo.

— Mas eu fui transferida de outro colégio e lá nós não estudamos esse tema.

— Isso é imperdoável de sua parte. Você já está aqui há uma semana e a primeira coisa que deveria ter feito era saber as matérias que já havíamos dado e estudá-las. Se continuar assim, não terá condições de acompanhar a classe.

Carolina apertou os lábios e conteve a indignação respondendo com voz que procurou tornar calma:

— Isso não vai acontecer, professor. É apenas uma questão de tempo que procurarei sanar.

— Espero que seja assim. Comece por estudar esta matéria e vamos ver como se sairá na próxima aula.

Carolina sentou-se. Quando a aula acabou e o professor deixou a sala, a aluna que estava sentada atrás de Carolina chamou-a:

— Não ligue para as implicâncias do professor Bento. Ele é assim com todo mundo.

— Eu percebi que ele estava com raiva de mim porque cheguei em cima da hora. Ele queria que eu perdesse a calma para poder me repreender.

— Ah! Você percebeu! Ainda bem. Meu nome é Mônica, e o seu?

— Carolina.

— Olha, se você quiser posso lhe passar todas as matérias que nós já tivemos.

Carolina sorriu:

— Obrigada. Vai me ajudar muito.

— Na saída conversaremos.

Carolina concordou. Mônica era uma morena clara, grandes olhos cor de mel que se fixaram nos seus enquanto falava, rosto bonito, corpo benfeito. Carolina gostou dela à primeira vista.

Quando as aulas terminaram, as duas saíram conversando. Em rápidas palavras Carolina contou-lhe os motivos que a levaram a mudar de colégio.

Mônica era um ano mais velha que Carolina e logo as duas entenderam-se muito bem.

— Vamos fazer assim, eu vou fazer uma lista de todas as matérias que nós estudamos desde o começo do ano e você faz outra das que já estudou no outro colégio. Assim vamos trocar, eu a ajudo com as minhas e você com as que já sabe.

— Ótima ideia. Eu moro perto daqui e você?

— Em outro bairro. Mas minha mãe gosta desta escola e por isso estudo aqui.

— É pena porque se fosse mais perto poderíamos estudar juntas.

— Nós vamos estudar juntas. Eu posso ir a sua casa ou você na minha.

— Ainda não conheço muito a cidade.

— Nesse caso, fale com sua avó. Se ela permitir, vou estudar em sua casa.

— Falarei com ela apenas para dar-lhe uma satisfação, mas estou certa de que tanto ela como minha tia ficarão contentes em recebê-la.

As duas estavam paradas na calçada, um carro estacionou diante delas e a um sinal da buzina Mônica disse:

— Meu irmão veio me buscar. Tenho de ir.

Carolina olhou para o carro, seu coração se descompassou, ela empalideceu: No carro estava um rapaz muito parecido com Marcos.

— O que foi? — perguntou Mônica. — Você parece que viu um fantasma.

Carolina esforçou-se para controlar a emoção:

— Esse moço é seu irmão?

— É. Você o conhece?

— Não. Ele se parece com um amigo de quem eu gosto muito.

— Venha. Vou apresentá-la.

A um sinal dela, o rapaz desceu do carro e aproximou-se:

— O que você quer? Não posso parar aqui por muito tempo.

— Eu sei. Quero apresentar-lhe Carolina. Ela está estudando na mesma classe que eu.

Ele fixou o rosto emocionado de Carolina e disse:

— Meu nome é Sérgio. Nós já nos conhecemos?

— Não. Você é muito parecido com um amigo meu.

— Engraçado, tenho a sensação de que já fomos apresentados.

— Não pode ser. Carolina morava no interior. Está em São Paulo há pouco tempo — havia um carro atrás do dele buzinando e Mônica continuou: — Temos de ir. Amanhã continuaremos nossa conversa. Tchau.

Ela arrastou o irmão que, olhando para Carolina, disse:

— Outro dia conversaremos.

Eles se foram e Carolina aos poucos foi se refazendo da emoção. O nome era outro, mas a semelhança com Marcos era grande. Ela também sentia que o conhecia. Estaria sentindo isso apenas porque ele era parecido com Marcos?

Carolina foi caminhando devagar recordando aquele encontro inesperado e, quanto mais pensava, mais via semelhança do irmão de Mônica com Marcos.

O encontro havia sido rápido, teria visto bem ou a semelhança existiria somente na sua cabeça? Sentiu vontade de vê-lo novamente para observá-lo melhor.

Entrou em casa e foi procurar a avó. Guilhermina estava acomodada em uma poltrona na sala e Odete insistia para que ela tomasse uma xícara de chá e comesse uma fatia de bolo.

Ao ver Carolina chegar disse nervosa:

— Mamãe não almoçou e não quer tomar nem o chá. Ela precisa se alimentar. Ainda bem que chegou. Veja se você consegue que ela coma pelo menos o bolo.

Carolina aproximou-se e Guilhermina reclamou:

— Ela quer que eu coma à força. Estou sem fome.

Carolina pegou a xícara e sentou-se no banquinho aos pés dela.

— Vovó, tome pelo menos um pouco. Vai fazer-lhe bem.

— Deixe na mesinha. Mais tarde eu tomo.

— Agora está delicioso, mais tarde estará frio e sem gosto. Vamos, só um pouquinho.

Carolina olhava-a nos olhos com carinho e quando aproximou a xícara dos lábios de Guilhermina ela bebeu um pouco.

— Assim é que se faz! Agora vamos experimentar o bolo. Eu comi um pedaço pela manhã e estava delicioso.

— Não tenho vontade.

Carolina colocou o pratinho sobre a mesinha e disse:

— Se não comer acabará doente, é isso que deseja?

— Não...

— Pois é o que parece. O vovô não vai gostar de vê-la doente. Vai se afligir.

Ela enxugou os olhos e disse triste:

— Ele está morto e nunca mais vai voltar.

— Não, vovó. Ele continua vivo em outro mundo e um dia vai nascer de novo na Terra. Mas antes disso, você já terá ido encontrá-lo.

— Você acredita nisso, mas não sei se é verdade. Se for, quero ir agora ao encontro dele.

— Se você não comer, ficar doente e morrer não vai encontrá-lo.

— Você não disse que quando eu morrer vou encontrá-lo?

— Se não provocar a própria morte, pois isso seria o mesmo que cometer suicídio. Para encontrá-lo terá de aceitar viver bem até que a vida a leve quando chegar a hora.

Guilhermina ficou pensativa por alguns instantes, depois disse:

— Está bem. Vou tomar o chá e comer o bolo.

— É melhor assim, vovó.

Odete suspirou aliviada. Estava difícil lidar com sua mãe, reagir a sua própria tristeza para tentar ajudá-la.

Enquanto ela comia lentamente, Carolina contou sobre sua amizade com Mônica e a vontade de estudarem juntas.

Guilhermina concordou prontamente.

— Que bom, Carolina — comentou Odete satisfeita. — Você deve estar cansada de conviver com duas velhas. Precisa conviver com gente da sua idade.

— Isso não. Adoro estar com vocês, mas Mônica é uma moça muito agradável e educada. Estou certa de que vai ajudar na minha adaptação no colégio. Eu prometo que seremos discretas e não vamos atrapalhar o sossego de vocês.

— Não diga isso, minha filha — reclamou Guilhermina. — Vai nos fazer muito bem tê-las com a alegria da juventude. Diga a ela que será muito bem-vinda.

Pouco depois, Carolina foi para o quarto preparar o resumo das aulas que tivera no colégio para levar no dia seguinte.

Tinha pressa em rever Mônica na esperança de encontrar Sérgio e verificar o quanto ele se parecia com Marcos.

No dia seguinte as duas confrontaram os resumos e combinaram de estudar juntas.

— Hoje não dá porque não avisei minha mãe. Mas amanhã, depois da aula, vamos a sua casa. Meu irmão vai me buscar quando terminarmos.

Tanto Odete quanto Guilhermina gostaram de Mônica à primeira vista. Muito educada e discreta, ela conversou um pouco com as duas e depois foi com Carolina estudar no escritório do avô.

Carolina não havia entrado lá desde que ele morrera porque Odete o conservara fechado sem coragem para olhar o lugar onde o pai costumava ficar a maior parte do dia.

Mas desejosa de quebrar essa resistência que sentia e espantar de lá algumas lembranças, Odete sugeriu que as duas estudassem lá. Abriu as portas, mas não entrou.

As duas acomodaram-se e começaram a confrontar os pontos. Decidiram estudar o que era mais urgente, e, como Carolina ainda não havia estudado a matéria do professor Bento, Mônica passou-lhe tudo quanto sabia a respeito.

Depois, confessou que não estava entendendo um outro ponto que Carolina já havia estudado e foi a vez de ela colaborar com o que já sabia.

Duas horas depois, Odete surgiu na porta:

— Acho que por hoje chega. Vocês devem estar com fome.

— Não, obrigada — respondeu Mônica sorrindo. — Carolina já trouxe um lanche. Nosso encontro deu tão certo, aprendemos tanto que nem vi as horas passarem. Desculpe, dona Odete. Não quero abusar.

— De forma alguma. É um prazer tê-la conosco.

— É muita bondade. Mas está na hora de ir.

Elas juntaram tudo e acompanharam Odete até a sala.

Mônica pediu para usar o telefone, ligou para casa e pediu ao irmão para ir buscá-la. Enquanto esperava, ficou sentada na sala com as demais.

— Gostaria que ficasse para jantar conosco — comentou Guilhermina.

— Obrigada, mas minha mãe está me esperando.

— Seria bom ter a sua companhia.

— Eu gostaria que Carolina também fosse estudar em minha casa.

— É que ela não conhece a cidade. Nosso carro está na garagem, mas era meu pai quem dirigia. Nós não sabemos guiar — explicou Odete.

— Se deixarem, ao sair da aula ela poderia ir comigo, meu irmão sempre vai buscar-me no colégio. Depois, nós a traríamos de volta.

— Seria muito trabalho para ele — respondeu Guilhermina.

— Estou certa de que fará isso com prazer.

— Mesmo assim, não quero abusar — interveio Carolina.

Mônica sorriu:

— Vamos ver.

Enquanto esperavam por Sérgio, Odete fez questão de que elas fossem à copa tomar um lanche. Até Guilhermina sentou-se à mesa e aceitou tomar um refresco e comer alguns salgadinhos, o que fez Odete comentar, dirigindo-se a Mônica:

— Sua presença fez mamãe se animar. Fazia tempo que ela não se sentava à mesa conosco!

— Nesse caso voltarei mais vezes — brincou ela sorrindo.

— Isso mesmo — concordou Guilhermina —, a presença de vocês é tão prazerosa que dissipa qualquer tristeza. Eu adoro ouvir as risadas gostosas que dão.

— Tenho o hábito de rir alto e minha mãe sempre pede para eu baixar o tom. Acho que perturbei a paz de vocês.

— Pois eu não acho. Ao contrário, perturbe o quanto puder. Fazia muito tempo que em nossa casa eu não ouvia uma risada tão alegre como a sua. Para mim foi um santo remédio — comentou Guilhermina.

— A alegria é o alimento da alma — tornou Carolina.

— Adorei essa frase — respondeu Mônica. — Quando minha mãe me chamar a atenção já sei o que vou responder.

Elas continuaram conversando e pouco depois a campainha tocou. A criada foi atender, voltou e avisou:

— Seu irmão veio buscá-la.

Odete levantou-se:

— Vou pedir para ele entrar e tomar alguma coisa conosco.

— Ele é um pouco retraído, não vai aceitar.

— Vou mesmo assim.

Odete saiu, pouco depois voltou e Sérgio a acompanhava. Depois de beijar a mão de Guilhermina, apertar a mão de

Carolina, para surpresa de Mônica ele aceitou sentar-se e tomar um refresco.

Carolina o observava disfarçadamente e, quanto mais o fazia, mais o achava parecido com Marcos. Seria uma coincidência?

Sérgio aceitara o convite de Odete porque queria rever Carolina. Sentia que a conhecia, mas de onde? Não conseguia lembrar-se.

No decorrer da conversa ele quis saber há quanto tempo ela havia chegado à cidade, os lugares que frequentava, ao que ela informou:

— Quando cheguei aqui meu avô já estava doente, depois faleceu, minha avó estava com a saúde abalada e tia Odete deprimida. Então fiquei para fazer-lhes companhia.

— Essa foi a melhor ideia que meu irmão já teve. Foi maravilhoso. Logo nos habituamos e a companhia de Carolina tornou-se indispensável. Fizemos de tudo para que ela continuasse aqui.

Guilhermina interveio:

— Ficamos muito gratas a Mônica por ter vindo estudar com Carolina. Muitas vezes me perguntei se não estávamos sendo egoístas segurando Carolina na companhia de duas velhas. Sabíamos que ela precisava fazer amizade com pessoas de sua idade.

— Essa menina desde que chegou não tem saído para passear, é do colégio para casa e vice-versa.

— Há muito tempo para isso, tia. Não se preocupe.

— Não vai continuar assim — ponderou Mônica. — Nós vamos dar um jeito nisso, não é Sérgio?

— Certamente. Antes, precisamos saber o que Carolina gosta de fazer.

— No momento estou interessada em recuperar as matérias para não perder o ano.

— Isso não impede que você saia um pouco para espairecer — comentou Odete. — Essa menina não larga os livros.

— Ler é meu passatempo predileto — tornou Carolina. — Adoro um bom livro.

— De fato. Um bom livro é como uma nova aventura, nos faz viajar, olhar as coisas por outros ângulos, fora do cotidiano — disse Sérgio.

— Ih! Estou no meio de dois leitores inveterados. Daqui a pouco eles começarão a falar de livros e nós, que não temos essa preferência, estaremos fora da conversa — tornou Mônica sorrindo.

— De modo algum — respondeu Carolina. — Jamais faria isso. O livro é um bom companheiro, acompanha-nos nos momentos de solidão, mas quando estou em tão boa companhia, gosto de trocar ideias.

— Você sabe ser gentil. Essa é uma qualidade rara nas meninas com as quais tenho me relacionado — objetou Sérgio. — Atualmente, em nossa sociedade, muitas moças da sua idade confundem modernismo com falta de educação.

— Por tudo isso tenho muitas conhecidas, mas raras amigas. Eu não gosto de pessoas pretensiosas — esclareceu Mônica. — Está na hora de irmos embora. Estamos abusando.

— É cedo ainda! — reclamou Guilhermina. — A conversa está tão boa que nem vi o tempo passar.

Sérgio levantou-se também:

— Mônica tem razão. Voltaremos em outra oportunidade.

— Espero que seja em breve — comentou Odete.

— Amanhã Carolina vai estudar em minha casa conforme o combinado.

— Que pena. Eu preferia que fosse sempre aqui — lamentou Odete.

Eles se despediram e Carolina foi acompanhá-los até a porta. Elas combinaram as matérias que deveriam estudar na tarde seguinte na casa de Mônica.

Ambas se despediram com um leve beijo na face e Sérgio fez o mesmo, depois, ainda segurando a mão de Carolina, olhou-a nos olhos dizendo:

— Onde foi que nos encontramos? Não consigo me lembrar!

— Talvez tenha sido em outra dimensão!

Ele estremeceu levemente, um pouco assustado, depois respondeu:

— Talvez...

Mônica olhou-os com certa malícia e tornou:

— Já vi que além de um irmão esquisito, encontrei também uma amiga igual a ele.

— Por que está dizendo isso? — perguntou Carolina.

— Porque acabo de descobrir que vocês possuem as mesmas manias.

— Não ligue — tornou Sérgio sorrindo. — Ela diz isso porque gosta de parecer uma pessoa muito equilibrada.

— Até amanhã, Carolina.

Mônica puxou Sérgio pelo braço e continuou:

— Vamos, mamãe não gosta que nos atrasemos para o jantar.

Depois que eles se foram, Carolina ainda ficou parada na porta pensativa. Era coincidência demais para que ela aceitasse essa hipótese. Parecia mais um reencontro astral ou quem sabe de vidas passadas.

Se era o Marcos que a visitava de vez em quando, por que não lhe dissera que estava encarnado e se chamava Sérgio? Essa era uma resposta que só Marcos poderia lhe dar.

Uma vez no carro, Mônica comentou:

— Fiquei admirada por você aceitar o convite de dona Odete para entrar e ainda tomar um lanche conosco.

— Por quê? O que tem de mais?

— Nada. Só que você é retraído e quando vai buscar-me em algum lugar nunca entra.

— É que eu queria ver Carolina de perto. Desde que a vi tenho a sensação de que nos conhecemos de algum lugar.

— Isso não é possível. Ela morava no interior e faz pouco tempo que está em São Paulo. Como dona Odete disse, não sai de casa, não frequenta a sociedade. Você está enganado.

— É. Vai ver que me enganei mesmo — concordou ele mais para mudar de assunto, uma vez que não desejava prolongá-lo com a irmã.

Intimamente, porém, a pergunta continuava em sua cabeça. O mais provável seria mesmo um encontro astral. Carolina o mencionara. Estaria falando sério? Entenderia desse assunto?

É o que ele pretendia averiguar futuramente. Ela não sabia que ele, muitas vezes, durante o sono, via-se fora do corpo, conversando com pessoas desconhecidas, cujo assunto ao acordar não conseguia lembrar-se claramente.

Poderia ter se encontrado com ela em uma dessas viagens?

Esse pensamento aumentou sua curiosidade. Se isso fosse verdade, talvez ela lhe pudesse dar alguns esclarecimentos sobre essas saídas do corpo quando chegava a ver seu próprio corpo adormecido na cama enquanto ele levitava por lugares desconhecidos.

9

No dia seguinte, no fim da aula, Carolina e Mônica saíram e ficaram esperando por Sérgio. Conforme o combinado, ela iria estudar na casa da amiga.

Sérgio chegou pontualmente, desceu do carro e abriu a porta traseira para que Carolina entrasse enquanto Mônica sentou-se no banco da frente:

— Para mim você nunca abre a porta — reclamou ela só para embaraçá-lo.

— Se você se comportar, vou ver o que posso fazer daqui para frente — respondeu ele sorrindo.

— Está vendo, Carolina, como ele me trata?

— Ele vem buscá-la no colégio todos os dias sem reclamar. Bem que eu gostaria que meu irmão fosse assim. Adalberto adora me provocar.

Enquanto Mônica falava sobre um *show* que queria assistir, Sérgio observava Carolina pelo retrovisor. Ela tinha um rosto expressivo e sua fisionomia se modificava reagindo ao que ouvia, revelando seus pensamentos.

Quanto mais a observava, mais Sérgio certificava-se de já ter estado com ela em algum lugar.

Meia hora depois chegaram. A casa da família de Mônica ficava no Jardim América, era linda, circundada por um magnífico jardim.

O enorme portão de ferro trabalhado abriu-se e o carro entrou parando no semicírculo em frente à porta principal.

Eles desceram e um empregado aproximou-se:

— Posso guardar o carro?

— Pode. Mas vou sair novamente mais tarde.

Ouviram um latido alegre e logo um cão peludo tamanho médio apareceu rodeando Mônica. Ela abaixou-se, alisou a cabeça dele dizendo com carinho:

— Que bom ver você. Estava com saudades.

O cão abanava o rabo feliz e seus olhos brilhavam emotivos.

— Este é meu amigo Jordan, esta é minha amiga Carolina.

Carolina alisou a cabeça do cão:

— Como vai, Jordan? Como você é lindo! Eu sempre desejei ter um cão. Mas meu pai nunca deixou.

— O meu também não queria, mas tanto fiz que acabou aceitando. Agora morre de amores por ele.

— Esse malandro soube conquistar a todos nesta casa — comentou Sérgio. — É paparicado a todo instante. Vamos entrar, Carolina.

Uma jovem senhora, muito elegante, aproximou-se e Mônica apresentou Carolina:

— Esta é minha colega, Carolina.

— Seja bem-vinda, meu nome é Wanda. Esse cachorro deveria estar preso. Está incomodando.

— Carolina gosta de cachorros.

— Mesmo assim. Lugar de bichos é no quintal.

Mônica pegou Carolina pela mão:

— Venha, quero mostrar-lhe meu quarto.

A casa era linda e mobiliada com muito bom gosto. Carolina adorou tudo o que viu. Passaram por três salas imensas, ricamente mobiliadas e subiram uma escada, atravessando um corredor. Por fim, Mônica abriu uma das portas:

— Chegamos. É aqui o meu refúgio.

O cachorro, que havia sido levado para fora, aproveitara-se do descuido do empregado e sorrateiramente subira as escadas entrando rapidamente no quarto antes que Mônica fechasse a porta.

Ela desatou a rir, afagou a cabeça do animal dizendo:

— Muito bem! Você os enganou. Agora fique quieto, não faça barulho porque, se mamãe ouvi-lo, vai colocá-lo no canil.

Jordan sentou-se arfando alegre, mostrando sua língua vermelha, os dentes brancos e afiados.

— Ele é lindo e inteligente — comentou Carolina.

— Ele faz sempre isso. Depois fica quietinho. Sabe o que acontecerá se mamãe descobrir.

— Sua mãe não gosta de animais?

— Ela tem suas regras de convivência. Teve uma educação rígida, quer cada coisa em seu lugar. Mas felizmente eu e Jordan sempre conseguimos o que queremos.

Mônica deixou os livros, mudou de roupa e depois convidou Carolina para conhecer o resto da casa. Quando desceram, Wanda estava na sala folheando uma revista. Vendo-as pediu:

— Sentem-se um pouco aqui comigo.

— Vou mostrar a casa para Carolina.

— Faça isso depois. Sentem-se um pouco. Só quero conhecê-la melhor.

Elas obedeceram e Wanda tornou:

— Mônica me disse que faz pouco tempo que você chegou à cidade. De onde veio?

— De Bebedouro, interior de São Paulo. Minha família mora lá. Estou na casa de minha avó. Meu avô faleceu e ela ficou sozinha com minha tia Odete. Ambas ficaram muito abaladas, então fiquei para fazer-lhes companhia.

— Sei. Você não se sente triste por viver na companhia de duas senhoras idosas?

— Não. Elas são duas pessoas adoráveis. Damo-nos muito bem.

— Vocês estão no último ano do colegial. Pretende fazer faculdade?

— Sim. Mas meus pais querem que eu fique aqui só até o fim do ano. Quando terminar o curso, voltarei para minha cidade.

— Não está gostando de São Paulo?

— Ainda não conheço muito a cidade. Sei que há lugares muito bonitos, mas ainda não tive oportunidade de visitá-los.

— Mãe, você não acha que está interrogando Carolina? O que ela vai pensar?

— Você sempre impertinente. Não a estou interrogando. Como eu disse, estou apenas tentando conhecê-la melhor. Espero que ela não se incomode.

— Absolutamente. A senhora tem todo o direito de conhecer as pessoas que entram em sua casa. Se fosse na minha, estou certa de que meu pai faria o mesmo.

Wanda apertou ligeiramente os lábios. Essa menina, apesar da cara de ingênua, tinha resposta pronta. Não era o que parecia. Tentou dissimular o desagrado, sorriu e disse:

— Eu sabia que você ia entender. Não quero detê-las. Leve Carolina para conhecer o resto da casa.

As duas se levantaram e, quando estavam distantes de Wanda, Mônica tornou:

— Às vezes minha mãe me irrita. Mas finjo que não noto porque quando ela se zanga fica bem pior.

— Não se preocupe.

Elas circularam por todas as salas e foram para a piscina onde Sérgio estava estendido em uma espreguiçadeira lendo um livro. Havia trocado a roupa formal e vestido uma calça de flanela branca e uma camisa esporte.

Vendo-as chegar, fechou o livro e levantou-se. Mônica informou:

— Estou lhe mostrando a casa.

— Não querem se sentar um pouco e descansar? — perguntou ele.

— Fica para outro dia. Temos muitas matérias para estudar — respondeu Carolina.

— É verdade — concordou Mônica.

— Nesse caso não insisto. Podem ir.

Elas saíram e Sérgio acomodou-se novamente na espreguiçadeira. Abriu o livro, porém seu pensamento estava em Carolina. A sensação de conhecê-la de algum lugar voltou forte. Onde a teria encontrado? Não conseguia lembrar-se.

As duas subiram para o quarto de Mônica e começaram a estudar. Aqueles encontros estavam sendo produtivos para as duas. Apesar do pouco tempo, haviam esclarecido muitos pontos e melhorado o desempenho no colégio.

Carolina estava se sentindo mais ambientada. O fato de Mônica ter se tornado sua amiga havia feito com que as demais colegas a olhassem com mais simpatia.

Mônica tinha certa ascendência sobre as outras alunas da classe, seja por sua simpatia ou por sua família ser mais abastada; muitas delas copiavam seu modo de falar, sua postura e até sua maneira de se vestir.

O fato de Mônica gostar de Carolina bastava para que as outras também o fizessem.

Durante mais de uma hora elas estudaram as matérias para as aulas do dia seguinte, depois desceram. Wanda as esperava na sala, vendo-as entrar disse:

— Vocês devem estar com fome. Leve Carolina na copa e veja se ela deseja comer alguma coisa. Quanto a você, é melhor esperar pelo jantar.

Foi Carolina quem respondeu:

— Obrigada, dona Wanda, mas não estou com fome. Nós já terminamos por hoje e eu prefiro ir para casa.

— Eu queria que você ficasse para o jantar — pediu Mônica.

— Obrigada, mas não posso. Vovó às vezes não quer comer e tia Odete sempre solicita minha ajuda. Elas ainda não se recuperaram da perda do meu avô.

— Nesse caso não devemos insistir — disse Wanda.

— Vou chamar o Sérgio para nos levar — tornou Mônica.

— Não é preciso. Você me diz qual é o ônibus e eu vou sozinha.

— De forma alguma. Nós prometemos levá-la em casa e é o que faremos. Vou chamar o Sérgio.

Ele apareceu na sala:

— Não é preciso. Eu estou aqui.

— Carolina deseja ir embora.

— Já? Ainda é cedo — objetou Sérgio.

— Nós já terminamos de estudar. Não quero me ausentar de casa por tanto tempo. Quando não estou, minha tia fica olhando pela janela a minha espera.

— Então, é melhor irmos — comentou Mônica.

Sérgio olhou para Carolina e indagou:

— Você tem mais cinco minutos?

— Claro.

— Venha comigo, desejo mostrar-lhe uma coisa.

Carolina olhou para Mônica sem saber se deveria ir com ele.

— Vamos — concordou Mônica.

As duas o seguiram e ele levou-as até seu quarto convidando-as a entrar. Havia uma pequena sala com duas portas, uma ia para o dormitório e a outra, para um gabinete de estudos. Foi a este último que Sérgio as levou.

Havia uma grande estante, repleta de livros, algumas poltronas, uma escrivaninha, uma mesa alta para desenho e algumas mesinhas laterais.

— Sentem-se. Fiquem à vontade.

Elas obedeceram. Ele foi até a mesa de desenho, apanhou alguns rolos de papel grosso e colocou-os sobre a escrivaninha. Depois, apanhou um, abriu-o e colocou-o diante de Carolina dizendo:

— Veja. Você reconhece este lugar?

Carolina fixou durante alguns segundos a paisagem desenhada na cartolina e respondeu:

— Não.

Então Sérgio foi abrindo outros rolos e no terceiro Carolina disse:

— Esse eu conheço. Já estive nesse lugar. As flores, as cores, o céu azul, recordo-me perfeitamente, mais adiante há uma pequena casa com varandas floridas e dois beija-flores por perto.

Em silêncio, Sérgio abriu outro rolo e lá estavam a casa mencionada e os beija-flores.

Mônica estava boquiaberta:

— Quem fez estes desenhos? São lindos!

— Fui eu.

— Por que nunca nos disse nada?

— É uma coisa muito minha e eu não queria dividir com ninguém. Espero que você saiba guardar segredo. Eu queria que Carolina os visse e não quis esperar por um momento mais propício.

Carolina estava calada, admirada. Aquelas paisagens eram do local que ela havia ido com Marcos. Sérgio parecia irmão gêmeo de Marcos, mas se houvesse sido ele quem a havia levado àquela viagem astral, certamente iria se lembrar.

— E então, Carolina, o que me diz a respeito? — indagou Sérgio olhando-a fixamente.

— Bem, não sei... Algumas coisas acontecem comigo às vezes, mas nunca contei a ninguém.

— Comigo também acontecem coisas estranhas e é a primeira vez que falo nelas.

— O que, por exemplo? — indagou Carolina.

— Eu sonho que estou nesses lugares, converso com pessoas, mas ao acordar só me recordo das paisagens, que são tão reais que as desenho para não esquecê-las. São lugares maravilhosos, e estar lá provoca em mim uma sensação de bem-estar impossível de descrever.

Carolina olhou-o admirada e não respondeu logo.

— E então — insistiu Sérgio —, o que me diz?

— Eu também visito esses lugares... — ela hesitou um pouco e concluiu: — Mas quem me leva é alguém muito parecido com você.

Mônica olhava-os admirada e Sérgio olhando-a pediu:

— Mônica, antes de conversarmos mais sobre esse assunto, quero que você jure que não contará para ninguém o que está ouvindo aqui.

— Não sei. O que estão dizendo é muito curioso. Seria melhor nos aconselharmos com outras pessoas.

— Se não jurar, paramos por aqui. Não quero que ninguém saiba.

— Por quê? O que há de ruim nisso?

— Porque se trata de algo muito íntimo e, enquanto não esclarecermos tudo, é melhor não dizer nada. Podem pensar que estamos fantasiando e divertirem-se às nossas custas. Eu sinto que esse assunto é sério e não se presta a divagações.

— Eu concordo — interveio Carolina.

— Nesse caso, eu juro. Não contarei nada a ninguém.

— Muito bem. Continue, Carolina.

— Quando o conheci, fiquei muito surpreendida porque você é igual ao Marcos que, de vez em quando, leva-me para esses lugares, conversa comigo, apresenta-me a pessoas, aconselha-me. Infelizmente, ao acordar não me lembro de tudo o que conversamos, apenas algumas frases finais ficam em minha mente, mas as impressões dos lugares, da presença dele e de outras pessoas ficam em minha lembrança durante vários dias.

— Conte-me como e quando isso começou — pediu Sérgio.

Carolina contou o que acontecera na missa e outras vezes em que Marcos a ajudara a melhorar seu relacionamento com o pai e finalizou:

— Quando nos conhecemos pensei que você fosse o Marcos do meu sonho, mas se fosse, você se lembraria dos nossos encontros, e isso não aconteceu.

— Mas quando a vi, senti que nos conhecíamos, que já havíamos estado juntos. Você me é muito familiar.

— Você também.

— O que vocês estão dizendo é incrível! — disse Mônica. — Como poderemos saber a verdade?

— Não tenho a menor ideia. Quando Marcos vier novamente, vou perguntar-lhe. É o que posso fazer. Ele é um espírito muito lúcido, sinto que tem muito a ensinar-me.

— Nesse caso não poderia ser eu — comentou Sérgio. — Eu gostaria de ser assim, como você o descreveu, mas não sou.

— Eu confio muito na vida. Vamos esperar e ver o que acontece — afirmou Carolina. — Agora preciso ir para casa.

— Vamos — concordou Sérgio. Enrolou as pinturas, guardou-as e todos desceram.

Vendo-os voltarem, Wanda comentou:

— Vocês demoraram! O que estavam fazendo lá em cima?

— Sérgio nos mostrou alguns livros que serão úteis para nossos estudos — comentou Mônica. Ela ficava irritada todas as vezes que sua mãe insistia em fazer perguntas.

Saíram rapidamente. No carro, durante o trajeto, Sérgio continuou comentando com Carolina sobre os lugares que percorria em sonhos, e ambos encontraram muitos pontos semelhantes nas descrições.

Ao chegarem diante da casa da amiga, viram Odete na janela e Carolina comentou:

— Tia Odete está na janela; certamente vovó está impaciente à minha espera.

Eles desceram e Carolina convidou-os a entrar, porém Mônica não quis. Era hora do jantar e ela não queria incomodar.

— Temos de ir, Carolina. Mamãe está nos esperando para jantar.

— Eu gostaria de conversar mais com você — disse Sérgio —, porém não quero abusar.

— Apareça em nossa casa quando quiser — convidou Carolina. — Minha avó e tia Odete gostaram muito de vocês dois e estou certa de que terão muito prazer em recebê-los.

— Só elas? — indagou Sérgio.

Carolina corou e respondeu:

— Claro que o prazer maior será meu. Vocês são meus únicos amigos nesta cidade. Depois, temos um assunto em comum.

— Isso mesmo — concordou Mônica —, estou ansiosa para descobrir este mistério.

— Para mim só é mistério porque não conhecemos a verdade. Na vida só acontece o que é natural.

— Eu também penso assim — aduziu Sérgio.

Depois de despedir-se, Carolina entrou em casa e Odete comentou:

— Sentimos sua falta! Mamãe estava inquieta.

— Eu também senti falta de vocês. Vou pedir que Mônica venha mais aqui em vez de eu ir à casa dela.

— Você gostou de ter ido?

— Estranhei um pouco porque a dona Wanda fez-me muitas perguntas. Mas entendi que ela não me conhece e deseja saber com quem a filha anda.

Odete deu de ombros:

— Bobagem. Nós gostamos de Mônica assim que a vimos. Não precisamos perguntar nada.

— É que a mãe dela é da alta sociedade e essas pessoas dão grande importância aos nomes de família.

— Nós podemos não ser tão ricos quanto ela, nem frequentar a alta sociedade, mas somos gente de bem e nosso nome é honrado.

— Isso mesmo, tia. Eu me orgulho muito de pertencer à nossa família. Vamos ver a vovó antes que ela fique mais inquieta.

Abraçadas, as duas foram até a sala onde Guilhermina esperava-as com impaciência.

Carolina abraçou-a com carinho dizendo:

— Vovó, estava louca de saudades!

O rosto dela distendeu-se e seus olhos brilharam de felicidade quando a abraçou.

10

No fim do mês de novembro, quando Augusto Cezar ligou, como fazia religiosamente duas vezes por semana, Odete atendeu e, depois de dizer que tudo estava bem, ele pediu para falar com Carolina.

— Ela não chegou da escola — informou Odete.

— Como ainda não chegou? Ela sabia que eu ia ligar para conversarmos.

— Ela tem prova amanhã e foi na casa da Mônica estudar. Só vai chegar na hora do jantar.

— Eu queria conversar com ela. Saber como estão suas notas no colégio.

— Ainda não sabemos, mas Carolina tem estudado muito. Tem sido de grande valia a ajuda de Mônica. Você sabe os problemas que ela enfrentou.

— Isso nos preocupou um pouco. Mas Carolina garantiu que agora está acompanhando bem.

— Está mesmo. Assim que ela chegar, pedirei que ligue para você.

— Faça isso. Você sabe que quando terminar este ano ela deverá voltar para casa. Ernestina sente muita falta dela.

Uma onda de tristeza sombreou o rosto de Odete, porém ela respondeu simplesmente:

— Eu sei. Mas mamãe apegou-se muito a Carolina. Vai ficar muito triste quando ela nos deixar.

— Era isso que eu temia quando a deixei ficar. A melhor solução seria vocês venderem a casa e se mudarem para perto de nós. Assim, ficaríamos todos juntos.

— Por mim até iria, mas mamãe adora esta casa e não deseja deixá-la.

— No mês que vem vou até aí e conversaremos. Talvez eu possa convencê-la a vir para cá.

Despediram-se e, depois de desligar o telefone, Odete foi ter com Guilhermina:

— Augusto ligou para saber notícias de todos. Reclamou que Carolina não estava em casa o esperando ligar.

— Você disse que ela foi estudar?

— Disse.

Guilhermina ficou pensativa por alguns instantes depois tornou:

— Você notou como Sérgio olha para Carolina?

— Olha como?

— Seus olhos ficam meigos, amorosos, acho que ele está gostando dela.

— Isso eu notei desde o primeiro dia. Mas Carolina garante que são apenas bons amigos.

— Mas bem que os olhos dela brilham quando ele aparece.

— Eu não notei — mentiu Odete.

Tinha medo de que Guilhermina se preocupasse com o relacionamento deles. Ela mesma preferia que as garotas estudassem em casa porque assim poderia observá-las melhor.

Desde que se conheceram, elas estavam sempre juntas, embora Mônica, na maioria das vezes, ficava na casa de Guilhermina.

Ela se sentia mais à vontade longe dos olhares críticos e indagadores da mãe. A pretexto dos estudos, todos os dias elas se reuniam e no fim da tarde Sérgio aparecia para buscar a irmã e acabava ficando para conversar.

Tanto Guilhermina quanto Odete gostavam muito dos dois irmãos, apenas notavam o interesse de Sérgio por Carolina e dela por ele e tinham receio de que, se Augusto Cezar soubesse, implicaria com o rapaz e levaria Carolina embora.

Ambas sabiam que Augusto Cezar era muito formal e que, se aparecesse algum rapaz interessado em Carolina, teria primeiro de ser sabatinado e aprovado por ele.

Odete hesitou um pouco, depois disse:

— Augusto pretende levar Carolina embora assim que terminar o ano letivo.

— Era o que eu temia... cheguei a desejar que ela repetisse o ano.

— Se acontecesse isso, Augusto a levaria mais depressa.

— Ele quer que nos mudemos para lá.

— Pois eu penso o contrário. Eles é que deveriam mudar-se para cá. Que futuro podem ter Adalberto e Carolina em uma cidade do interior? Ele não está pensando no bem dos dois, só pensa em seu sossego, naquela vidinha pacata. Eu estou velha, mas não me acostumaria a viver naquela calmaria. Pelo menos aqui sabemos tudo o que acontece à nossa volta.

— Você tem razão. Eu também prefiro ficar aqui. Vamos tentar convencê-lo a mudar-se para cá.

Uma hora depois, quando Carolina entrou acompanhada dos dois amigos, depois dos cumprimentos Odete falou do telefonema.

— Prometi que mais tarde você ligaria para seu pai — ela hesitou um pouco, depois continuou: — Ele quer saber quando terminam seus estudos porque pretende levá-la de volta logo depois.

Imediatamente Mônica abraçou Carolina dizendo:

— Você não pode ir! Se for preciso, falaremos com seu pai até convencê-lo a deixá-la ficar.

— Ele falou que me deixaria ficar até o fim deste ano. Acho difícil que mude de ideia. Quando programa alguma coisa, vai até o fim.

— Nós vamos pedir também — disse Odete. — Mamãe vai insistir para eles se mudarem para cá.

Sérgio ficara calado, mas seus olhos refletiam preocupação. Observando a fisionomia triste de todos, Odete continuou:

— Vamos conservar o otimismo. Tudo ainda pode mudar e acontecer como desejamos. Vocês devem estar com fome. Vamos à copa tomar um lanche. Preparei aquele bolo de chocolate que vocês gostam.

— Não se incomode, dona Odete, nós já vamos — tornou Mônica.

Mas Sérgio interveio:

— Pois eu aceito com prazer.

Mônica olhou admirada para o irmão. Ela recusara exatamente porque ele era o primeiro a não gostar de incomodar.

Eles foram para a copa onde Odete deixara a mesa posta. Apanhou na geladeira a jarra de refresco de groselha e colocou-a na mesa, onde já estavam algumas guloseimas e o famoso bolo de chocolate.

A conversa decorreu um pouco diferente do costume. Eles esforçavam-se para mostrarem-se alegres, porém havia certa tristeza no ambiente.

Depois, os dois irmãos despediram-se e Carolina foi para o quarto. Ela não desejava voltar para a casa dos pais e retomar a antiga rotina que agora lhe parecia pior do que antes.

Também havia Sérgio. Estava apaixonada por ele e sentia que era correspondida. O que faria se fosse obrigada a voltar para a casa dos pais? Teve vontade de telefonar para o pai e lhe dizer que não queria ir, mas claro que ele não iria voltar atrás.

Odete bateu à porta do quarto dizendo:

— Carolina, não vai ligar para seu pai? Eu prometi.

— Já vou, tia.

Apesar de não sentir vontade de falar com ele, que certamente tocaria no assunto, foi à sala telefonar.

Augusto Cezar atendeu:

— Carolina, até que enfim ligou. Por que demorou tanto?

— Eu estava estudando na casa da Mônica. Temos uma prova amanhã.

— Estou programando ir até aí com sua mãe e Adalberto para passarmos alguns dias, preciso que me informe quando terminam suas provas porque desta vez você voltará conosco.

— Pai, ainda não sei, porquanto além dos exames há a formatura. O colégio ainda não informou quando será.

— Todo colégio marca essas formalidades com antecedência. Estou certo de que eles já têm essas datas. Está me parecendo que você não está interessada em saber.

— Não é isso, pai. É que no momento estamos estudando bastante e mais interessadas em nos formar.

— Sua tia disse que você está indo bem.

— Estou sim, mas quero conseguir me formar com notas boas.

— Está bem. Trate de descobrir e me ligue em seguida. Estamos com saudades de você. Sua mãe não fala em outra coisa. Quer tê-la de volta.

— Eu também sinto saudades. Estão todos bem?

— Tudo bem como sempre. Não se esqueça de me ligar.

— Sua bênção, papai.

— Deus a abençoe.

Carolina desligou o telefone e ia voltar para o quarto quando ele voltou a tocar. Ela atendeu e imediatamente reconheceu a voz de Sérgio:

— Carolina, preciso falar com você!

— Aconteceu alguma coisa?

— Seu pai pretende levá-la embora. Isso me deixou triste. Farei tudo para impedir.

Carolina, com o coração batendo forte, ficou em silêncio durante alguns segundos, depois respondeu:

— Se eu pudesse, não iria.

— Deixei Mônica em casa e pretendo ir até aí para conversarmos, só eu e você. Agora são sete horas, às sete e meia estarei esperando você na esquina de sua casa. Você vai?

Ela hesitou um pouco, mas depois tornou:

— Está bem, eu vou.

Despediram-se. Ela desligou e foi para o quarto se arrumar. Quando pensava no encontro, seu coração batia forte e ela esperava que o tempo passasse depressa. Ao passar pelo quarto de Guilhermina, Odete perguntou:

— O que seu pai disse?

— O mesmo que você. Quer levar-me de volta.

— Temos de pensar em uma forma de fazê-lo mudar de ideia.

— É o que mais quero neste mundo. Esses meses que passei aqui foram os mais felizes de minha vida. Adoro viver com vocês.

— Você disse isso a ele? Pode ficar com ciúmes.

— Tive vontade, mas não disse nada.

— Ainda bem. Agora vou ajudar mamãe a tomar banho. Depois conversaremos.

Carolina foi para o quarto, tirou o uniforme, vestiu um vestido de seda leve, arrumou-se com capricho. Faltavam cinco minutos para as sete e meia e ela já estava pronta na sala, olhando de vez em quando para a esquina à procura de Sérgio.

Ele foi pontual, saiu do carro e ficou a esperando. Com o coração aos saltos, ela caminhou até ele, que abriu a porta do carro para que ela entrasse. Depois, sentou-se ao lado dela e disse olhando-a nos olhos:

— Obrigado por ter aceitado meu convite.

— Não posso demorar. Titia não sabe que saí.

— Vamos sair daqui.

Sérgio ligou o carro e Carolina perguntou:

— Aonde vamos?

— Não muito longe.

Ele virou uma rua e pouco depois parou diante de um muro de um casarão, sob a copa de uma frondosa árvore.

Sérgio segurou a mão de Carolina dizendo emocionado:

— Hoje, quando sua tia disse que seu pai deseja levá-la embora, senti uma dor muito forte. Eu a amo, Carolina. Não posso suportar a ideia de separar-me de você.

Ela emocionou-se e ele teve a certeza de que seu amor era correspondido. Abraçou-a com carinho e beijou seus lábios repetidas vezes. Ambos permaneceram abraçados procurando controlar a emoção, depois de alguns segundos, Sérgio comentou:

— Sinto que você também me quer.

— Sim. Eu também o amo. Não desejo separar-me de você.

— Estou pensando em falar com seu pai sobre nossos sentimentos. Eu quero me casar com você.

Os olhos dela brilharam de prazer e seu rosto inundou-se de alegria:

— Sinto que juntos seremos felizes!

Mas em seguida o prazer desapareceu de seu rosto e ela tornou:

— Não sei se meu pai vai consentir. Se ele souber que estamos namorando vai querer levar-me embora mais depressa.

— Por quê? Minhas intenções são boas e minha família é respeitada.

Carolina hesitou um pouco, depois respondeu:

— É que... sou muito nova. Nunca namorei... meu pai sempre diz que eu só deveria pensar em namorar depois que houvesse terminado os estudos e tivesse idade para isso.

— Essa é uma forma de pensar antiquada. Hoje os costumes estão mudados. Há moças mais novas do que você que estão namorando firme.

— Meu pai é um tanto conservador. Por isso receio que ele não concorde com o nosso namoro.

— Precisamos encontrar uma forma de mudar isso. Você acha que sua avó e sua tia aprovariam nosso namoro?

— Penso que sim. Elas são mais tolerantes e, além disso, gostam muito de você.

Sérgio sorriu satisfeito:

— Nesse caso elas serão nossas aliadas. Vamos conversar com elas agora mesmo.

— Vamos. Elas também não desejam que eu vá embora.

Sérgio beijou-a repetidas vezes, depois disse:

— Está tão bom aqui que eu gostaria que o tempo parasse e ficássemos juntos para sempre.

— Eu também, mas se queremos a aprovação delas, não podemos deixá-las preocupadas. Eu saí sem lhes dizer nada e é bom irmos logo.

— Tem razão. Vamos.

Ele ligou o carro e foram para a frente da casa dela. Desceram e entraram.

Odete estava na sala e, vendo-a, comentou:

— Você não costuma sair à noite, eu estava tentando descobrir aonde tinha ido. Não sabia que Sérgio estava aqui.

— Como vai, dona Odete?

— Bem, obrigada. Mônica não veio com você?

— Não. Eu precisava falar com Carolina a sós, liguei e nos encontramos para conversar.

Odete ouvia com atenção e ele continuou:

— Quando soube que o doutor Augusto Cezar pretende levá-la embora no fim do ano fiquei muito triste. Há algum tempo eu sei que amo Carolina de verdade. Minhas intenções são sérias, mas eu queria saber se era correspondido.

— E você, Carolina, também o ama?

— Sim, tia, e também sinto que temos muita afinidade.

— Bem que eu havia notado alguma coisa. Ele a olhava com ternura e os seus olhos brilhavam quando ele estava por perto.

— A senhora aprova nosso namoro? — indagou Sérgio.

— Sim. Fico feliz porque sei que serão felizes.

— Gostaria de falar com dona Guilhermina e fazer-lhe a mesma pergunta.

— Ela agora está deitada e precisa descansar. Mas estou certa de que também ficará contente com a notícia. O problema é o Augusto Cezar...

— Carolina falou que ele pode não consentir e levá-la embora mais depressa.

Odete suspirou preocupada:

— Ele, às vezes, é formal demais. Cria regras e deseja que toda a família as obedeça. Acha que uma moça só deve namorar depois que terminar os estudos.

— Mas você e vovó podem interceder por nós, pedir que aprove nosso namoro.

— Isso nós faremos seguramente, mas conhecendo-o como conheço, estou certa de que mesmo consentindo no namoro, não vai deixá-la ficar aqui. Ele vai estabelecer algumas condições e levá-la embora do mesmo jeito.

— Eu preferia que ela ficasse, mas mesmo que ela vá para casa, se ele permitir, vou vê-la sempre que puder.

— Eu sei, meu filho, mas nós também não queremos ficar sem ela. Essa menina trouxe alegria para nossa casa. Nós nos acostumamos com seu sorriso, sua presença, até seu perfume.

— Eu também prefiro ficar com vocês, mas se eu disser isso ao papai, será pior. Ele ficará enciumado e vai me levar mais depressa. Ele sempre faz questão da união da família até nas pequenas coisas. Se falta alguém na hora do jantar, ele fica nervoso. Todos nós temos de estar à mesa no horário certo.

— Eu gostaria de encontrar uma maneira de fazê-lo mudar de ideia. Mas sei como isso é difícil — observou Odete.

— Quando papai programa alguma coisa, não volta atrás.

— Mas eu vou pensar em algo que o faça desistir. Mamãe está melhor, mas eu posso adoecer...

— Não, tia, isso não. Eu me sentiria culpada.

Odete sorriu maliciosa:

— Não é o caso. A minha doença pode ser fictícia. Um pouco de maquiagem, um pouco de teatro.

Os dois riram, e Carolina abraçou a tia comovida:

— Você faria isso por mim?

— Eu farei isso por todos nós. Não é isso o que queremos?

— Acha que ele não vai perceber? — indagou Carolina.

— Vamos ver. Você acha que não saberei representar? Fiz teatro no colégio. Se não houver outro recurso, é o que farei. Só não sei se será bom ele saber do namoro.

— É o que estou pensando também.

Sérgio interveio:

— Eu gostaria de conversar com ele. Não gosto de esconder nada. Desejo me casar com Carolina.

— Eu sei, mas poderíamos omitir esse fato por algum tempo. Você pensa em se casar logo?

— Gosto de fazer as coisas por mim, não quero depender da minha família. Penso que dentro de um ou dois anos poderemos nos casar.

— É um prazo relativamente curto. Augusto deseja que Carolina se forme na universidade. Antes disso, não vai aceitar.

Sérgio apressou-se a responder:

— Mesmo casada ela poderá continuar estudando.

— Você tem boa vontade, mas há de convir que uma mulher casada tem outras obrigações, fica difícil estudar — continuou Odete.

Carolina interveio:

— Gosto de estudar, mas minha felicidade está em primeiro lugar. Nesse caso, eu mesma falarei com papai.

Sérgio abraçou-a com carinho:

— Gosto de saber que você pretende lutar pela nossa felicidade e se a senhora e dona Guilhermina nos apoiarem estou certo de que vamos conseguir.

— Podem contar conosco. Se dependesse de nós duas, vocês se casariam quando desejassem.

Carolina beijou o rosto da tia com carinho:

— Obrigada, tia. Eu sei que tanto a senhora como a vovó farão tudo para que eu seja feliz.

Sentados na sala, os três continuaram conversando e fazendo planos para o futuro. Quando Sérgio se despediu, Carolina acompanhou-o até o portão.

Ele olhou-a com carinho e disse:

— Gostaria de ficar aqui para sempre.

Ela sorriu contente:

— Eu também.

Sérgio beijou-a longamente nos lábios e confidenciou:

— Fica difícil ir embora.

— Vou sonhar com você — prometeu Carolina, olhos brilhantes de felicidade.

Depois de mais um abraço ele se foi e ela ficou olhando enquanto ele entrava no carro, depois acenou e entrou.

Naquela noite foi difícil pegar no sono. Os momentos de amor que vivera com Sérgio e o prazer que sentira estavam bem vivos e seu coração vibrava de emoção.

Ela já havia tido alguns encontros com rapazes em sua cidade, porém jamais havia sentido o que sentia por Sérgio. Estava certa de que estar ao lado dele para sempre era tudo quanto desejava na vida.

Embalada em seus sonhos de felicidade, finalmente Carolina adormeceu.

11

Na manhã seguinte, Sérgio acordou e seu primeiro pensamento foi para Carolina. Nunca sentira por nenhuma outra mulher o que sentia por ela. Recordando-se dos beijos que haviam trocado, estremecia de emoção e prazer.

Levantou-se alegre, tomou um banho e desceu para tomar café. Encontrou toda a família reunida na copa. Sentou-se no lugar costumeiro, porém sua alegria despertou a curiosidade de Wanda que comentou:

— Você hoje está com um ar diferente. Aconteceu alguma coisa?

— Amanheci de bem com a vida. Não está um lindo dia?

Mônica olhou para a janela e tornou:

— O céu está nublado, parece até que vai chover.

Sérgio olhou para fora e não se deu por achado:

— Eu gosto de dias assim. Acho lindo.

Mônica sorriu maliciosa. Há muito percebera o interesse do irmão por Carolina e havia surpreendido o telefonema dele para ela na noite anterior marcando o encontro. Pela alegria dele dava para saber que fora correspondido.

Notando o olhar de cumplicidade entre os filhos, Wanda olhava curiosa de um para outro querendo descobrir o que estava acontecendo. Como os dois continuaram calados, ela não se conteve:

— Você saiu ontem à noite, foi ao cinema?

— Não. Fui me encontrar com uma garota.

Wanda sorriu vitoriosa, porém um pouco inquieta:

— Ela é das nossas relações?

Sérgio colocou a xícara no pires, olhou-a sério e respondeu:

— Você está louca para saber. Não vejo nenhum motivo para não contar. De qualquer maneira vocês teriam mesmo de saber, pois pretendo casar-me com ela.

Wanda estremeceu e quase deixou cair a xícara que segurava:

— Casar-se? Como assim? Você sequer estava namorando.

— Mas agora estou.

Wanda e Humberto olhavam admirados. Mônica sorria contente.

— É tão sério assim, meu filho? — indagou Humberto.

— É, papai. Estou apaixonado, ontem me declarei e ela deu o "sim".

Wanda olhava-o séria e indagou novamente:

— Vai nos dizer quem é ela?

— É Carolina a moça que eu amo.

— Não acha que está sendo precipitado? Vocês se conhecem há pouco tempo, além disso, seus pais são do interior, certamente pessoas de pouca projeção social.

— Pelo que sei são pessoas de bem. Quanto à projeção social, não me interessa. Vou casar-me com Carolina por amor.

— Pense bem, meu filho. Você pode estar jogando fora uma carreira de sucesso profissional ao escolher para esposa uma moça fora do nosso círculo.

Mônica interveio:

— Você está falando da família de Carolina sem conhecê-la. Dona Guilhermina e dona Odete, avó e tia de Carolina, são pessoas de fino trato e muito educadas.

— Você talvez tenha algo a ver com esta história, acho melhor ficar fora e não dar palpite. É isso o que dá trazer para nossa casa colegas do colégio de famílias desconhecidas. Na casa de meu pai, não nos era permitido levar qualquer pessoa sem que fossem de famílias conhecidas ou apresentadas por elas.

— Esse tempo passou, mamãe — tornou Sérgio um tanto irritado. — Hoje a nobreza está no coração das pessoas, em suas atitudes, não em seus nomes de família que carregam como um troféu inútil e fora de moda.

Wanda voltou-se para Humberto dizendo com voz chorosa:

— Você não diz nada? Permite que os valores de nossos pais e os nossos valores sejam jogados na lama?

Humberto olhou-a e respondeu meio a contragosto:

— Por que vocês fazem tanto barulho por um assunto tão desagradável? Estamos tomando café da manhã. Não seria mais adequado deixar as discussões de lado?

Humberto odiava quando Wanda falava naquele tom de vítima, o que ele sabia que ela não era de jeito nenhum.

Mônica estava se divertindo com a cena, mas fingia não estar interessada. Sabia que se a mãe percebesse o que ela estava pensando, jogaria todo o seu mau humor sobre ela.

Sérgio continuava tomando seu café com naturalidade. Ele não levava a sério aquelas ideias da mãe. Preferia avaliar as pessoas pelo comportamento, pelas atitudes e não pela posição social.

Vendo que sua cena não surtira nenhum efeito, Wanda irritou-se, voltou-se para o marido e disse:

— Seu filho diz que vai se casar com uma moça que não pertence ao nosso meio e você não diz nada?

— O que quer que eu diga? Ele é maior de idade, diz que está apaixonado. O que podemos fazer?

— Como assim? Você é pai, tem obrigação de orientar seu filho.

Sérgio, que havia terminado de tomar o café, levantou-se e fixando-a disse com voz firme:

— Papai tem razão. Eu estou apaixonado e muito feliz. Se vocês não estiverem satisfeitos com a minha escolha, eu lamento, mas isso não vai mudar em nada. É a minha felicidade que está em jogo e eu não vou abrir mão dela em hipótese nenhuma.

— Não vê que um casamento com desigualdade social jamais dará certo? — argumentou Wanda.

— Nosso casamento tem tudo para dar certo. Se isso não ocorrer, somos nós, eu e ela, que teremos de pagar o preço. E nós estamos dispostos a correr esse risco.

Mônica bateu palmas dizendo contente:

— Parabéns. Você está apaixonado mesmo! Que bom!

Wanda fulminou-a com o olhar e, fazendo pose de ofendida, deixou a copa. Mônica levantou-se e acompanhou o irmão que se preparava para sair e, segurando em seu braço, disse:

— Eu adoro a Carolina! Estou muito feliz!

— Obrigada, maninha — respondeu ele beijando-a levemente na face.

— Estou louca para ir à escola e encontrar Carolina. Ela vai ter de contar-me tudo o que aconteceu ontem à noite.

— Nada de mais. Nós nos encontramos, declarei-me, beijamo-nos e depois fomos conversar com tia Odete, que foi muito favorável.

— Você já a pediu em namoro formalmente para tia Odete e dona Guilhermina?

— Só para tia Odete, dona Guilhermina estava descansando. Mas tia Odete nos garantiu que ela vai aprovar nosso namoro. O problema maior está no pai de Carolina.

— Você já falou com o pai dela?

— Não. Mas Carolina disse que ele a proibiu de namorar antes de se formar. Elas temem que se ele souber do nosso namoro, vai levá-la embora imediatamente.

— E agora, o que pretende fazer?

— Eu quero me casar com Carolina, sou uma pessoa de bem, de boa família. Por mim falaria com ele, faria o pedido e pronto. Mas elas alegam que não. Ainda não sei o que faremos.

— Carolina me conta que seu pai é muito formal. Que quando decide alguma coisa, jamais volta atrás.

— Foi o que elas disseram. Mas penso que se ele souber que tenho boas intenções, não vai proibir nosso namoro.

Mônica ficou calada por alguns instantes, depois disse:

— O principal é que vocês se amam e serão felizes.

— Isso é o que importa.

Sérgio saiu e Mônica foi sentar-se perto da piscina, pensando na sorte do irmão, que havia encontrado o amor, e em Carolina, que era merecedora de todo o apoio.

Ela também gostaria de encontrar alguém, mas isso ainda não tinha acontecido. Gostava de imaginar que em algum lugar do Universo deveria estar o homem de sua vida, e que, quando chegasse o momento, ele apareceria como em um passe de mágica, despertando seu coração para o amor.

Os dias que se seguiram foram de felicidade para Sérgio e Carolina. Mônica compartilhava a alegria. Todas as tardes, Sérgio ia buscá-las no colégio, e juntos iam para a casa de dona Guilhermina, onde já os esperava um lanche gostoso e o carinho tanto dela como de tia Odete, que aprovavam o namoro dos dois.

As duas amigas estudavam um pouco, mas o prazer de estarem juntos e conversar era mais forte. Contudo, elas estavam indo bem no colégio e já haviam se saído bem nas últimas provas.

Depois de começar a namorar Sérgio, Carolina fora apenas uma tarde estudar na casa de Wanda e percebeu logo que ela não aprovava o namoro deles. Não perdera a chance de crivá-la de perguntas sobre sua família, seus antepassados. O constrangimento de Carolina foi visível, o que provocou a irritação de Mônica e de Sérgio.

Ao deixar a casa de Wanda, já no carro, Carolina foi direta:

— Sua mãe não aprova nosso namoro.

— Não se trata de nada pessoal. Minha mãe é cheia de regras e acha que precisa tomar conta de nós. Trata-nos como crianças.

— É mais do que isso. Ela não me acha à altura do nome de sua família.

A franqueza de Carolina não lhe deu chance de negar.

— Quando ela a conhecer melhor, vai mudar de ideia. Ela não pode decidir por mim. Eu amo você e vamos nos casar. Nem seu pai nem minha mãe poderão nos impedir.

Carolina suspirou pensativa. Ela preferia que não fosse assim, mas Sérgio tinha razão. Qual fosse a situação, eles se amavam e queriam ficar juntos.

A partir desse dia, Carolina não quis mais ir estudar na casa de Mônica. A pretexto de que o ano letivo estava quase findando, ela os convidava para irem a sua casa.

— Acho que estamos dando muito trabalho à sua tia — dizia Mônica.

— Estamos abusando — concordava Sérgio —, mas é tão prazeroso que só deixarei de vir quando vocês derem um basta!

— Isso nunca acontecerá, elas adoram vocês. Nossa presença tem estimulado as duas de tal maneira que se tornaram alegres, falam sobre vocês com carinho e vivem procurando receitas gostosas para compor o nosso lanche.

— Você acha mesmo que não estamos abusando? — indagou Mônica. — Minha mãe vive brigando conosco por esse motivo, dizendo que estamos incomodando. Todas as noites quando chegamos a nossa casa ela diz a mesma coisa.

— Talvez ela esteja com vontade de vir aqui — aventou Carolina. — Por que não a convidam uma tarde para cá?

Mônica olhou-a surpreendida:

— Pensei que você se sentisse incomodada pela maneira dela.

— Não. Até certo ponto é natural que ela tenha curiosidade em saber como é a família onde vocês ficam todas as tardes.

— Formal como é, não viria sem um convite especial de sua avó — disse Sérgio.

— Vou falar com vovó para formalizar o convite.

No dia seguinte, Wanda recebeu por um portador um cartão de Guilhermina convidando-a para um chá em sua casa dois dias depois.

Wanda revirou o cartão delicadamente perfumado, examinando-o curiosa. Apesar de desejar ardentemente ir, hesitou pensando que esse convite viera porque elas desejavam aproximar-se dos pais de Sérgio com a intenção de formalizar esse namoro. Isso não a agradava absolutamente.

No fim da tarde, quando Humberto chegou, mostrou-lhe o cartão dizendo:

— Veja, a avó de Carolina me convidou para um chá em sua casa. Não sei se deverei ir.

— Por que, não?

— Ela quer nos aproximar pensando em um possível casamento da neta com Sérgio.

Humberto pensou um pouco e respondeu:

— Talvez não. Um simples chá não vai representar nenhum compromisso. Você não vive querendo saber por que nossos filhos gostam tanto de ir àquela casa? É uma forma de saber.

— É... talvez tenha razão.

— Compromisso sério só existe depois que Sérgio fizer o pedido ao pai de Carolina. Mesmo assim, pode não dar certo. Há casamentos que se desfazem até na véspera.

— Mas não quero correr o risco. Sérgio merece algo melhor. Há tantas moças bem-nascidas que gostam dele, por que foi se apaixonar logo por essa desconhecida?

Humberto sorriu:

— São mistérios do coração. É a primeira vez que Sérgio fala que está apaixonado. Pode ser fogo de palha.

— Não sei não. Ele parece determinado.

— Para mim o que importa é que ela seja uma boa moça e possa fazer nosso filho feliz.

— Você vai ficar contra mim nesta história?

— Não estou contra nem a favor. Desejo muito que Sérgio seja feliz.

— A desigualdade social prejudica qualquer relacionamento.

— Carolina não me pareceu diferente de nossa filha. Aliás, elas se dão muito bem.

— Você sabe como Mônica é. Nunca selecionou suas amizades. Dá-se bem com qualquer pessoa.

— Se pensa assim, é melhor ir a esse chá.

— É o que farei.

Na manhã seguinte, Wanda mandou Mônica agradecer o convite e dizer que iria.

No dia marcado, pontualmente às cinco horas, Wanda tocou a campainha da casa de Guilhermina.

Odete abriu a porta e Wanda apresentou-se:

— Sou Wanda Souza Soares, mãe de Mônica e de Sérgio.

— Muito prazer. Sou Odete, tia de Carolina. Entre, por favor.

Wanda entrou e Odete continuou:

— Mamãe está na sala, venha comigo.

Wanda olhava tudo com interesse. A casa era antiga, mas mobiliada de forma tradicional e Odete estava bem-vestida.

Uma vez na sala, Odete apresentou-a a Guilhermina, que se levantou e estendeu a mão dizendo:

— Seja bem-vinda à nossa casa. Obrigada por aceitar o meu convite. Sente-se, por favor.

Wanda acomodou-se em uma poltrona e respondeu:

— Obrigada. Eu sentia muita vontade de conhecê-las. Meus filhos não saem daqui. Talvez as estejam incomodando.

— Absolutamente não — respondeu Guilhermina. — Eles trouxeram alegria à nossa casa. Desde que meu marido morreu, temos estado tristes. Augusto Cezar, pai de Carolina, deixou-a conosco por algum tempo para nos ajudar a reagir. Não sei o que teria sido de nós sem ela.

— De fato — concordou Odete —, Carolina com sua mocidade e doçura nos tem ajudado a superar a perda de papai. Infelizmente, Augusto Cezar virá buscá-la dentro de alguns dias para levá-la de volta.

Wanda gostou da notícia, mas não deixou transparecer. Seria bom que ela ficasse longe porque assim talvez Sérgio mudasse de ideia. A situação estava melhor do que havia pensado.

Mostrou-se cordial e quando Carolina chegou com Mônica e Sérgio encontrou-as tomando chá na sala com várias guloseimas que a criada servia diligentemente.

Wanda mostrou-se amável e delicada, o que surpreendeu Carolina. Meia hora depois ela se despediu deixando uma onda de delicado perfume no ar. Guilhermina comentou encantada:

— Que mulher encantadora!

Odete aprovou dizendo:

— Tão jovem, nem parece mãe de dois filhos moços.

Os dois irmãos trocaram olhares satisfeitos. Uma hora depois eles se retiraram. A sós, no carro, Sérgio comentou:

— Eu estava preocupado com essa visita. Ainda bem que mamãe foi amável. Certamente rendeu-se à simpatia das donas da casa.

— Não creio. Mamãe não é fácil de render-se apenas à simpatia das pessoas. Deve ter acontecido algo mais.

— O que poderia ser? Ela estava bem, é sinal que gostou delas. Depois disso vai deixar de fazer oposição a Carolina.

Mônica meneou a cabeça:

— Como você é ingênuo. Ela continua contra do mesmo jeito. Você vai ver.

— Será?

— Vou tentar descobrir por que ela mudou.

Depois daquela tarde, Wanda não tocou mais no nome de Carolina. Uma semana depois, Augusto Cezar telefonou avisando que chegaria dentro de dois dias com a família. Pretendiam ficar até o Natal. Assistiriam à formatura de Carolina e depois voltariam todos para casa.

Sérgio continuava firme na ideia de conversar com os pais de Carolina e formalizar o noivado, embora Guilhermina e Odete o aconselhassem a esperar.

As aulas haviam terminado, as duas amigas estavam formadas e se preparavam para as comemorações da formatura.

Na véspera da chegada da família, Sérgio saiu com Carolina para dar uma volta a pretexto de tomar um sorvete. Desde que seu pai ligara, ela perdera muito da alegria costumeira e ele queria conversar.

Foram caminhando até a praça mais próxima:

— Vamos nos sentar naquele banco — convidou Sérgio.

A noite estava quente, as estrelas brilhavam e os canteiros estavam floridos. Mas Carolina, tão envolvida em seus próprios pensamentos, nem notou.

Sérgio segurou a mão dela com carinho:

— Você está preocupada.

Ela suspirou, depois disse:

— Não há como evitar. Eu não quero ir embora.

— Eu não quero que vá. Por esse motivo já decidi. Vou falar com seu pai.

— Não sei. Ele quer que eu continue com os estudos. Não vai consentir.

— Hei de convencê-lo que nosso casamento não vai atrapalhar seus estudos.

— Você não sabe como ele é determinado quando decide alguma coisa.

— Mas terá de render-se à verdade. Se for preciso, meu pai falará com ele. Vai dar tudo certo.

Abraçou-a com carinho, depositando um delicado beijo em sua face.

— Apesar do que você diz não posso evitar um aperto no peito quando penso nisso.

— Pois eu estou certo de que conseguiremos. Você vai ver. Agora sorria. Não gosto de vê-la triste. Precisamos estar firmes, com o coração alegre. A tristeza, a preocupação pode atrair exatamente o que você teme.

— O ambiente em casa ficou depressivo. Vovó chora e tia Odete se esforça para confortá-la.

— Você precisa esforçar-se para mudar isso. Afinal, sua família vai chegar e você certamente está com saudades deles. Converse com sua avó, com sua tia, elas precisam aprender que a tristeza atrai o que você não quer. Só a alegria, a confiança na vida, no futuro, fazem as coisas que desejamos darem certo.

— Como você sabe que é assim?

— Às vezes eu sonho com algumas pessoas que conversam comigo, ensinam-me coisas e pedem que eu observe melhor como a vida trabalha a nosso favor.

— Eu sempre confiei na vida. Nunca tive medo de nada. Mas agora, sinto medo de perder você.

— Isso nunca acontecerá! Jogue fora esse medo antes que ele nos separe.

— Não sei como fazer isso. Eu sinto, mesmo contra minha vontade.

— Reaja. Visualize nós dois juntos, abraçados, nos amando sempre, alegres, felizes e serenos. E nada nem ninguém conseguirá separar-nos. Todo o Universo vibrará a nosso favor.

Os olhos dele brilhavam, seu tom era convicto, e Carolina sorriu.

— Tem razão. Estamos juntos, nosso amor é verdadeiro e ninguém conseguirá nos separar!

— Assim é que se fala!

Sérgio beijou-a apaixonadamente nos lábios. Carolina sentiu que seu medo havia desaparecido. Foram caminhando de volta para casa, abraçados e felizes.

Ao chegarem, encontraram Guilhermina e Odete conversando na sala. Ao vê-los, a avó tentou reter as lágrimas, mas elas caíram assim mesmo.

Odete tentou sorrir, mas seus olhos estavam tristes. Notava-se que ela fazia grande esforço para se controlar.

Carolina olhou-as e aproximou-se dizendo:

— O que está acontecendo? Não estão alegres com a chegada da família?

Odete apressou-se a responder:

— Claro que estamos alegres com a chegada deles. O que atrapalha é Augusto Cezar querer levá-la embora.

— Se desejam convencer papai a deixar-me ficar, é melhor ficarem alegres. Eles precisam perceber que minha presença aqui lhes causa alegria, não tristeza.

— Você é a alegria de nossa vida. Não queremos que vá embora.

— Vovó, as coisas nem sempre são da forma que nós desejamos. Se minha partida fizer mal a vocês tornando-as infelizes, vou sentir-me culpada e desejar nunca mais vir ficar aqui.

As duas entreolharam-se surpreendidas. Carolina continuou:

— Temos de olhar as coisas de maneira diferente. Agradecer a vida por permitir que ficássemos todo esse tempo juntas e não reclamar se for preciso ficarmos separadas durante algum tempo.

Sérgio interveio:

— Isso mesmo. Vamos nos empenhar para fazer Carolina ficar. Mas se ela precisar ir, saberemos esperar. Pretendemos nos casar e, quando isso acontecer, viremos morar em São Paulo. Eu prometo que será bem perto daqui e viremos vê-las todos os dias.

— Que bom se isso fosse verdade! — tornou Odete sorrindo.

— Por que duvidam? — continuou Sérgio. — Quando eles chegarem, pretendo conversar com o doutor Augusto Cezar.

— Ele não vai concordar... — lembrou Guilhermina.

— Saberemos convencê-lo — disse Carolina sorrindo.

— Pois eu penso que deveria esperar para falar com ele.

— Do que tem medo? Não confia em nosso amor? Acha que ele não será capaz de convencer seu filho a nos dar o consentimento? Vou fazer o pedido, dizer que Carolina vai continuar estudando mesmo depois do casamento e estou certo de que ele vai consentir.

As duas se entreolharam mais alegres. O entusiasmo e a certeza deles eram contagiantes.

Odete levantou-se e abraçou-os alegre:

— Começo a pensar que tem razão. Vamos tomar um chá com bolo que eu fiz esta tarde. Está delicioso.

Guilhermina sorriu. O ambiente estava mais calmo e as pessoas bem. A tristeza de antes havia desaparecido.

12

Augusto Cezar chegou em casa no fim da tarde irritado. Ernestina vendo-o entrar notou logo que ele não estava em seus melhores dias. Sentiu o peito oprimido. Quando ele estava mal-humorado ela ficava alerta com receio que fosse por causa do comportamento dos filhos.

Desde que eles voltaram de São Paulo por ocasião da morte do pai, ele tinha decidido colocar Adalberto na empresa para trabalhar meio período.

Todos os dias após o almoço, Adalberto ia com o pai para o escritório e ele passava-lhe pequenos serviços tentando ambientá-lo na empresa. Apesar de ele ter preferido a advocacia em vez da engenharia, Augusto Cezar sonhava que ele se preparasse para tomar conta de tudo quando ele se aposentasse.

Adalberto odiava ir para o escritório, ter de ficar lá era-lhe muito penoso. Estava habituado a encontrar-se com os amigos, ver as garotas, fazer o que lhe dava vontade, certo de que o pai estaria ocupado o dia inteiro e ele livre.

Ter perdido essa liberdade o deixara deprimido, mas, como sempre, fingia que estava gostando para evitar contrariar o pai. Contudo, perdeu o gosto pelos estudos e começou a ir mal na faculdade.

Quando Augusto Cezar descobriu que ele estava mal em algumas matérias ficou muito bravo. Mas Adalberto mostrou-lhe o Código Civil, afirmando que precisava saber tudo e que estava sem tempo.

— Tenho ido dormir muito tarde para compensar as horas que fico trabalhando, fico estudando, mas não dá. Depois, há os trabalhos de grupo, que são sempre durante as tardes. Eu gostaria muito de continuar ajudando na empresa, mas corro o risco de não passar de ano.

Então, Augusto Cezar pela primeira vez voltou atrás. Ele também só começara a trabalhar depois de formado. Assim decidiu que Adalberto também faria isso.

Ernestina observara que o filho não gostava de ir para a empresa, mas tentava motivá-lo para não desagradar o marido. Ela faria qualquer coisa para não ver Augusto Cezar nervoso com os filhos.

— Onde está Adalberto? — indagou ele assim que chegou.

— Foi estudar na casa do Romeu.

— Tem certeza de que ele está lá estudando?

— Tenho. Ele não tem motivos para mentir. Está se esforçando para recuperar as notas.

— Assim espero. Às vezes penso que ele não conseguirá passar. Isso me incomoda muito. Eu nunca repeti nem um ano. Meu filho tem capacidade para fazer o mesmo.

— Estou certa de que ele vai passar.

— Carolina já fechou as matérias, e assim que Adalberto terminar as aulas vamos para São Paulo. Não vejo a hora de trazer nossa filha de volta.

— Sua mãe e Odete não vão querer que ela venha embora.

— Está decidido e pronto. Elas terão de conformar-se. O certo seria elas venderem a casa e comprarem uma perto da nossa. Assim, teriam a nossa companhia e Carolina estaria sempre ao lado delas.

— Um dia elas vão entender que será melhor vir para cá.

Adalberto tinha ido mesmo à casa de Romeu estudar. Estava se esforçando. Se ele repetisse teria de suportar o castigo do pai e seus sermões.

Na missa de domingo ele tinha visto Ana Maria mais linda do que nunca. Ela ainda morava em Bebedouro. Então, lembrou-se de que havia tempo não via Áurea. Precisava dar continuidade ao seu plano, antes que Ana Maria fosse embora.

Às cinco horas ele estava diante do colégio de Áurea. Ela saiu com as duas colegas de sempre e ele aproximou-se:

— Como vai, Áurea?

— Quem é vivo sempre aparece! — brincou uma delas sorrindo.

— Ele está vivo mesmo. No outro dia nos encontramos e ele nem me cumprimentou, imaginei que fosse uma visão — disse a outra.

— Sou muito distraído. Não a vi mesmo.

— Não ligue para elas — respondeu Áurea. — O que veio fazer aqui? — perguntou.

— Vê-la. Estava com saudades.

— Enquanto vocês matam as saudades nós vamos andando — disse uma das colegas.

— Fiquem à vontade — completou a outra.

Elas se afastaram e Adalberto continuou:

— Faz dias que eu estou sentindo sua falta.

Áurea olhou-o nos olhos e disse com naturalidade:

— Comigo não precisa ser formal.

— Estou dizendo a verdade. Não acredita?

— Às vezes me pergunto por que você tem me procurado.

Apesar de um pouco chocado com a observação inesperada, ele não se deu por achado.

— Porque gosto da sua companhia. Você acha que estou incomodando?

— Não foi isso que eu disse. Você é um rapaz inteligente, boa companhia, o que me intriga é que você nunca se aproximou de mim, mesmo tendo vivido na mesma cidade desde que nascemos e nos encontrado em todos os lugares. É evidente que você tem alguma coisa em mente. O que é?

— É que de repente notei o quanto você tinha crescido e se tornado uma moça linda. E desejei conhecê-la melhor.

Áurea sorriu e considerou:

— Você é galanteador. Não é preciso dizer isso para sermos bons amigos.

— Você parece que não gosta de elogios.

— Gosto quando são sinceros. E antes que você continue nessa linha, gostaria de perguntar: Carolina vai continuar morando em São Paulo?

— Não. Dentro de alguns dias vou com meus pais buscá-la.

— Quando soube que seu avô morreu pensei que vocês fossem morar em São Paulo.

Os olhos de Adalberto brilharam quando respondeu:

— É o que eu gostaria. Mas papai não quer. Mas chega de falar dos outros. Quero falar de nós!

— De nós?

— Sim. No período em que estive em São Paulo pensei em você o tempo todo. Por sua causa queria voltar o quanto antes.

— E por que não me procurou novamente?

— Depois que nos encontramos naquele dia em que fui buscar os documentos da minha irmã no colégio, fiquei sem coragem para dizer-lhe tudo o que sentia.

Adalberto segurou a mão dela levando-a aos lábios com carinho. Ela não retirou a mão e seus olhos procuraram os dele indagadores.

— Peço-lhe que pense bem no que está dizendo.

— Eu já pensei. Estou gostando de você e quero saber o que sente por mim.

Ela retirou a mão sem desviar os olhos e respondeu:

— Eu gosto de você. Mas sou nova e nunca namorei. Posso estar confundindo meus sentimentos. Você é um rapaz bonito, de boa família, muitas garotas gostariam de namorá-lo. Mas para eu amar de verdade, preciso de muito mais do que isso. Eu quero um companheiro verdadeiro, amoroso, que cultive valores éticos e espirituais.

Diante da resistência dela e com receio de que ela o rejeitasse, Adalberto tornou:

— Somos ambos jovens e eu não sei se possuo todas as qualidades que você mencionou, mas como saber se não tentarmos? Quer namorar comigo?

Áurea pensou um pouco, depois tornou:

— Está certo. Podemos tentar. Mas quero deixar claro que se trata apenas de uma experiência. Se um de nós sentir que não vai dar certo, usará de franqueza e acabaremos o compromisso.

Adalberto sentia-se ansioso. Ele imaginara que quando a pedisse em namoro, Áurea iria aceitar logo e sentir-se até lisonjeada com seu interesse. Mas não, ela era difícil e esse comportamento feriu seu orgulho. Ele queria que ela dissesse sim a qualquer custo.

Resolveu concordar com a proposta. Estava seguro de que a conquistaria e a faria rastejar a seus pés.

— Seja como você quiser. Vamos nos sentar na praça para conversar um pouco mais?

— Hoje não posso. Se eu passo do horário minha mãe fica preocupada.

— Então vamos nos ver hoje à noite na praça.

— Verei o que posso fazer. Estarei lá às sete.

Eles tinham chegado perto da casa dela e Áurea parou:

— Vamos nos despedir aqui.

Eles estavam embaixo de uma árvore e Adalberto puxou Áurea e beijou-a nos lábios. Ela correspondeu, mas afastou-se logo dizendo:

— Chega por hoje.

— Faz tempo que eu desejava beijá-la. Só mais um...

Ela olhou em volta e depois, vendo que estavam sozinhos, colou os lábios nos dele, que a apertou contra o peito sentindo seu coração bater descompassado.

Depois, ela afastou-o e saiu rapidamente deixando-o emocionado.

— Ela é bonita demais! Por isso fiquei deste jeito. Namorá-la vai ser menos penoso do que eu pensava.

Depois, satisfeito, ele saiu rumo a sua casa. Áurea chegou em casa pensativa. Havia muito tempo ela gostava de Adalberto, mas apesar de ele a estar procurando, ela sentia que não estava sendo sincero.

Áurea tinha muita sensibilidade. Quando estava com as pessoas era capaz de sentir até o que elas estavam pensando e, apesar das palavras gentis de Adalberto, sentia que por trás delas havia um sentimento desagradável que não podia definir.

Por esse motivo, mesmo ele tendo pedido para namorá-la, ela ficava na defensiva, como se tivesse algum perigo iminente. Mas, ao mesmo tempo, o beijo que trocaram tinha feito seu coração disparar e fora prazeroso.

Áurea entrou em casa e foi direto para o quarto. Queria ficar sozinha para analisar melhor seus sentimentos. Por que não conseguia confiar em Adalberto? Ele tinha se declarado, seria justo desconfiar dele? O que poderia lhe acontecer de ruim aceitando seu pedido?

Por mais que desejasse convencer-se com argumentos racionais, quando pensava nele voltava a sensação desagradável.

Cíntia entrou no quarto e foi logo perguntando:

— O que aconteceu? Você veio para cá e não falou com ninguém, o que houve?

— Eu queria ficar sozinha para pensar.

— Que mania sua de pensar, pensar sobre tudo. Você pensa demais. Afinal, o que a está preocupando?

— O Adalberto foi me encontrar na saída do colégio e me pediu em namoro.

Cíntia deu um pulo e bateu palmas dizendo:

— Até que enfim! Eu pensei que ele nunca olharia para você. Sempre foi tão posudo! Parece que tem o rei na barriga! Você aceitou, é claro.

— Eu aceitei, mas não sei... há alguma coisa nele que me faz desconfiar de que não está sendo sincero...

— Que bobagem. Você é muito bonita. Ele sentiu-se atraído e decidiu descer do pedestal.

— Não sei... há alguma coisa nele que me faz ficar de sobreaviso.

— Lá vem você com suas cismas. Por que não é como todo mundo? Sempre imaginei que se algum dia ele se interessasse você daria pulos de alegria. Não estou entendendo. O que mais você quer? Pare de ver problemas. Que outro interesse ele poderia ter em você? A família dele é mais rica do que a nossa. Trate de aproveitar porque, se você ficar nessa de procurar pelo em ovo, ele pode desistir. Se eu fosse você, trataria de seduzi-lo de forma que ele nunca mais me deixasse.

— Eu penso diferente de você. Gosto de Adalberto, sonho com ele, mas não misturo as coisas. Se eu notar que ele não tem as qualidades que eu desejo no homem que vai viver a meu lado, acabarei com esse namoro ainda que sofra com isso.

Cíntia meneou a cabeça:

— Eu não a entendo mesmo! Se eu gostasse de alguém, faria qualquer coisa para tê-lo a meu lado, mesmo que ele tivesse muitos defeitos. Com o tempo eu o faria mudar e o colocaria na linha, do jeito que eu gosto.

Áurea não respondeu. Notava que sua irmã não escolhia suas amizades, muitas vezes trazendo para casa amigas sem caráter que acabavam dando-lhe algum desgosto, mas ela não se emendava. Acreditava em todo mundo. Já Áurea, não. Era uma moça que tratava bem a todos, não era orgulhosa, mas sabia preservar sua intimidade. Não gostava de pessoas que a pretexto da amizade invadiam sua intimidade, sua casa, sua vida. Quando isso acontecia, ela logo as colocava no devido lugar, preservando-se.

As pessoas a respeitavam, o que não acontecia com Cíntia, que sempre se aborrecia com as amigas que arranjava. Por tudo isso, quando ela reclamava das pessoas, Áurea respondia:

— Você está errada por reclamar dos outros. É você que não deve deixar que eles invadam sua intimidade. Eles não sabem quais são os seus limites de tolerância se você não disser. Há momentos de dizer sim e outros de dizer não. Você aceita tudo mesmo quando não gosta. Agindo assim, como eles vão saber o que você quer?

Cíntia prometia fazer isso, mas logo esquecia e acontecia novamente. Por isso Áurea resolveu não insistir e respondeu simplesmente:

— Nós somos diferentes. Eu sinto que preciso ser cautelosa com Adalberto e é o que farei. Se o que ele diz for verdade, saberá compreender minhas atitudes.

— Se ele desistir a culpa é sua.

— Não. Se ele desistir é porque não gosta de mim. Nesse caso, é melhor terminarmos. Agora, se você não se importa, quero ficar sozinha para pensar.

Cíntia fez uma mesura e disse alegre:

— Como quiser. A Norma ficou de passar aqui para irmos à papelaria comprar um caderno. Vou ver se vejo o Clóvis. É hora de ele estar na lanchonete.

Ela saiu e Áurea sentou-se na poltrona perto da janela. Começou a rememorar todos os encontros que tivera com Adalberto tentando entender cada momento.

Adalberto chegou em casa contente. Ernestina vendo-o entrar comentou:

— O que aconteceu com você? Parece que viu passarinho verde!

— É que a tarde está linda, agradável e eu sinto-me bem.

— Espero que esteja estudando bastante para melhorar suas notas na faculdade.

Ele abriu a geladeira, encheu o copo de suco de laranja, fechou-a e respondeu procurando esconder a irritação:

— Sei o que estou fazendo. Garanto que vou passar de ano. Não precisa ficar no meu pé.

Antes que ela retrucasse, saiu e foi fechar-se no quarto. Estava contente e não ia perder seu bom humor. Sentou-se na poltrona e saboreando o suco lembrou-se do beijo que dera em Áurea.

Ela era muito linda, seus lábios macios e úmidos eram deliciosos. Não se lembrava de ter tido tanto prazer com um beijo. Esse namoro ia ser muito agradável. O problema é que Áurea era muito arisca. Mas ele haveria de deixá-la tão apaixonada que essa barreira seria destruída. Afinal, ele sempre fora querido pelas mulheres. Seu problema maior era afastá-las depois da conquista, quando não tinha mais interesse.

Alguém bateu na porta e Adalberto, arrancado de seus pensamentos, foi abrir contrariado. Ernestina reclamou:

— Por que fechou a porta com a chave? Está ficando com a mesma mania da Carolina?

— Eu estava estudando — mentiu ele. E continuou: — O que você quer?

— Romeu está na sala e quer falar com você.

— Peça para ele subir.

— Vê se não fica muito tempo de conversa. Você precisa continuar a estudar.

Ernestina desceu e pouco depois Romeu subiu segurando um livro. Adalberto fechou a porta e perguntou:

— Você nunca vem em casa fora de hora. Aconteceu alguma coisa? Que livro é esse que você trouxe?

— Foi a desculpa que eu encontrei para vir aqui. Sua mãe não gosta, disse que atrapalha seus estudos. Mas eu precisava vir. Sônia foi me procurar e disse que Ana Maria vai mudar-se para São Paulo com a família. Vão embora amanhã cedo.

Adalberto não se conteve:

— Já? Nesse caso preciso vê-la, ver se consigo seu novo endereço.

— Sônia contou que ela não volta mais para cá.

— Mas eu estou para ir a São Paulo. Quero vê-la lá.

— Não sei se ela vai dar-lhe o endereço.

— Vou tentar. Mas se ela não o fizer, você, com jeito, pede a Sônia. Elas são muito amigas. Deve saber.

Romeu coçou a cabeça com certa preocupação. Às vezes Sônia era muito discreta.

— Olha, trate de conseguir você mesmo porque não sei se Sônia vai querer me dar, e eu não quero brigar com ela por sua causa.

— É em último caso, estou certo de que conseguirei o que pretendo.

— Bom, eu já disse o que queria e vou embora. Sua mãe disse que seu pai está para chegar e eu não quero que ele me veja. Em todo o caso vou deixar o livro com você. Amanhã você me devolve.

Romeu saiu e Adalberto acompanhou-o até a rua. Como ele previra, sua mãe estava na sala observando. Embora tivesse combinado que mais tarde iria encontrá-lo na praça, ao despedir-se disse em voz alta:

— Até amanhã, Romeu.

Depois que o amigo se foi, Adalberto foi para o quarto, mas desta vez seu pensamento estava em Ana Maria. Junto com o desejo de conquistá-la estava a vontade de ir morar na cidade grande. Ele sonhava tornar-se um rapaz moderno, bem-vestido como os rapazes que vira na capital. Assim, ia ser fácil conquistar Ana Maria.

Para isso precisava fingir que estava estudando. Arrumou os livros e os cadernos sobre a escrivaninha, dispôs tudo como se estivesse mergulhado nos estudos e deixou a porta entreaberta para que o pai, quando chegasse, o visse estudando.

Pouco tempo depois, Augusto Cezar chegou, subiu as escadas, passou pela porta entreaberta e vendo-o mergulhado nos livros sorriu e disse:

— Boa tarde, meu filho. Vejo que está mesmo estudando.

Adalberto levantou os olhos, esfregou-os, espreguiçou-se como se estivesse cansado e respondeu:

— Boa tarde, pai. Eu lhe disse que não vou repetir este ano. Mas estou estudando há horas. Sinto-me cansado, porém vou continuar até a hora do jantar.

Augusto Cezar sorriu satisfeito:

— Faça isso, meu filho. É para o seu bem.

Ele foi para o quarto e Adalberto sorriu satisfeito. Quando ele desceu para jantar, o pai já estava à mesa e ele esfregou os olhos como se estivesse exausto, suspirou e disse:

— Eu queria estudar mais, porém acho que exagerei. Deu um branco e não consigo entender mais nada do que estou lendo.

— É melhor descansar um pouco. Sente-se, o jantar vai ser servido.

No mesmo instante, Ernestina sentou-se e Rute colocou as travessas na mesa. Augusto Cezar procurou conversar:

— Assim que você terminar os exames, vamos para São Paulo buscar Carolina.

— Que bom — comentou Ernestina. — Estou com muitas saudades dela.

Adalberto desejava que o jantar terminasse logo e não respondeu. Continuou comendo enquanto os pais falavam sobre a viagem.

Depois da sobremesa e após o pai ter tomado o café, Adalberto pediu licença e levantou-se:

— Aonde você vai? — indagou o pai.

— Vou lavar o rosto. Depois vou dar uma volta para espairecer.

— Vá, meu filho. Mas não fique até tarde. Amanhã você tem aula logo cedo.

— Eu sei, pai. Não pretendo demorar. Só quero aliviar a cabeça que está pesada.

Pouco depois, Adalberto, rosto lavado, perfumado, bem-arrumado, saiu rápido e foi até a praça. Ele esperava encontrar-se com Ana Maria para marcar um encontro em São Paulo na próxima viagem.

13

Adalberto chegou à praça e não encontrou ninguém. Impaciente, foi caminhando e observando. Nem Romeu tinha chegado. Eles haviam combinado de ficarem conversando até que Sônia aparecesse com Ana Maria. Romeu havia pedido à namorada para convidar a amiga, pois ele desejava despedir-se dela.

Dez minutos que pareceram uma eternidade para Adalberto. Romeu chegou e comentou:

— Você chegou cedo!

— Foi você quem se atrasou. Acha que Ana Maria virá com a Sônia?

— Eu pedi, mas não sei se ela virá. Pode ser que esteja ocupada com os arranjos da mudança. Eles viajam logo cedo.

Adalberto estava impaciente. Parecia que o tempo não passava. Finalmente sua fisionomia distendeu-se: ele avistou as duas se aproximando.

Depois dos cumprimentos, Adalberto sugeriu:

— Vamos andar um pouco?

Todos concordaram e eles foram caminhando, Romeu e Sônia na frente e os outros dois atrás.

— Soube que você vai embora amanhã e vim desejar-lhe boa viagem.

— Obrigada. Não é tão longe como eu gostaria.

— Como assim?

— Gosto de São Paulo, mas sinto vontade de conhecer o mundo, conhecer outros povos.

— Você é diferente de todas as moças que conheço.

— Já lhe disse que não quero ser como as moças desta cidade, que só pensam em se casar, ter filhos e nada mais.

— Mas esse é o destino da mulher.

— Para mim não. Estou contente de mudar para a capital, porque lá posso ter mais oportunidades de fazer o que desejo. Nesta cidade o povo é atrasado, as mulheres parecem que estão no século passado. Eu quero viver, aproveitar a vida, ser feliz.

— Assim que terminar meus exames na faculdade, vou com minha família visitar meus parentes em São Paulo. Gostaria de ter seu endereço para fazer-lhe uma visita.

— Não sei ainda o endereço. Mas posso deixar com Sônia o número do nosso telefone. Quando chegar lá, telefone-me e marcaremos alguma coisa.

Adalberto exultou. Entusiasmado, notou que Romeu sentara-se em um banco com a namorada e ele convidou-a para se sentarem em outro um pouco mais adiante. Ela aceitou, e sentaram-se. Até então, ele estivera discreto, mas a presença dela o atraía. Em certo momento, notando que ela estava descontraída e à vontade, segurou sua mão levando-a aos lábios.

Ana Maria retirou-a imediatamente dizendo:

— Lembro-me de ter-lhe dito que entre nós só poderia existir amizade. O fato de estarmos no jardim conversando não tem outra significação.

— Desculpe. É que quando estou perto de você sinto uma vontade imensa de beijá-la. Estou sendo sincero. Fica difícil resistir.

— Nesse caso vou embora.

Fez menção de levantar-se e ele pediu:

— Não faça isso. Prometo que farei o possível para me controlar. — Fez uma pausa e vendo que ela continuava sentada continuou: — Aliás, agradeço-lhe por ter me colocado no devido lugar. Eu estou namorando e não seria direito.

— Disseram-me que está saindo com a Áurea.

— Você a conhece? — indagou ele tentando esconder a satisfação. Era bom que ela soubesse que ele tinha quem o quisesse.

— Sim. É a moça mais linda desta cidade.

— Também acho — respondeu com os olhos brilhantes de alegria.

— Você deve estar muito apaixonado por ela.

— Nem tanto. Ela é quem está muito apaixonada por mim.

— Não seja mentiroso. Sei de meia dúzia de rapazes desta cidade que fariam qualquer coisa para que ela os aceitasse.

— Mas é de mim que ela gosta.

— Eu tenho conversado com a Cíntia de vez em quando e ela me disse que a irmã não gosta de ninguém. Aliás, nunca a vi sair com um rapaz.

— Está saindo comigo. Ainda anteontem nos encontramos.

— Nesse caso, o que ela vai pensar vendo-o aqui comigo?

— Se ela ficar com ciúmes digo a verdade. Ela vai entender.

Ana Maria levantou-se:

— Eu preciso ir. Tenho muita coisa ainda para arrumar.

— Sônia não tem vontade de ir embora.

Ela e Romeu estavam se beijando. Decidida, Ana Maria aproximou-se deles dizendo:

— Eu tenho de ir embora. Se você quer ficar, vou sozinha.

Sônia afastou-se de Romeu e respondeu:

— Nada disso. Vou com você. Sua tia não vai gostar de vê-la chegar sozinha.

Pouco depois elas se despediram e Ana Maria prometeu:

— Vou deixar com Sônia o número novo do meu telefone. Ela vai entregá-lo a você.

Elas se despediram e foram embora.

— Você conseguiu o que queria — disse Romeu.

— Nem tanto. Mas consegui semear. Ela sabia que estou namorando a Áurea. Estou certo de que ficou com ciúmes.

— Não se precipite. Ela não se mostrou nem um pouco interessada em você.

— Pois eu garanto que ela ainda vai entrar na minha. Você vai ver.

Quando Adalberto chegou a sua casa foi para o quarto e recordou as palavras trocadas com Ana Maria. Sentiu que ela tinha razão. Áurea era mesmo a moça mais bonita de Bebedouro. Lembrou-se do beijo que trocaram e sentiu uma sensação de prazer muito agradável. Ana Maria ia embora, mas mesmo ela não estando mais na cidade ele decidiu continuar namorando Áurea.

Ernestina bateu na porta chamando:

— Adalberto, por que fechou a porta?

Arrancado de seus devaneios ele abriu. Ernestina entrou, olhou em volta e tornou:

— Como eu pensei, você não está estudando. Por isso trancou a porta. Desse jeito não vai passar nos exames.

— Estava recordando a matéria da última aula. Eu vou passar.

— Seu pai disse que se você repetir o ano terá de estudar nas férias e não vai conosco para São Paulo.

— Eu posso estudar em São Paulo.

— Nada disso. Ele vai arranjar um bom professor para ver se você presta novos exames durante as férias.

— Nem diga uma coisa dessas. Eu quero ir com vocês. Estou com saudades de Carolina.

— Então, trate de estudar de verdade. Eu sei que se você quiser vai conseguir. Então vamos viajar todos juntos e não ficará sem mesada.

— O pai disse que vai tirar a mesada?

— Se repetir o ano, ele vai.

Depois que Ernestina deixou o quarto, Adalberto pensou bem e tratou de estudar. Ele não podia perder aquela oportunidade de encontrar-se com Ana Maria em São Paulo.

A partir desse dia, Adalberto dedicou-se aos estudos com afinco. Fazia uma pausa no fim da tarde para esperar Áurea na saída do colégio. Sentavam-se um pouco no banco da praça em um lugar discreto, e ela procurava conversar, mas ele preferia beijá-la.

Apesar de ser discreta, Áurea também sentia prazer em corresponder aos carinhos de Adalberto, esquecendo-se de que estavam na praça. Quando passava alguém ela retraía-se dizendo:

— Chega, vamos embora.

— Já?

— Você sabe que não posso demorar.

— Amanhã é sábado. Vamos nos encontrar à noite.

— Está bem. Mas minha irmã terá de ir junto.

— Não faz mal. Ela não tem namorado?

— Não. Mas ela pode encontrar-se com uma amiga.

— Estarei esperando.

Depois de acompanhá-la em casa ele ia para o quarto estudar, continuando depois do jantar.

Augusto Cezar observava satisfeito. Finalmente os exames chegaram e Adalberto conseguiu passar.

Chegou em casa eufórico dizendo:

— Mãe, passei. Estou no segundo ano!

Ernestina respirou aliviada. Era um problema a menos. Quando alguém da família tinha um problema ela ficava nervosa, inquieta, com medo do pior.

Imaginava o drama que seria se o filho repetisse o ano. Augusto Cezar não perdoaria. Parecia vê-lo castigando o filho, não lhe dando mesada, proibindo-o de sair com os amigos e, o que era pior, ficaria irritado, insatisfeito e ela sofreria muito. Não suportava ver o marido aborrecido. Quando isso acontecia tinha impressão de que tinha feito alguma coisa errada. Sentia-se culpada, afinal ela era a mãe, a esposa, precisava cuidar do bem-estar de todos. E se atormentava perguntando:

— Onde foi que eu errei?

Respirou aliviada. Finalmente Adalberto passou. Poderiam viajar juntos e tudo voltaria à normalidade. Logo Carolina estaria em casa e todo aquele pesadelo teria acabado.

No fim da tarde, de banho tomado e bem-disposto, Adalberto foi procurar Áurea. Ela terminara o curso e já estava de férias. Ele ficou na esquina da casa dela olhando insistentemente para ver se ela notava sua presença.

Finalmente Cíntia saiu na janela e vendo-o avisou a irmã. Pouco tempo depois, ela foi ao encontro dele. Após os cumprimentos ele tornou:

— Estou no segundo ano!

Ela riu contente:

— Parabéns. Eu sabia que você ia conseguir.

— Nunca estudei tanto na vida.

— Mas valeu a pena.

— Vamos dar uma volta.

— Está bem. Minha mãe foi ao dentista. Vamos sair daqui, ela pode voltar e nos ver.

— O que é que tem?

— Ela não sabe que estamos namorando.

— Um dia terá de saber.

— Ainda não. É cedo. Sou muito nova e pretendo cursar uma faculdade.

— Você nunca me falou sobre isso.

— Eu ainda não tinha decidido. Mas agora sinto que chegou a hora.

— O que você escolheu?

— Vou fazer psicologia.

Adalberto exclamou admirado:

— Psicologia? Mas não há em nossa cidade nenhuma faculdade de psicologia.

— Eu sei. Pretendo prestar vestibular em São Paulo.

— Vai embora e eu vou ficar aqui?

— Por que você também não continua seus estudos lá?

— Bem que eu gostaria, mas meu pai é contra. Quando ele cisma, não há quem o faça mudar de ideia.

— Minha mãe também não queria, mas eu insisti e meu pai concordou, ele tem uma irmã que mora lá e eu posso ficar na casa dela.

— Por que você não escolhe alguma coisa que tenha aqui em nossa cidade?

Áurea parou e olhou-o nos olhos dizendo séria:

— Só teremos sucesso em uma profissão se estivermos seguindo nossa vocação.

— Você acha que tem vocação para cuidar de pessoas desequilibradas?

— As pessoas têm dificuldades para lidar com suas emoções, c quando algumas amigas me contam seus problemas eu vejo os vários lados da questão, tenho facilidade em encontrar algumas saídas. Sinto que esse é meu caminho.

Adalberto tentou fazê-la mudar de opinião, mas Áurea estava determinada. Depois de insistir, resolveu mudar de assunto, dar um tempo com a intenção de mais adiante conseguir seu intento.

Depois de irem namorar em um lugar discreto e de trocarem muitos beijos, despediram-se. Adalberto voltou para casa frustrado. Sua raiva voltava-se contra o pai. Por que ele insistia em viver em uma cidade pequena enquanto poderia morar na capital onde tudo era mais interessante?

Ao entrar em casa encontrou o pai ao telefone e teve tempo de ouvir suas palavras:

— Vamos preparar tudo e dentro de alguns dias estaremos aí para passar as festas e buscar Carolina. Quando souber o dia certo, voltarei a ligar.

Adalberto prestou atenção. A perspectiva de viajar para São Paulo o animou. Ana Maria estaria lá e iria encontrá-la. Longe da pequena cidade onde moravam, talvez ela não fosse tão indiferente. Afinal, na capital os costumes eram mais livres.

Augusto Cezar despediu-se e desligou o telefone.

— Pai, estou no segundo ano.

— Ainda bem. Vamos ver se no próximo ano você vai estudar mais e não nos assustar como fez desta vez.

Adalberto esperava um elogio pelo seu esforço em recuperar as notas e sentiu-se desanimado reclamando:

— Puxa, pai, eu esperava que você me cumprimentasse por eu ter conseguido.

— Por quê? Passar de ano era sua obrigação.

Apesar de insatisfeito, Adalberto não demonstrou seu descontentamento. Ele não perdia a esperança de conseguir convencê-lo a mudar-se para a capital. Para conseguir seu intento, precisava usar de inteligência.

Ele contava que quando estivessem na casa da avó, elas se aliariam a ele no mesmo objetivo. Sabia que Carolina também não queria deixar a capital.

Augusto Cezar foi à copa conversar com Ernestina que estava às voltas com o jantar.

— Falei com Odete. A mamãe continua doente. Elas estão inconformadas por querermos trazer Carolina de volta.

— Eu sabia que isso iria acontecer. Mas o lugar de nossa filha é nesta casa.

— Também acho. Elas se recusam a vir morar perto de nós.

Adalberto que se aproximara interveio:

— As pessoas mais velhas não gostam de mudar sua rotina. Elas nunca saíram daquela casa. Vovó não iria se acostumar.

— Por que não? Venderíamos aquela casa antiga, grande demais para as duas, e compraríamos uma bela casa, mais moderna, onde estariam mais bem instaladas — rebateu Augusto Cezar.

— Você é quem pensa assim, mas as duas estão acostumadas lá, onde têm tudo o que precisam — tornou Adalberto.

— Por que você insiste em querer que elas fiquem longe de nós? Justamente por estarem velhas é que precisam mudar-se para cá.

— Mas, pai, eu penso que o certo seria nós nos mudarmos para São Paulo. Creio que lá nossa vida seria muito mais agradável. Eu poderia cursar uma faculdade melhor, o que valorizaria meu diploma, e você poderia expandir seus negócios.

— Deixe de amolar seu pai com suas ideias. Ele sabe o que é melhor para nós — disse Ernestina.

Ela tinha observado uma ruga na testa de Augusto Cezar e sabia que quando isso acontecia ele estava começando a se irritar.

Adalberto decidiu contemporizar:

— Eu sei, mãe. Foi apenas uma ideia que passou pela minha cabeça. Faremos o que ele achar melhor, como sempre.

— O jantar vai demorar? — indagou Augusto Cezar.

— Cerca de dez minutos. Serviremos no horário habitual.

— Nesse caso vou dar uma vista de olhos no jornal, enquanto espero.

Ele foi para a sala e Adalberto aproximou-se da mãe dizendo em voz baixa:

— Estou certo de que Carolina não vai querer voltar. Não seria melhor você preparar o espírito de papai para essa realidade?

Ernestina irritou-se:

— Nem me diga uma coisa dessas! Não quero confusão na família.

— Pense bem, mãe, a vovó e a tia Odete não querem que Carolina venha embora. Ela também quer ficar. Seria bom que você ficasse do lado delas.

— Eu?! Nem pensar! Não vou provocar uma desgraça na família. Eu sabia que essa história ia me dar trabalho. Não devia tê-la deixado lá.

— Mas quando papai falou, você concordou.

— Acha que eu iria contra ele? De jeito nenhum.

— Não se trata de ir contra ele, mas de dar a sua opinião. Por que sempre faz tudo como ele quer?

— Ele é o chefe da casa, o homem da família. Uma boa esposa tem de fazer o que o marido quer.

Adalberto olhou-a um pouco irritado. Estava cansado de vê-la sempre cordata, passiva mesmo quando o pai se excedia em autoridade.

Naquele momento teve a sensação de que ela era apagada e infeliz. Como suportava viver assim? Afastou-se insatisfeito e um tanto abalado.

Seu pai era dominador e até então ele fingira aceitar suas ordens, mas assim que se via fora de suas vistas, agia como queria.

Foi para o quarto. Estava cansado de ter sempre que fingir, de contemporizar, algumas vezes tinha vontade de reagir. Estava com vinte anos, era um homem. Não se conformava em ficar vivendo no interior quando poderia estudar na capital, conhecer pessoas, procurar novas amizades.

"Se mamãe não reagir vai ser o diabo", pensou.

No seu entender ela seria a pessoa indicada para ajudar os filhos a conquistar uma vida melhor. Mas suas palavras de momentos antes lhe mostraram que ela jamais teria coragem de tomar o partido dos filhos.

Estava certo de que Carolina não desejava voltar para casa e ele estava louco para morar na capital.

Se ele também não fizesse nada, Carolina teria de obedecer e todos continuariam naquela vidinha monótona de interior.

Ele pensou, pensou e decidiu que quando estivessem em São Paulo, procuraria vaga em uma faculdade de lá, sem seu pai saber. Se conseguisse a transferência, faria a matrícula e só depois comunicaria a família. Seu pai iria ficar nervoso, brigaria, mas ele continuaria firme e, no fim, o pai acabaria concordando.

Estava certo de que quando chegasse à capital, tanto Carolina como sua avó e sua tia o ajudariam a conseguir o que desejava. Isso também contribuiria para que o pai desistisse de levar Carolina de volta.

E, quem sabe, no fim, seus pais concordassem em morar na capital. Adalberto, empolgado em seus devaneios, já se via na cidade grande, conversando com Ana Maria e se encontrando com Áurea.

Sua cidade ficaria ainda mais sem graça sem as duas moças que o atraíam. Embora não quisesse reconhecer, a possibilidade de ficar longe de Áurea o incomodava muito.

Satisfeito, repassando os detalhes do seu plano, quanto mais pensava, mais acreditava que daria certo.

14

Carolina olhou-se no espelho satisfeita. Seus olhos brilhavam e seu rosto estava corado de prazer. Dentro de alguns minutos Sérgio chegaria e iriam dar uma volta.

Apanhou o vidro de perfume e espargiu atrás das orelhas e nos pulsos. Sérgio adorava seu perfume. Lançando mais um olhar para o espelho, ela sorriu e depois desceu para a sala.

O telefone tocou e Odete atendeu:

— Como vai, Augusto?

Carolina prestou atenção.

— Aqui tudo bem. Quer falar com Carolina?

Ela estendeu o telefone dizendo:

— Seu pai quer falar com você.

Ela atendeu e depois dos cumprimentos ele disse:

— Amanhã à tarde estaremos aí.

— Que bom. Estou com saudades! — respondeu ela ao mesmo tempo sentindo um aperto no peito.

— Pode se preparar. Ficaremos até sua formatura e depois viremos todos embora.

— Pai... eu gostaria de ficar mais um pouco.

— Eu sabia que você ia dizer isso. Não sente saudades de sua casa, de sua família?

— Sinto, mas aqui elas precisam de mim. Sou mais útil.

— Nem pensar nisso. Sentimos muito sua falta. Depois, o lugar de uma filha é na casa dos pais. Prepare tudo porque não vou mudar de ideia. Avise as duas que não adianta pedir, você vai voltar para casa conosco.

Carolina suspirou:

— Está certo, pai.

Eles se despediram e ela desligou o telefone desanimada. Toda alegria de momentos antes tinha desaparecido.

Pouco depois, a campainha tocou e Carolina foi abrir. Sérgio entrou, beijou delicadamente sua face e, após os cumprimentos, disse:

— Aconteceu alguma coisa? Você está triste!

— Meus pais chegam amanhã. Vêm para me buscar. Depois da formatura vamos embora.

Sérgio abraçou-a com carinho:

— Saberei convencê-lo do contrário.

— Você não o conhece. Não sabe como ele é determinado. Não vai adiantar.

Odete, que se aproximava, comentou:

— É melhor você nem tentar. Isso poderá fazer com que ele a leve antes da formatura.

— Ele é assim tão teimoso?

— Não aceita ser contrariado por ninguém — tornou Carolina nervosa.

— Mesmo assim quero tentar. Conversar com ele, dizer que queremos nos casar!

Carolina segurou as mãos dele nervosa:

— Nem pense uma coisa dessas. Ele me proibiu de namorar antes de me formar na universidade.

— Essas coisas acontecem. Não há como controlar os sentimentos. Ele não poderia fazer isso.

— Mas fez. E quando traça um plano, tem de ser cumprido.

Odete interveio:

— Eles chegarão amanhã à tarde. Acho melhor você não aparecer por aqui. Pelo menos até ver se conseguimos contornar a situação.

— Não posso aceitar isso — respondeu Sérgio. — Ele precisa entender que nos amamos e queremos ficar juntos. Queremos nos casar logo, eu tenho condições de oferecer a Carolina um padrão de vida igual ou melhor do que ela tem na casa dos pais. Ela poderá continuar estudando mesmo depois do casamento. Sempre vou apoiar todos os cursos que ela desejar fazer. Aprecio uma mulher culta.

— Nós sabemos disso, Sérgio, mas ele não sabe. Pensa diferente. Você não o conhece.

— Por isso penso que devo apresentar-me a ele, para que me conheça.

— Conheço meu irmão. Se ele imaginar que estão namorando nem vai querer ouvi-lo e ainda vai nos recriminar. Levará Carolina embora mais depressa.

— Sérgio, vamos aproveitar bem o tempo que temos hoje. Ainda estamos livres para ficarmos juntos.

Sérgio abraçou-a com carinho:

— Está certo. Mas saiba que não vou me conformar em ficar fora, em me esconder. Não estamos fazendo nada de errado.

— Prometa-me que não virá aqui até que eu o avise. Pode estar certo de que ninguém deseja que você venha aqui mais do que eu. Vou ver o que podemos fazer e, se eu sentir que devemos tentar, eu o aviso.

— Faça isso — pediu Odete. — Vamos ver como ele vai se manifestar.

Sérgio prometeu esperar. Os dois saíram para dar uma volta. A noite estava bonita e quente. Eles foram caminhando de mãos dadas sentindo o prazer de estarem juntos. Em dado momento, Sérgio parou e, olhando nos olhos de Carolina, disse:

— Sinto que estamos juntos e que nada nem ninguém poderá nos separar. Aconteça o que acontecer, não se esqueça disso.

— É o que eu sinto. Mas ao mesmo tempo temo que seja preciso ficarmos algum tempo separados.

— Isso não vai acontecer — prometeu ele beijando-a repetidamente nos lábios.

Carolina apertou-o de encontro ao peito sentindo seu coração bater descompassado. Para ela só existia ele naquele momento, tudo o mais estava distante.

Odete procurou Guilhermina para desabafar. Falou de suas preocupações com a chegada de Augusto Cezar. Guilhermina tentou confortá-la:

— Vou falar duro com ele. Afinal, é meu filho. Não pode ser tão cruel com Carolina.

— Você sabe que ele não ouve ninguém. Sempre foi assim. Só faz o que quer.

— Carolina vai ser feliz. Sérgio é um ótimo rapaz, além de ser rico e de boa família. Augusto Cezar não poderia encontrar ninguém melhor do que ele para genro.

— Receio que ele não volte atrás e Carolina sofra. Pedimos para Sérgio não aparecer aqui enquanto nós não o chamarmos.

— Como ele reagiu?

— Ficou indignado. Quer de todas as formas apresentar-se a Augusto Cezar e pedir Carolina em casamento.

— Ele está certo. Não dá mais para deixar para depois. Mas se Sérgio aparecer de surpresa, Augusto Cezar vai virar-se contra nós por termos lhe ocultado o namoro. Então ficará ainda mais difícil de ele aceitar.

— E quando ele fica com raiva torna-se pirracento.

— Amanhã, quando chegarem, vou conversar com Ernestina e ele juntos. Tenho esperança de que ela nos apoie.

— Ernestina? Duvido. Ela concorda com tudo o que ele quer. Às vezes penso que tem medo. Fica do lado dele mesmo quando ele pune os filhos de forma exagerada.

Guilhermina suspirou triste. Seu marido também fora teimoso, implicante, porém ela sempre o enfrentou e com o tempo ele acabou se tornando mais afável. Por que Ernestina não fazia o mesmo?

— Eu gostaria que ela fosse mais ativa. Quando conversamos ela nunca expressa sua opinião.

— Parece que ela não pensa, só age pela cabeça dele. Notou como fica contrariada quando um dos filhos tenta fazer com que ele mude de ideia?

— Por isso é que no caso de Carolina ela vai fazer o que ele disser.

— Seja como for não vou deixar por menos. Falarei com ele, contarei a verdade sobre Sérgio e sua família. Se ele não acreditar em mim, que vá tomar informações sobre eles. Não acho justo que condene o namoro por antecipação.

— Tem certeza de que quer fazer isso?

— Tenho.

— Ele pode ficar muito zangado e ir embora com ela mais depressa.

— Vou correr o risco. Não posso concordar com essa injustiça.

— Está bem. Sabe que pode contar comigo.

Odete aproximou-se e beijou a testa da mãe com carinho.

— Juntas vamos vencer. O amor tem muita força.

Naquela noite, no momento das despedidas, Sérgio, notando o ar triste de Carolina, disse:

— Não permita que pensamentos negativos a entristeçam. Lembre-se de que, aconteça o que acontecer, nós vamos nos casar e ficar juntos para sempre.

— Se meu pai não consentir, terei de ir embora com eles e ficaremos longe.

— Se isso acontecer vou vê-la sempre. Afinal, a cidade que sua família mora não é tão longe assim.

Carolina fixou nele os olhos úmidos e respondeu:

— Receio que ele não permita que você nos visite.

— Vou assim mesmo. Nós nos veremos às escondidas. Quando ele perceber que nada poderá nos separar, mudará de ideia. Penso que apesar de sua maneira difícil de pensar, ele a ama e, no fundo, deseja que você seja feliz.

Sérgio abraçou-a com carinho e beijou-a com amor.

Carolina entregou-se ao prazer do momento, procurando aliviar o coração. Sérgio foi embora e ela entrou. Indo para seu quarto, notou a luz acesa no quarto da avó.

Bateu levemente na porta e entrou. Odete estava com ela. As duas a olharam e Carolina suspirou triste.

— Nós decidimos ajudá-la — tornou Guilhermina com voz firme.

— É. Mamãe considera ser melhor contar logo a verdade para seu pai.

— A senhora acha?

— Ele estará errado em não aceitar seu namoro. Sérgio é um rapaz bom, de boa família, tem posição social. Se alguém tem de falar isso a Augusto Cezar, sou eu. Ele terá de me ouvir.

— Mamãe acredita que se Sérgio aparecer de repente será pior.

— Não sei o que será pior. Das duas maneiras ele vai ficar zangado. Comigo não importa, estou habituada a lidar com ele, mas com vocês é uma injustiça. Não gostaria que vocês brigassem por minha causa.

— Do jeito que as coisas estão, o melhor é a verdade. Vou contar-lhes tudo assim que chegarem. Acredite, Carolina, é o melhor a fazer.

Carolina não respondeu logo, aproximou-se da avó e beijou-a na testa com carinho, depois abraçou Odete dizendo:

— Vocês são as melhores pessoas que conheci. Vou sentir muitas saudades de vocês. Esse tempo aqui foram os dias mais bonitos de minha vida. Não estou falando por causa do Sérgio, mas porque juntas tivemos bons momentos de entendimento e carinho.

Guilhermina levantou-se e abraçou-as sorrindo. Assim elas permaneceram durante alguns segundos. Depois, ela disse:

— Vamos dormir. Amanhã precisamos estar firmes e bem-dispostas para receber nossos queridos.

Elas deixaram o quarto e se recolheram. Carolina deitou-se, porém custou a adormecer.

O dia seguinte amanheceu nublado, mas aos poucos o sol foi aparecendo. Pouco antes do almoço Sérgio ligou e Carolina contou-lhe a resolução de Guilhermina.

— Ainda bem. Era o que eu desejava que ela fizesse, mas não tive coragem de lhe pedir.

— Ela vai conversar com eles. Estou preocupada. Temo que ele reaja mal. Não quero que briguem por minha causa.

— Não pense assim. Não estamos fazendo nada de mau. Pelo contrário. Não vejo por que tanto receio.

Carolina suspirou:

— Está bem. Vamos esperar.

— Você promete me ligar logo depois que conversarem com ele?

— Prometo. Se eu não puder, pedirei a alguém para fazer isso.

— Você pensa que ele pode impedi-la de me ligar?

— Ele não percebe que nós crescemos. Costuma nos castigar, prendendo-nos no quarto.

Sérgio ficou indignado, mas procurou controlar-se. Não desejava deixá-la mais nervosa. Levou na brincadeira e respondeu:

— Por que você não lhe conta que já cresceu?

— Isso não é brincadeira.

— Sei que não. Mas não vamos pensar no pior. Pode ser que ele reaja de maneira civilizada.

— É o que eu gostaria.

Conversaram mais alguns minutos e tendo renovado a promessa de ligar assim que fosse possível despediram-se.

Eram dezesseis horas quando o carro de Augusto Cezar parou no portão de entrada da casa. Buzinou alegre e logo a criada foi abrir.

Carolina imediatamente correu para a porta de entrada para abraçá-los. Ernestina entrou primeiro, abraçando Carolina com alegria:

— Como vai, minha filha? Como você mudou. Parece que cresceu.

— Estou bem, mãe. E você?

Ela acenou que sim, porquanto Odete também se aproximava e elas se abraçaram. Augusto Cezar entrou em seguida e Carolina apressou-se a pedir-lhe a bênção.

— Deus a abençoe, minha filha.

Enquanto ele abraçava Odete e Guilhermina, que se juntaram a eles, Adalberto vinha mais atrás com algumas malas. Colocou-as ao chão para abraçar as três.

Foram entrando e conversando enquanto a criada levava as malas para os quartos.

Augusto Cezar olhava para Carolina admirado. Segurou as mãos delas dizendo:

— Como você mudou. Está diferente.

— Estou muito bem — frisou ela. Lembrando-se da conversa com Sérgio horas antes continuou: — O tempo passa, pai. Já tenho quase dezenove anos.

— Para mim você sempre será uma criança — respondeu ele.

Ficaram conversando na sala até que Dina os convidou para tomar um lanche na copa. Apesar da alegria que demonstravam, havia no ar alguma coisa a mais. Augusto Cezar pensava em levar Carolina de volta para casa, Ernestina temia o momento que ele dissesse isso. Apesar de ele haver programado a volta da filha, sabia que isso iria provocar uma discussão e ela odiava quando alguém contrariava o marido. Quanto às outras três, estavam pensando que logo chegaria o momento de dizer a verdade sobre o namoro.

Adalberto por sua vez não via a hora de poder sair para informar-se sobre quais providências deveria tomar para conseguir continuar seus estudos na capital.

Mais tarde, enquanto os pais de Adalberto foram para o quarto descansar, pouco antes do jantar, Adalberto aproximou-se de Odete, que estava na cozinha instruindo a cozinheira quanto ao jantar, dizendo:

— Tia, gostaria de conversar um pouco. Está muito ocupada?

— Não. Já terminei. Venha, vamos nos sentar na sala.

Ele a acompanhou e depois de acomodados lado a lado no sofá Odete perguntou com certa preocupação:

— Do que se trata?

— Estou cansado de continuar estudando em Bebedouro. Meus melhores amigos vieram estudar em São Paulo e eu gostaria de fazer o mesmo.

Odete franziu a testa:

— Seu pai concorda?

— Você sabe que não. Mas eu já decidi. Aqui, além de a faculdade ser melhor, eu terei mais oportunidades de seguir carreira.

— Eu penso como você. Nós temos excelentes faculdades.

— Eu gostaria de saber em qual delas seria mais fácil eu pedir a transferência e o que deverei fazer.

— Já tentou conversar com ele, pedir permissão?

— Já. Mas ele nem quer me ouvir falar nisso.

— Nesse caso fica difícil. Se ele souber que o estou auxiliando vai brigar comigo, dizer que estou me metendo na vida de vocês.

— Não vou falar com ele porque não vai adiantar e peço-lhe que não lhe diga nada sobre esse assunto. Pretendo me informar, tomar todas as providências e, se eu conseguir, conversarei com ele.

— E se ele continuar teimando?

— Virei embora mesmo assim. Ele vai brigar no começo, mas ficarei firme. Quando ele vir que estou determinado, acabará aceitando.

Odete meneou a cabeça:

— Não sei se dará certo. Sua mãe não vai gostar.

— Minha mãe não tem opinião própria. Sempre faz o que ele quer. Não posso contar com ela para nada.

— Não seja ingrato. Ernestina é uma mãe muito dedicada.

— Nem tanto. Para ela o que ele quer está em primeiro lugar. Ultimamente penso que ela faz isso por comodismo, para não ter de discutir.

Odete permaneceu calada por alguns segundos, depois disse:

— Por que não se forma lá mesmo e depois, mais velho, vem trabalhar em São Paulo?

— Primeiro porque para trabalhar em São Paulo o nome da faculdade é importante. Nossa faculdade é nova, não tem fama como as daqui.

Adalberto calou-se pensativo, depois continuou:

— Tia, se meu pai me puser para fora de casa e não der mais minha mesada, será que a vovó me deixaria morar aqui?

— Vai ser uma boa briga, mas estou certa de que ela fará questão que você fique conosco. Seu pai bem que poderia vir morar em São Paulo. Todos nós ficaríamos felizes.

— Eu sei. Ele vai levar Carolina de volta.

Odete suspirou pensativa. Nesse exato momento, Carolina estava no quarto da avó muito nervosa:

— Vovó, vai mesmo falar com papai sobre Sérgio?

Guilhermina segurou a mão dela alisando-a com carinho:

— Vou. No momento é preciso. Ele precisa entender que Sérgio é um ótimo rapaz, vocês se amam e ele não pode separá-los.

— Quando pretende tocar no assunto?

— Hoje mesmo, depois do jantar.

— Não será melhor esperar alguns dias?

— Será pior. Eu prometi falar logo.

— Estou com medo.

— Acalme-se. Augusto Cezar é um homem civilizado. Vou falar de maneira simples, mas com o coração. Ele terá de me ouvir.

— Vou para o quarto, vovó, tentar me acalmar.

Quando ia entrar no quarto, Adalberto aproximou-se:

— Carolina, precisamos conversar.

— Entre — respondeu ela abrindo a porta.

Entraram. Ela fechou a porta e sentaram-se na cama.

— Tia Odete me falou que você está namorando.

— Estou. Ele me pediu em casamento, mas, você sabe, papai me proibiu de namorar antes de me formar. Sérgio não se conforma e quer falar com papai.

— Sei de tudo. Estou do seu lado. Mesmo sem saber do namoro, já falei com papai para deixá-la ficar aqui. Mas ele não quer.

— Eu sei. Estou muito nervosa, ele vai brigar.

Adalberto falou sobre seus planos e, quando terminou, Carolina disse:

— Estou certa de que tanto Sérgio como Mônica, a irmã dele, que é minha amiga, podem ajudá-lo muito.

— Ele é advogado?

— Não. É engenheiro.

— Como papai? Esse é um ponto a favor dele.

— Vamos ver. Nós vamos pedir a papai que venha morar em São Paulo. Assim tudo ficaria resolvido.

— Seria bom demais se ele aceitasse. Mas... eu gostaria muito de conhecer seu namorado.

— Ele queria estar aqui quando vocês chegassem. Foi difícil convencê-lo a aguardar. Conforme as coisas acontecerem, veremos uma forma de você conhecê-lo.

Eles continuaram conversando como bons amigos, como nunca tinham feito antes. Adalberto sentiu-se feliz com o apoio dela e notou que Carolina estava diferente, mais adulta, e ela, por sua vez, sentiu que o irmão estava desejando ser mais independente e cuidar da sua própria vida.

Entretidos, o tempo passou muito depressa e ambos se surpreenderam quando Ernestina bateu na porta chamando-os para jantar.

15

O jantar naquela noite decorreu alegre, cada um tentando demonstrar despreocupação, porém havia certa ansiedade que todos procuravam ocultar.

Falavam sobre assuntos triviais, e assim que terminaram de comer, Carolina convidou Adalberto para irem a seu quarto a pretexto de desejar mostrar-lhe alguns livros.

Diante da cordialidade que reinava entre os dois, Augusto Cezar olhou-os desconfiado, mas não disse nada.

Quando eles se afastaram comentou:

— Eles conversaram a tarde toda. Em casa mal se falavam sem brigar.

Odete interveio:

— Agora estão adultos. Os modos são outros.

— Antes assim — disse Ernestina.

Eles levantaram-se da mesa e Guilhermina convidou:

— Vamos nos sentar na sala. Preciso ter uma conversa com vocês.

Augusto Cezar trocou olhares com Ernestina, mas acompanhou-as em silêncio.

Sentaram-se na sala e Ernestina com receio do que ela iria dizer tentou retardar o momento da conversa:

— O jantar estava muito bom. Gostei muito daquele doce que foi servido. Como se chama?

— Pavê de brigadeiro — respondeu Odete.

— Pode me dar a receita?

— Posso.

— Amanhã daremos a você todas as receitas que desejar — interveio Guilhermina com voz firme. — Agora preciso falar sobre um assunto muito sério.

Augusto Cezar franziu a testa enquanto Ernestina sentia um aperto desagradável no peito.

— Se vai pedir para Carolina continuar morando aqui, não adianta nem tocar no assunto. Eu esperava mesmo que vocês fossem pedir para ela ficar mais tempo. Mas desde já aviso que isso não é possível.

— Seria maravilhoso que ela pudesse continuar aqui. Carolina tem sido nosso anjo da guarda. Mas não é sobre isso que desejo falar.

— Não?!

— Não — continuou Guilhermina. — Trata-se do futuro de Carolina e peço que me ouçam sem interrupção.

Odete procurava manter-se calma, rezando em silêncio e ao mesmo tempo atenta ao que a mãe ia dizer.

Guilhermina contou tudo o que tinha acontecido, como Carolina conhecera Mônica e o irmão, o quanto elas ficaram amigas, vendo-se todos os dias. Elogiou a família de Sérgio e o quanto apreciavam o rapaz. E finalizou:

— Carolina e Sérgio se apaixonaram e sonham em casar-se.

Augusto Cezar deu um salto da poltrona:

— Casar-se? Que loucura. Ela é muito criança para isso.

— Mas eles pretendem se casar somente daqui a um ano. Ele já é formado e está bem empregado. Tem como manter uma família, proporcionar a ela conforto e bem-estar.

— Como vocês permitiram que ela namorasse às escondidas, sem me dizer nada? — disse Augusto Cezar indignado. — Eu teria cortado logo esse namoro pela raiz.

— Nós gostamos muito do rapaz. É um excelente partido, ama Carolina e pode oferecer-lhe uma vida confortável.

— Se eu soubesse disso teria vindo buscá-la mesmo que perdesse o ano. Eu nunca deveria tê-la deixado ficar longe de nós.

— Você fala como se esse casamento fosse um mal. Eles se amam.

— Carolina é muito jovem, logo esquecerá esse namorico. Antes de se casar ela precisa se formar na universidade.

— Sérgio deseja que Carolina continue estudando mesmo depois do casamento. Disse que vai apoiá-la em tudo o que ela quiser. É um rapaz inteligente que aprecia a mulher culta e moderna.

Augusto Cezar voltou-se para Ernestina:

— Acabamos de chegar e vamos embora amanhã mesmo. Precisamos levar Carolina daqui o quanto antes.

— Como sempre você está sendo teimoso e radical. Não pode privar Carolina da festa de formatura — disse Guilhermina olhando firme nos olhos do filho. — Se fizer isso estará demonstrando egoísmo e orgulho. Sua filha já é uma mulher e, embora lhe deva respeito, tem condições de escolher seu próprio caminho. Eu afirmo que ela ama o Sérgio e deseja muito esse casamento. Se afastá-la dele, Carolina vai sofrer e a culpa será sua. Você não tem motivo para impedir que esse casamento se realize.

Augusto Cezar empalideceu e logo depois ficou vermelho. Há muitos anos ninguém lhe falava com tanta dureza, mas controlou-se. Sua mãe era idosa e ele não desejava ofendê-la.

Ernestina, olhos baixos, rezava em pensamento, apavorada. Odete aproximou-se do irmão, colocou a mão em seu braço dizendo com voz que procurou tornar calma:

— Não se irrite, pense que a vida colocou no caminho de Carolina um futuro feliz. Se impedir esse casamento ela ficará muito magoada, sofrerá. Acha que vale a pena?

— Eu sei o que é bom para a minha filha.

— Sérgio deseja falar com você. É um rapaz de ótima família, educado. Peço-lhe que converse com ele, ouça o que ele tem a dizer antes de tomar uma decisão precipitada — insistiu Guilhermina.

— Minha decisão não é precipitada, foi tomada desde que Carolina nasceu. Não vou mudar o caminho que tracei para ela.

— Pelo menos o receba, converse com ele como uma pessoa civilizada — pediu Odete.

— Sinto vontade de não desfazer as malas e ir embora hoje mesmo.

Guilhermina levantou-se e olhando o filho nos olhos disse com voz firme:

— Se fizer isso, juro que nunca vou perdoá-lo. Cortarei minhas relações com você.

— O que é isso, mãe? Não se emocione tanto. Pode fazer-lhe mal — pediu ele assustado.

— Jamais pensei em receber de meu filho uma ofensa como essa. Se você for embora e levar sua família, nunca mais permitirei que volte a esta casa.

Guilhermina estava pálida e Augusto Cezar notou que ela falava sério. Temendo que passasse mal, decidiu contemporizar:

— Está bem. Ficaremos alguns dias.

— Eu nunca lhe pedi nada. Espero que, em atenção a um pedido meu, pelo menos pense com carinho.

Ele ficou calado por alguns segundos, depois respondeu:

— Está bem. Vou pensar. Mas desde já garanto que não pretendo mudar de ideia.

— Sinto-me cansada. Vou me deitar — disse Guilhermina.

Odete apressou-se em apoiá-la e conduzi-la até o quarto.

Depois que elas saíram, Ernestina olhou o marido sem coragem para dizer nada. Estava pálida, seu estômago doía e sentia um gosto amargo na boca.

— Vamos para o quarto — convidou Augusto Cezar.

A fisionomia alterada dele impedia que Ernestina falasse. Uma vez no quarto, depois de fechar a porta, Augusto Cezar disse irritado:

— Eu pressentia que teríamos problemas, mas nunca imaginei que fosse como esse. Elas permitiram que Carolina namorasse, recebesse o rapaz nesta casa sem minha permissão e ainda querem que eu concorde com esse casamento e o aprove. Nunca farei isso.

— Você tem razão. Elas deveriam tê-lo consultado antes de permitir esse namoro.

— Agora vai ser mais complicado separar os dois uma vez que elas aprovaram. Carolina vai achar que estou errado. Mulher apaixonada fica de cabeça virada. Não raciocina. Não me conformo. Como elas permitiram uma coisa dessas?

— Concordo com você.

— Essa história pode não acabar bem. Mamãe está ainda muito fragilizada pela morte de papai.

— O que pensa em fazer?

— Ainda não sei. Talvez, para evitar que ela adoeça, eu precise receber esse rapaz, pelo menos para acalmá-la.

— De fato, ela estava muito nervosa.

— Tomou-se de amores pelo rapaz e imagina que é um bom partido para Carolina.

— Você acha que não?

— Qualquer rapaz educado, maneiroso, impressionaria as duas que vivem lendo romances e revistas românticas. Não posso levar a sério a opinião delas.

— Nesse caso será melhor mesmo que receba o moço para mostrar boa vontade e o despeça em seguida.

Augusto Cezar suspirou preocupado e respondeu:

— A que ponto chegamos! Talvez deva mesmo fazer isso.

***

Assim que entraram no quarto, Carolina fechou a porta e Adalberto disse:

— Tenho vontade de sair hoje mesmo para visitar algumas faculdades e me informar. Mas não conheço bem a cidade.

— Tenha calma. Vovó está conversando com papai e falando sobre meu namoro. Certamente papai vai ficar contrariado. Talvez se zangue comigo e não nos deixe sair sozinhos.

— Você vai ajudar-me?

— Claro. Além disso, estou certa de que tanto Sérgio como Mônica vão se colocar à nossa disposição. O problema é que papai não vai nos deixar sair com eles.

— Daremos um jeito. Ele não precisa saber.

Carolina meneou a cabeça preocupada:

— Você sabe como ele é. Se cismar, pode proibir-me de sair. Em todo o caso, se isso acontecer e eu não puder ir, eles o levarão.

— Tem certeza?

— Tenho. Mônica é muito minha amiga e assim como me ajudou no colégio, ajudará você a obter o que precisa.

— Como é seu namorado?

Os olhos de Carolina brilharam e ela respondeu:

— Inteligente, carinhoso, amigo e muito bonito.

Adalberto riu gostosamente:

— Eu sabia que você ia dizer mais ou menos isso. Pelo brilho de seus olhos deve estar mesmo muito apaixonada.

— Eu amo Sérgio. Desde que nos vimos nos sentimos atraídos um pelo outro.

— Eu nunca me apaixonei de verdade.

Eles continuaram conversando amistosamente. Adalberto contando sua atração por Ana Maria e seu namoro com Áurea.

— Eu não tenho intimidade com Áurea, mas noto que é uma garota inteligente, sabe o que quer, bem-humorada, mas um tanto retraída.

Nesse momento bateram à porta e Ernestina chamou:

— Sou eu, Carolina. Abra. Você continua passando a chave na porta do quarto. Para que isso?

Carolina apressou-se a abrir antes de responder. Ernestina continuou:

— Seu pai quer conversar com você.

Os dois irmãos se entreolharam e Carolina perguntou:

— Agora?

— Sim. Ele está no quarto.

Carolina apressou-se a obedecer tentando controlar a ansiedade. Bateu levemente na porta do quarto e o pai mandou-a entrar.

Augusto Cezar estava sentado em uma poltrona e designou a outra para que ela se sentasse. Vendo-a acomodada tornou:

— Quando a deixamos ficar aqui eu não imaginava que você acabaria traindo nossa confiança.

Ao contrário do que ele esperava, ela olhou com firmeza nos olhos dele e respondeu:

— Eu nunca traí a sua confiança nem de mamãe. Meu comportamento tem sido impecável.

Augusto Cezar não controlou a raiva:

— Acha que namorar às escondidas, sem me pedir permissão, não foi traição?

— Teria sido se eu tivesse feito alguma coisa errada. Sérgio é irmão da Mônica, uma colega da escola que estava na minha classe e a quem devo grande favor. Foi graças a ela, que teve a paciência de vir estudar comigo aqui, que eu consegui me adaptar ao novo colégio e me graduar. Nos primeiros dias eu estava tendo dificuldades nas aulas. As matérias eram as mesmas, mas a ordem que eles haviam programado era muito diferente do colégio anterior.

— Reconheço que ela foi gentil, mas o irmão, o que teve a ver com isso?

— Ela mora do outro lado da cidade, e ele a levava e ia buscá-la no colégio. Na saída, nos dias em que ela vinha estudar aqui, ele nos trazia para casa. Deixava-nos aqui e quando terminávamos Mônica telefonava e ele vinha buscá-la.

— Então foi isso! E com aval de sua avó e tia.

— Elas gostam muito dos dois. São muito educados e nunca deram motivos para que elas se incomodassem.

— Lógico. Todos os dias de um lado para o outro tinha que dar nisso.

— Não fizemos nada de mau. Mônica se sentava ao lado dele no banco da frente e eu atrás, e vínhamos direto para casa.

— Ele ia buscá-las de carro?

— Sim. Sérgio, além de ser de família abastada, é formado em engenharia e trabalha.

Augusto Cezar ficou alguns segundos em silêncio, depois disse:

— Sua avó me disse que esse moço quer se casar com você. Não entendo como chegaram a esse ponto. Eu nem sequer sabia desse namoro. Você sabe que eu não quero que se case antes de formar-se.

— Eu disse isso a ele. Mas Sérgio não deseja esperar tanto. Garante que mesmo depois do casamento eu continuarei estudando, farei quantos cursos eu desejar.

— Isso é o que ele diz agora. Mas eu sei que é impossível estudar e cuidar da família. Por isso sou contra esse casamento.

Não posso permitir que se case tão jovem. É melhor dizer a esse moço que, se deseja mesmo se casar com você, que volte quando você terminar os estudos. Então poderemos ver essa possibilidade. Claro que tenho minhas exigências para aceitá-lo como meu genro.

Carolina, apesar de indignada com a atitude do pai, não desejava irritá-lo ainda mais.

— Ele deseja conversar com você. Gostaria que lhe dissesse o que me disse, pessoalmente.

— Se eu concordar em recebê-lo será para repetir o que estou lhe dizendo agora.

— Ainda assim, ele merece sua atenção. É uma questão de boa educação.

Augusto Cezar mordeu os lábios nervosamente por ela ter usado um argumento que ele costumava usar sempre.

— Está bem. Falarei com ele. Mas não mudarei de ideia. Não quero que ele pense que não tenho educação. As pessoas da capital costumam dizer que somos caipiras por vivermos no interior.

— Vou ligar para ele vir amanhã mesmo, às cinco horas. Está bem?

— Está.

Carolina foi para o quarto, e imediatamente Adalberto foi ter com ela. Entrou, fechou a porta e perguntou:

— E então? Como estão as coisas?

Carolina suspirou triste:

— Ele insiste que eu só me case depois de terminar a faculdade.

— Já é alguma coisa.

— Se ao menos consentisse que durante esses anos continuássemos nosso namoro... Mas não quer que nos encontremos durante todo esse tempo.

— Assim é demais!

— Concordou em recebê-lo. Mas apenas para repetir o que me disse.

— Sérgio não vai gostar nada...

— Vai ser terrível. Terei de ir embora, ficar longe, não vamos suportar!

— Gostaria de ser otimista, de dizer que na entrevista ele tem a chance de mudar de ideia. Mas conhecendo como papai é teimoso, levantar falsas esperanças será pior.

— Vou ligar para Sérgio. Ele deve estar ansioso esperando notícias.

Ela ligou e foi ele mesmo quem atendeu. Carolina contou-lhe tudo e finalizou:

— Estou desolada. Penso que não podemos alimentar nenhuma esperança. Ele vai manter a opinião. Talvez seja inútil você vir. Assim vai se livrar de um aborrecimento maior.

— Nada disso. Vou e conseguirei demovê-lo, você vai ver. Pode esperar, serei pontual.

Adalberto cutucava a irmã insistindo para falar com Sérgio. Quando ele ia se despedir, Carolina disse:

— Meu irmão está ao meu lado e quer conversar com você.

— Será um prazer.

Adalberto segurou o telefone e disse alegre:

— Prazer em falar com você. Estou torcendo para que papai mude de ideia.

— Obrigado. É bom saber que está ao nosso lado.

— Farei tudo o que puder para ajudá-los. Infelizmente papai não ouve ninguém. Mas pode contar comigo.

Despediram-se e ele entregou o telefone para Carolina que, notando que Sérgio ainda se encontrava na linha, disse:

— Sérgio, gostaria que Mônica viesse com você. Gostaria de apresentá-la à minha família.

— Está bem. Iremos.

Despediram-se. Ela desligou o telefone e sentou-se na cama pensativa. Tentando desviar um pouco a preocupação, Adalberto perguntou:

— Como é a Mônica?

O semblante de Carolina distendeu-se e seus lábios abriram-se em um sorriso:

— Minha melhor amiga. Linda, inteligente, alegre e, apesar de ser uma moça de família rica, muito simples.

— Você nunca teve grandes amigas em nossa cidade.

— É verdade. Lá tenho algumas conhecidas com quem converso de vez em quando, mas amiga íntima mesmo, como Mônica, nunca tive.

— Você gosta mesmo dela.

— Desde o primeiro dia, quando nos conhecemos sentimos brotar uma boa amizade. Nunca tivemos nenhuma rusga, nada.

— Você conhece o resto da família?

— Sim. Com o pai conversei muito pouco, mas é muito agradável; já a mãe, apesar de ter se mostrado educada comigo, é muito esnobe.

— Como assim?

— Fez várias perguntas sobre nossa família, nosso sobrenome, a ponto de Mônica intervir. Penso que ela não simpatiza comigo porque não temos nome importante.

— Se vocês se casarem ela será sua sogra! Isso não a assusta?

— De modo algum. Quando eu quero sei colocar limites. Notei que Sérgio sabe lidar com ela muito bem.

Os dois continuaram conversando e Adalberto procurava falar sobre vários assuntos na intenção de fazer Carolina esquecer um pouco seus problemas. E também porque o que ele mais queria era que seu pai finalmente concordasse em mudar-se para a capital.

16

Às cinco horas em ponto a campainha tocou e Carolina foi abrir. Sérgio e Mônica entraram. Depois dos cumprimentos Carolina disse:

— Meus pais estão na sala com vovó e tia Odete — hesitou um pouco e continuou: — Não sei se deveriam ter vindo. Papai está determinado em levar-me para casa. Temo que seja um encontro desagradável.

— Pelo contrário — respondeu Sérgio. — Somos pessoas educadas e nossa conversa será boa.

— Acalme-se, Carolina — interveio Mônica. — Vamos pensar no melhor.

— Isso mesmo — concordou Sérgio —, estou certo de que seu pai deseja sua felicidade e vai entender nosso desejo.

Carolina suspirou e não respondeu de imediato. Ela tentava controlar a ansiedade quando disse:

— Eu gostaria muito que isso acontecesse. Mas vamos ao encontro deles.

Assim que eles entraram na sala, Odete levantou-se aproximando-se deles, abraçando-os com carinho. Depois, segurou a mão de Mônica e levou-a diante de Guilhermina, que a beijou delicadamente. Sérgio e Carolina estavam atrás e, depois de cumprimentá-lo, enquanto Odete apresentava Mônica a Ernestina e Augusto Cezar, Carolina, segurando a mão de Sérgio esperou que eles conversassem.

Augusto Cezar amavelmente agradeceu a Mônica por ter auxiliado Carolina nos estudos. Depois, Carolina apresentou Sérgio para Ernestina, que o cumprimentou cerimoniosamente.

Quando Augusto Cezar olhou Sérgio nos olhos e Carolina os apresentou, ele não desviou o olhar, o que o irritou mais. Sérgio estendeu a mão que o pai de Carolina apertou com firmeza.

Sentaram-se todos e depois dos assuntos formais Sérgio disse sério:

— Doutor Augusto Cezar, eu vim aqui hoje para tratar de um assunto que nos interessa muito. Quando descobrimos que nos amávamos, meu primeiro desejo foi procurá-lo para pedir-lhe permissão para namorarmos. Mas Carolina não quis, com receio de que o senhor se zangasse.

Ele fez ligeira pausa e notando que Augusto Cezar ouvia atentamente prosseguiu:

— Ela contou-me que o senhor a proibia de namorar antes de formar-se na universidade. Contudo, eu tenho a esperança de que o senhor me conhecendo, conhecendo minha família, que aprova nosso namoro, sabendo que estou formado e tenho boas condições de manter uma família pudesse repensar este assunto.

Sérgio calou-se e Augusto Cezar respondeu sério:

— Ainda bem que você sabe o que desejo para minha filha. Isso vai facilitar o que tenho para dizer-lhe.

— Antes quero acrescentar que nós desejamos nos casar dentro de um ano, mas isso não impedirá Carolina de continuar seus estudos na carreira que escolher. Embora ela não precise trabalhar depois do casamento, pois como eu já lhe disse tenho condições de oferecer-lhe uma vida confortável, também não vou impedi-la de fazê-lo se ela assim o desejar para sua realização profissional.

Augusto Cezar franziu o cenho olhando-o admirado:

— Prefiro que Carolina não trabalhe. Ela nunca precisou fazer isso e não é por aí. Na minha opinião, a mulher foi feita para o lar, a família, o que já representa sua missão mais importante.

— Concordo com o senhor. Mas hoje em dia há mulheres que além de cuidar da família gostam de dedicar-se a uma carreira. Só quis colocar que como minha esposa ela fará o que desejar. É uma moça inteligente, sabe pensar, gosta de estudar e não desejo tolher sua sede de conhecimentos.

Augusto Cezar meneou a cabeça negativamente e tornou:

— Depois da festa de formatura de Carolina, nós vamos embora para nossa cidade. Lá, ela vai cursar uma faculdade. Namoro, para ela, só depois que terminar sua formação. Antes, não autorizo esse namoro.

Guilhermina interveio:

— Eles podem continuar o namoro e se casar depois que ela se formar.

— Namoro comprido não dá certo. Se até lá eles ainda desejarem se casar não colocarei obstáculo, mas antes é impossível.

Durante toda a conversa, Ernestina continuava de olhos baixos e de vez em quando torcia as mãos. Aquela cena deixava-a muito nervosa. Como se atreviam a contrariar seu marido? Ele sabia o que estava fazendo.

Adalberto fixava os olhos nela irritado. Como sua mãe podia ser tão passiva? Não tinha opinião, era como se ela não estivesse ali discutindo o futuro de sua única filha. Ela não era capaz de dizer nada e o marido sequer se dava ao trabalho de consultá-la.

Carolina, enchendo-se de coragem, levantou-se, fixou o pai e disse:

— Pai, eu amo Sérgio e desejo casar-me com ele. Não quero esperar tanto tempo para isso.

Augusto Cezar olhou-a como se ela estivesse dizendo um grande absurdo e respondeu:

— Como ousa me enfrentar? Sou seu pai e sei o que é melhor para você. Quero que se case quando terminar sua educação e esteja em condições de assumir a responsabilidade de uma família. É criança ainda e não está preparada.

— Tenho quase dezenove anos e maturidade suficiente para me casar. Mamãe casou-se com você aos dezessete e tornou-se uma excelente esposa e mãe.

— Isso depois de eu tê-la ensinado como deveria portar-se. Eu sei como foi trabalhoso nosso começo.

Ernestina levantou os olhos e seu rosto estava ligeiramente ruborizado. Por que Carolina tivera a infeliz ideia de lembrar-se daquele detalhe? Todos os olhares se fixaram nela, que não disse nada, apenas concordou com a cabeça e baixou os olhos novamente.

Guilhermina e Odete ainda tentaram convencê-lo a mudar de ideia, mas de nada adiantou. Por fim, Augusto Cezar levantou-se e disse com voz firme:

— Nosso assunto está encerrado. Se você realmente deseja casar-se com Carolina, apareça quando ela estiver para formar-se na universidade.

O clima estava pesado, Mônica constrangida e Sérgio pálido e muito nervoso. Temendo que ele dissesse alguma coisa que piorasse a situação, Guilhermina levantou-se dizendo:

— Vou mandar servir um café.

— Não é preciso, mãe. Eles estão de saída — tornou Augusto Cezar.

— Da minha casa nunca um amigo saiu antes de tomar um café — respondeu ela irritada.

— Não se incomode por nossa causa. Estamos indo — tornou Sérgio procurando conter a irritação.

Levantou-se e voltando-se para Mônica continuou:

— Vamos.

Imediatamente ela levantou-se, abraçou Guilhermina, Odete, dizendo:

— Não se preocupem. Conversaremos outro dia.

Sérgio despediu-se das duas abraçando-as, depois ambos inclinaram a cabeça em leve cumprimento aos pais de Carolina e foram saindo. Ela os acompanhou até a porta consternada:

— Eu disse que seria inútil.

Mônica abraçou-a com carinho:

— Nós temos que dar um jeito de mudar isso.

Duas lágrimas desceram pela face de Carolina. Sérgio abraçou-a emocionado:

— Nós vamos lutar para conseguir o que desejamos.

Eles saíram depois de Carolina prometer que ligaria mais tarde para conversar.

Ela voltou e foi diretamente para o quarto. Sentia-se triste e desanimada. Odete foi ter com ela:

— Esse cabeça-dura do meu irmão nos tirou do sério — disse assim que abriu a porta.

— Eu sabia que ele não ia ceder. Estou desolada pela maneira grosseira com que papai tratou os dois.

Enquanto isso, na sala, Guilhermina não se conformava:

— Nunca pensei que você fosse tão ruim. Sérgio é um rapaz de classe, você deveria ter se mostrado à altura. Mandou-os embora como se fossem malfeitores.

— Quis cortar o mal pela raiz. Ele ia continuar falando e eu estava cansado. Aliás, vocês três se juntaram contra mim sabendo que eu não iria ceder. Não tive outro remédio senão mandá-lo embora.

— Você está em minha casa. Eles são meus amigos. Não tinha autoridade para fazer isso.

— Tem razão. Isso não vai mais se repetir.

Ele chamou Ernestina e foram conversar no quarto. Assim que entraram Ernestina disse:

— Não sei como tiveram a coragem de agir assim com você.

— Eles desejam que Carolina continue aqui. Mas isso não vai acontecer. Amanhã cedo voltaremos para casa.

— E a formatura?

— Não vamos comparecer. Se ficarmos aqui esse moço vai insistir, dar trabalho. O melhor é levantarmos bem cedo e irmos embora. Não vamos falar nada para ninguém. Acordamos de madrugada, chamamos Adalberto e Carolina, você a ajuda a arrumar a mala, deixaremos uma carta e iremos embora.

— Elas vão ficar zangadas.

— Elas procuraram isso. Além de permitirem esse namoro sem me consultar, ainda ficaram contra mim. Quem cuida da minha família sou eu. Elas não têm nada com isso. Eu sei o que é melhor para Carolina.

— Carolina não vai querer ir sem se despedir delas.

— Depois do que ela fez não tem querer. Terá de obedecer.

— Nesse caso, vou arrumar nossas malas agora. Amanhã cedo ajudarei Carolina.

Adalberto, na sala, tentava acalmar a avó:

— Você já devia saber que papai é teimoso. O melhor é não contrariá-lo. É assim que eu consigo o que quero com ele.

— Mas ele vai levar Carolina embora!

— Não moramos tão longe assim, Sérgio poderá ir vê-la de vez em quando. Eu mesmo poderei ajudá-los a se encontrar.

Guilhermina sorriu:

— Você faria isso?

— Claro. Gostei do rapaz, parece gostar de Carolina.

— Eles são pessoas de bem. Sei o que estou dizendo. Seu pai está impedindo que Carolina se case com um rapaz ajuizado, formado, rico e muito bom. E, como você mesmo notou, que ama Carolina de verdade.

— Eu gostaria muito que papai viesse morar nesta cidade. Assim, todos nós ficaríamos juntos. Não tem cabimento vocês duas ficarem longe de nós. São nossos únicos parentes. Deveríamos ficar perto para convivermos mais.

— Cansei de dizer isso a ele. Mas sabe como seu pai é.

Ela suspirou triste. Adalberto tornou:

— Eu sonho em vir morar na capital. Como eu disse ontem a tia Odete, mesmo contra a vontade dele, nestas férias pretendo procurar uma faculdade e vir estudar aqui.

— Que coisa boa, meu filho! Faça isso. Seu pai vai brigar, mas você já é um homem. Sabe o que quer e tem o direito de escolher o próprio caminho.

— É o que farei, vovó.

— Você poderá morar aqui.

Guilhermina começou a falar das faculdades de Direito que havia na cidade e ele entusiasmou-se.

Quando se reuniram para o jantar, Carolina estava com os olhos vermelhos, notava-se que tinha chorado. Mal tocou nos alimentos. Os demais, recordando-se do encontro desagradável da tarde e da tristeza de Carolina, evitaram tocar no assunto.

Às vinte e uma horas, Augusto Cezar e Ernestina alegaram cansaço e subiram para dormir. Guilhermina e Odete, tristes com os acontecimentos, também se recolheram, Carolina foi para o quarto e Adalberto foi com ela.

— Vou ligar para Sérgio, saber como ele está.

— Ele estava muito nervoso.

Ela assentiu e telefonou. Sérgio atendeu:

— Eu sabia que você ia ligar. Precisamos conversar. Não podemos aceitar o que seu pai quer.

— Eu também estou muito triste. Mas ele é assim mesmo. Em todo o caso, é melhor por enquanto você não voltar a insistir. Isso vai irritá-lo ainda mais.

— Eu não quero ficar longe de você. Logo ele vai levá-la embora.

Adalberto pediu:

— Deixe-me falar com ele.

Ela concordou e entregou-lhe o telefone:

— Sérgio, sou eu, Adalberto. Não desanime. Quando voltarmos para casa, você poderá ir até nossa cidade. Eu ajudarei vocês a se encontrem sem papai saber.

— Obrigado. Senti que podia contar com você.

— Farei o que puder para que esse casamento se realize.

— É o que eu mais quero.

Adalberto devolveu o telefone a Carolina e eles continuaram conversando. Adalberto fez um sinal à irmã que ia sair, ela acenou e ele saiu. Notou que todos já tinham se recolhido e parou na porta do quarto da tia. Bateu levemente.

Odete abriu a porta. Adalberto explicou que era cedo e desejava dar uma volta, andar um pouco e ela deu-lhe uma cópia das chaves para que ele pudesse entrar quando voltasse.

Depois de dar uma olhada no espelho e ajeitar os cabelos, ele saiu. Como faltavam dez minutos para às vinte e duas horas, e as ruas estavam quase desertas, decidiu apenas conhecer as redondezas.

Apesar de ser um bairro residencial, havia lanchonetes e um cinema a dois quarteirões da casa e ele ficou vendo os cartazes dos filmes que estavam em exibição.

Pouco depois, as portas do cinema se abriram e uma multidão começou a sair, conversando, rindo. Adalberto gostou do que viu. Algumas garotas, casais, pessoas bem-arrumadas, bonitas, alegres.

Na sua cidade àquela hora não havia mais ninguém nas ruas. Ele gostava do bulício da cidade, de ver gente, movimento, luzes.

— Eu tenho que vir morar aqui! Vou dar um jeito nisso. Papai não vai poder me impedir.

Voltou para casa disposto a no dia seguinte sair para procurar uma faculdade onde pudesse continuar seus estudos. Deitou-se fazendo planos e custou a adormecer.

Estava mergulhado em sono profundo quando alguém o sacudiu com força. Acordou ainda atordoado e ouviu a voz de seu pai dizendo:

— Levanta, Adalberto, arrume a mala sem fazer ruído.

— Pai?! O que aconteceu?

— Vamos embora agora.

— Embora? Acabamos de chegar!

— Não discuta. Levante, lave o rosto e arrume as coisas. Vamos sair antes que elas acordem.

Como ele relutasse, Augusto Cezar arrancou as cobertas de cima dele, obrigando-o a se levantar.

— Pai, eu não quero ir.

— Não discuta. Arrume-se. Vamos.

Arrastou Adalberto para o banheiro e obrigou-o a lavar o rosto, o que o acordou de fato, e ele entendeu o que estava acontecendo.

Voltou ao quarto e olhando firme para o pai disse:

— Eu quero ficar mais um pouco. Tenho dois meses de férias e você me prometeu que se eu passasse de ano ficaria aqui as férias todas.

— Isso foi antes de saber o que estava acontecendo aqui. Preciso levar Carolina de volta para casa. Se ficarmos, esse rapaz vai infernizar nossa vida com sua insistência. Eu não vou ceder. Por esse motivo quero ir embora com Carolina antes que elas acordem.

— Vocês podem ir, mas eu não tenho nada com esse namoro e quero ter as férias que me prometeu. Estudei muito, esforcei-me, não é justo que eu seja punido. Todos os meus colegas da faculdade viajaram, estão fora da cidade.

Ernestina entrou no quarto dizendo:

— Está tudo pronto. Podemos ir.

Augusto Cezar hesitou um pouco, depois disse:

— Está bem. Sou de palavra. Você pode ficar. Mas tenha juízo. Não faça com que eu me arrependa de ter atendido a seu pedido.

Adalberto abraçou o pai dizendo:

— Você não vai se arrepender. Eu lhe prometo.

Ele saiu e Ernestina levou-o ao quarto de Carolina que chorava baixinho ao lado da sua mala.

— Estou fazendo isso para o seu bem. Vamos embora.

Em poucos minutos saíram procurando não fazer ruído, colocaram tudo no carro, Augusto Cezar abriu o portão, entrou no carro, deu partida, saíram devagar, evitando acelerar. Desceu, fechou o portão, entrou novamente no carro e partiu.

Sentada no banco traseiro, Carolina deixava-se levar sentindo muita tristeza, permitindo que as lágrimas rolassem à vontade sobre sua face.

Apesar de saber do autoritarismo do pai, nunca imaginou que ele deixasse a casa da mãe na calada da madrugada, sem lhe permitir sequer abraçar a avó e a tia, a quem muito amava e era muito grata não só pela maneira com que elas a trataram durante sua estada ali, mas também pelo apoio delas, entendendo seu amor por Sérgio e sua amizade por Mônica.

Além disso, com elas, Carolina sentia uma grande afinidade, o que não acontecia com seu pai e, principalmente, com a mãe, figura apagada e sem vontade própria.

O que Sérgio pensaria quando soubesse que ela tinha partido sem se despedir dele? Sua esperança era de que sua avó e Odete lhe explicassem a atitude de seu pai.

Ela sentia vergonha pela desconsideração com a qual Augusto Cezar tratara Mônica e Sérgio. Wanda, apesar de não concordar com o namoro, sempre a tratara educadamente. O que diria se soubesse da atitude de seu pai?

Enquanto Carolina vivia seu drama interior, Augusto Cezar e Ernestina viajavam tranquilos. Ele estava satisfeito por ter ludibriado esse pretenso pretendente de Carolina. Acreditava que, com o tempo, Sérgio desistiria, Carolina esqueceria e tudo decorreria da forma como ele desejava.

17

Carolina acordou, abriu os olhos e fechou-os novamente, desanimada. Fazia um mês que haviam voltado para casa, porém ela continuava triste como no primeiro dia.

Assim que chegaram, Carolina tentara ligar para a tia e fora impedida por Augusto Cezar:

— Eu sei o que você pretende conversando com sua tia. De hoje em diante você está proibida de mexer nesse telefone.

— Mas pai, eu só queria agradecer o carinho que elas tiveram comigo e dizer o quanto gosto delas. Não me pareceu justo deixá-las sem sequer me despedir.

— Não é preciso. Elas entenderão. É bom saber que não vou permitir que aquele rapaz fique ligando para conversar com você. Acabou. Trate de esquecê-lo e prepare-se para cursar a faculdade. Por enquanto você sequer decidiu o curso que pretende fazer.

— Não tenho vontade de estudar.

Ele fitou-a sério e respondeu:

— Isso vai passar porque não vou permitir que você deixe os estudos.

Carolina cerrou os lábios e não respondeu. Nos dias que se seguiram, notou que tanto Ernestina quanto Rute vigiavam-na sempre que ela se aproximava do telefone.

À noite, sozinha em seu quarto, Carolina ficava recordando seu namoro com Sérgio e sentia o peito oprimido pela saudade. Rememorava o carinho da avó, uma mulher delicada e afetiva, as atenções e os conselhos de Odete, sentindo em ambas o desejo de que ela fosse sempre feliz.

Era com elas que Carolina desejava morar e pretendia deixar a casa paterna quando completasse vinte e um anos. Então estaria livre para escolher o próprio caminho.

Tinha a certeza de que quando saísse de casa, sua avó iria recebê-la de braços abertos. A presença do pai tornara-se intolerável, tinha a impressão de que estava sempre vigiando seus passos, e sua mãe fora transformada em carcereira, o que a impedia de vê-la de maneira agradável.

Augusto Cezar notava que a filha sentia-se revoltada e procurava agradá-la comprando-lhe roupas, convidando-a para passeios que ela recusava desanimada. Ele notava o abatimento dela e comentava com Ernestina que isso logo passaria. O tempo era um santo remédio.

Mas quanto mais os dias se sucediam, Carolina sentia aumentar sua saudade e tristeza.

Durante as refeições com os pais não conversava, apenas respondia laconicamente às perguntas.

Um dia, olhando o relógio, viu que passava das oito, mas não sentia vontade de se levantar. Virou para o lado tentando dormir de novo, mas Ernestina bateu com insistência:

— Levante, Carolina, depressa. Seu pai está tomando café e quer que você se sente à mesa conosco.

Como ela não respondeu, Ernestina insistiu reclamando por ela ter passado a chave na porta.

— Se você não abrir vou chamar seu pai. Vamos, abra.

Carolina suspirou resignada, levantou-se e foi abrir.

— Onde já se viu dormir até esta hora? Lave o rosto, depressa, vista-se, seu pai não gosta de esperar.

Notando que Carolina obedecia em silêncio, comentou:

— Não sei por que você faz certas coisas. Em vez de tentar agradar seu pai, que só pensa no seu bem, fica com essa cara amuada. Muitas moças gostariam de ser amadas como ele a ama, e você não valoriza.

Carolina ignorou as queixas e tratou de arrumar-se o mais depressa que pôde. Estava cansada da atitude servil da mãe e do despotismo do pai. Resignada, desceu para o café e Ernestina a acompanhou.

O pai olhou-a dizendo:

— Bom dia, Carolina. Você sabe nosso horário do café. Por que nos faz esperar?

— Bom dia. Estava com sono e perdi a hora. Desculpe.

— Espero que isso não aconteça mais.

Carolina não respondeu. Serviu-se de café com leite e Ernestina colocou uma fatia de pão com manteiga no pratinho dela. Para evitar mais conversa, ela tomou alguns goles e comeu um pedaço do pão. Os dois olharam satisfeitos, serviram-se e começaram a comer.

Depois, Augusto Cezar foi para o trabalho, Carolina fechou-se no quarto para ler e Ernestina foi para a cozinha programar o almoço com Rute. Ela precisava verificar que tudo estava em ordem, porquanto Augusto Cezar ficava muito irritado se o almoço não fosse servido no horário que estipulara.

O telefone tocou e Ernestina apressou-se em atender:

— Casa do doutor Augusto Cezar.

— Bom dia, dona Ernestina. Meu nome é Áurea. Fui colega de Carolina no colégio e desejo falar com ela.

— No momento ela não pode atender. Quer deixar recado?

— Bem, eu gostaria de fazer-lhe uma visita hoje à tarde. É possível?

— Não sei... se ela vai estar em casa.

— Nesse caso, ligarei mais tarde para saber. Obrigada.

Ela desligou e Ernestina ficou sem saber o que fazer. Ela não conhecia essa moça. Quando o marido chegou, ela relatou o telefonema e finalizou:

— Ela vai ligar de novo e não sei o que responder.

— Deixe comigo. Vou averiguar.

Quando todos se sentaram à mesa para almoçar, Augusto Cezar pediu para Ernestina:

— Conte a Carolina sobre o telefonema.

Ernestina contou e depois Augusto Cezar perguntou:

— Você conhece essa Áurea?

— Conheço. Estudava na mesma classe que eu.

Augusto Cezar ficou calado durante alguns segundos depois indagou:

— Como ela era?

— Muito estudiosa. Estava se preparando para cursar psicologia quando nosso curso terminasse.

A expressão da fisionomia dele suavizou-se quando sugeriu:

— Seria bom que você a recebesse aqui em casa. Você tem estado muito só, precisa de companhias jovens. É hora de pensar em sua carreira, e trocar ideias com ela pode ser de grande utilidade.

Carolina concordou. Elas se davam bem, embora não fossem íntimas. Desde que chegara não saíra de casa. Pelo menos seria uma boa distração.

— Quando ela ligar você pode dizer que será um prazer falar com ela.

Ernestina olhou para o marido e viu que ele estava alegre. Finalmente as coisas em sua casa estavam começando a voltar ao normal. Com o tempo, Carolina esqueceria e tudo ficaria bem.

Áurea ligou, Ernestina atendeu, e ela combinou visitá-las às quinze horas. Depois, chamou Rute e a mandou fazer um bolo para servir com refresco.

O relógio estava batendo três badaladas quando Áurea tocou a campainha da casa de Carolina. Rute foi abrir, conduziu-a até a sala de estar, pediu-lhe que se sentasse e foi chamar Carolina, que desceu imediatamente.

As duas se abraçaram e Ernestina aproximou-se para cumprimentá-la, ficou conversando durante alguns minutos, depois saiu da sala, deixando-as sentadas lado a lado no sofá. Áurea levantou-se, olhou para os lados e depois disse baixinho:

— Preciso ficar sozinha com você para falar de Sérgio.

Carolina sobressaltou-se e seu rosto ruborizou-se de emoção e surpresa. Assentiu com a cabeça, mas disse em voz alta:

— Estou indecisa, não sei ainda se vou continuar meus estudos.

Ao que Áurea respondeu:

— Reaja. É muito importante fazer uma faculdade. Eu já me matriculei e estou muito animada.

— Não sei se eu passaria no vestibular...

— Estou certa que sim. Eu estou de férias, minhas aulas só vão começar em fevereiro. Se quiser posso ajudá-la a estudar e a passar no vestibular.

— Eu gostaria muito. Vamos até o meu quarto, quero mostrar-lhe meus livros e cadernos.

Ernestina que ouvira a conversa apareceu na sala sorrindo.

— Vou mostrar a Áurea o meu material. Ela vai me ajudar a escolher a carreira e estudar para o vestibular.

— Vão, meninas. Quando terminarem desçam para tomar um lanche.

Com o coração aos saltos, Carolina segurou na mão de Áurea e conduziu-a até seu quarto. Entraram e ela fechou a porta à chave. Sentaram-se na cama e Carolina não se conteve:

— Conte-me tudo. Você conhece o Sérgio? Como é possível?

Áurea abriu a bolsa, tirou uma carta e entregou-a dizendo:

— Leia, depois eu lhe explico como o conheci. Ao segurar o envelope elegante com os dedos trêmulos de emoção, Carolina sentia o coração bater forte. Abriu o envelope enquanto Áurea discretamente se afastou para um canto do quarto, entretendo-se com um álbum de fotografias que estava sobre a mesa de estudos.

Carolina abriu e leu:

Minha amada Carolina. Não me conformo com o que nos aconteceu e desejo reafirmar que a amo muito. Estou certo de que um dia nos casaremos e seremos felizes. Enquanto não chega esse momento, peço-lhe que não desista. Vamos continuar lutando para conquistar nossa felicidade.

Você pode imaginar como fiquei quando soube que vocês tinham partido daquela forma. Sua avó e tia tentaram me acalmar, porquanto eu queria viajar em seguida para sua cidade e tentar convencer sua família a consentir nosso casamento. Elas me disseram que seria pior e Adalberto, que tem se mostrado muito meu amigo, finalmente me convenceu que o melhor seria esperar algum tempo, assim seus pais se sentiriam seguros acreditando que haviam conseguido nos separar. Enquanto isso, namoraremos às escondidas e planejaremos o nosso futuro.

Seu irmão apresentou-me a sua namorada, Áurea, que estava em São Paulo matriculando-se na faculdade e que, colocada a par do que nos acontecia, prontificou-se em nos ajudar, uma vez que voltaria para sua cidade a fim de esperar o início das aulas.

Muitas vezes tentei lhe telefonar, não consegui falar com você. Certamente estavam vigiando o telefone. Esta foi a forma que encontrei para me comunicar. Mas o que eu gostaria mesmo é de estar a seu lado, de poder abraçá-la, beijá-la como fazíamos, sentir seu perfume.

Tenho pensado muito. Duas vezes, durante o sono, fui a seu quarto. Estou certo de que estive lá. Mas não a encontrei. Você deve ter saído do corpo e não consegui vê-la. Pensei que se todas as noites às vinte e duas horas você se deitasse e pensasse em mim, talvez pudéssemos nos encontrar no astral e matar nossa saudade.

Vamos tentar? Um beijo deste que muito a ama,

Sérgio.

Carolina apertou a carta contra o peito, depois beijou várias vezes a assinatura. Levantou-se e abraçou Áurea com carinho:

— Não sei como lhe agradecer por ter me trazido esta carta. Eu estava desesperada, sem notícias, revoltada por não ter sequer me despedido de ninguém.

— Foi muito cruel o que lhe fizeram. Estou ao seu lado e farei tudo o que puder para ajudá-los até que consigam realizar o que desejam.

Carolina segurou a mão da amiga e sentaram-se na cama novamente:

— Eu nunca poderia imaginar que você estivesse namorando meu irmão. Agora estou entendendo por que ele decidiu estudar em São Paulo.

— Mônica e Sérgio prontificaram-se a ajudá-lo a conseguir a vaga, mas não creio que eu tenha sido a causa dessa mudança. Seu irmão sempre sonhou viver na capital.

— Adalberto está mudado, nosso relacionamento melhorou bastante. Ele deixou de estar sempre me arreliando, tornou-se mais amadurecido. Imagino que a convivência com você o tenha beneficiado.

— Na verdade, faz pouco tempo que estamos namorando. No começo ele aparecia na saída do colégio e me acompanhava até em casa.

— Eu o vi várias vezes lá.

Áurea hesitou um pouco, depois disse:

— Sempre me senti atraída por ele, mas ao mesmo tempo sentia que ele não levava a vida a sério. Tenho medo de me machucar nesse relacionamento. Sei o que desejo da vida e não queria desistir dos meus projetos pessoais por causa de um namorado que eu nem sentia que estava tão interessado.

Carolina olhou-a admirada:

— Qualquer outra ficaria feliz em desistir de tudo por um amor.

— Não eu. Gosto de me sentir livre, dona dos meus passos. Eu gosto dele, mas de minha parte só levarei nosso namoro adiante se ele respeitar meu espaço.

Carolina suspirou pensativa. Pensou em sua mãe, sempre passiva, sem vontade nem opinião. Depois respondeu:

— Você está certa. O que admiro em Sérgio é o respeito que ele tem pela minha maneira de ser. Ele pensa de maneira oposta a meu pai. Já disse que depois do nosso casamento farei o que desejar. Terei todo o seu apoio para estudar o que quiser e até ter uma carreira.

— Adalberto não concordou muito quando eu lhe disse que pretendia estudar na capital. Fez o possível para que eu desistisse. Mas depois decidiu ir também. Se eu tivesse concordado, ele não mais me respeitaria, logo iria querer mais alguma coisa e depois de certo tempo eu estaria como...

Ela não continuou. Carolina sorriu e completou:

— Como minha mãe. Pode dizer. Eu sei que ela é assim mesmo.

— Desculpe, Carolina, é que Adalberto sempre reclama dizendo que sua mãe aceita todas as ordens do doutor Augusto Cezar, ele fica muito nervoso.

— Infelizmente é verdade. Mamãe vive só em função dele, só faz o que ele quer e não tem opinião. E ainda fica muito nervosa quando não concordamos. A cada dia isso fica mais claro.

— Sérgio está esperando uma resposta. Escreva uma carta que eu vou colocá-la no correio.

Carolina deu um beijo caloroso na face da amiga.

— Vou fazer isso agora mesmo. Não tenho um papel bonito como o dele.

— Não importa. O que ele deseja é ter notícias suas. Receia que com o passar do tempo você o esqueça.

— Isso não vai acontecer. Vou escrever agora mesmo.

Enquanto Carolina procurava um bloco e escrevia, Áurea apanhou um livro que estava sobre a mesa de cabeceira e começou a ler.

Depois de escrever várias páginas, Carolina dobrou cuidadosamente, colocou no envelope e entregou-o a Áurea, que o guardou imediatamente na bolsa.

— Quando eu disse que poderia ajudá-la a estudar para o vestibular, falei sério. Apesar da situação que está passando deve pensar no seu futuro. Sérgio é um rapaz instruído, de família importante e você deve continuar seus estudos sem desanimar.

— Eu fiquei com tanta raiva de meu pai que tive vontade de fazer exatamente o contrário do que ele deseja e desistir de estudar.

— Se fizer isso estará se castigando. Com o tempo vai se sentir mal. Eu acredito que estudar abre muitas portas em nossa vida. Você não deve perder essa chance.

Carolina lembrou-se da mãe de Sérgio e respondeu:

— Você está certa. Vou continuar estudando. Mas ainda não defini o que fazer.

— Eu tenho algum material que poderá auxiliá-la a escolher uma carreira. Poderei trazê-lo e trocamos ideias.

— Gostaria de poder ir a sua casa, mas não sei se meu pai consentirá. Aqui eles vigiam até o telefone. Se eu sair...

— Por enquanto eu virei. Com o tempo eles acabarão facilitando e você poderá ir.

Passava das cinco quando elas desceram e a mesa já estava posta na copa para o lanche. Elas se sentaram conversando sobre o material que Áurea traria, onde havia estudos sobre várias carreiras. Ernestina, satisfeita, embora tentasse dissimular, acompanhou tudo.

Áurea despediu-se e ficou de voltar na tarde seguinte para Carolina escolher o curso que gostaria de fazer.

Assim que chegou em casa, Áurea ligou para Adalberto. Depois dos cumprimentos ela disse:

— Acabo de voltar da sua casa. Falei com Carolina.

— E então?

— Deu tudo certo. Entreguei a carta e ninguém desconfiou.

— Tem certeza?

— Tenho. Conforme combinamos, diante de sua mãe insisti para Carolina continuar estudando, prontifiquei-me a auxiliá-la para escolher uma carreira. Sua mãe adorou. Com essa desculpa, ela mesma concordou que fôssemos conversar no quarto.

— Não falei que daria certo? Eu sabia!

— Carolina ficou muito emocionada com a carta. Conversamos muito. Diga a Sérgio que ela respondeu e já coloquei a carta no correio. Ele pode responder e mandar para minha casa. Você tem o endereço?

— Tenho. E como estão as coisas lá em casa?

— Carolina está praticamente presa. Proibida de sair sozinha e até de conversar com as amigas. Não atende ao telefone e só sai com seus pais.

— Foi o que pensei. Temos de fazer alguma coisa para melhorar isso.

— Por enquanto não será fácil. Mas eles permitiram minhas visitas com vistas à preparação de Carolina para prestar vestibular.

— Estava difícil segurar o Sérgio. Ele ainda insiste em ir até aí. Com a possibilidade de ele corresponder-se com Carolina espero conseguir que tenha paciência de esperar. Penso que quando meu pai perceber que ele não a procurou mais, acabará por acreditar que ele desistiu. Então, aos poucos, vai relaxar a vigilância.

— É melhor mesmo que ele não apareça aqui. Diante do que vi, estou certa de que seu pai não vai ceder e, o que é pior, Carolina continuará reclusa e sofrerá ainda mais.

— Estou com saudades de você. Cada dia que passa eu a admiro mais. Sua ajuda tem sido preciosa.

— Tenho prazer em cooperar. Não aceito atitudes como a que seus pais têm. Depois, Carolina merece.

— Só Carolina? E eu? Pensei que você estivesse a ajudando por minha causa.

— Você continua convencido. Eu tenho meus princípios e é por eles que pauto meu comportamento.

— Sinto que você não gosta de mim o tanto que eu gosto de você.

Ela riu bem-humorada e depois disse:

— Coloco meus sentimentos em primeiro lugar e é por eles que escolho meu caminho.

— Não gosta de mim nem um pouquinho?

— Se não gostasse, não estaria namorando você.

— Até que enfim você confessou.

— Não fique tão envaidecido. Nós ainda não nos conhecemos o suficiente e não sabemos se com o tempo vamos continuar namorando.

— Por mim, sim.

— Vamos ver. Não se esqueça de falar com Sérgio assim que desligar. Ele deve estar angustiado.

— Você manda, eu obedeço. À noite ligarei para conversarmos mais um pouco. Um beijo grande.

— Outro. Até à noite.

Ela desligou, depois se sentou pensativa. Ela gostava de Adalberto desde seus dez anos de idade. Percebendo que ele nunca demonstrara estar interessado, Áurea procurou guardar esse amor só para si.

Observando-o discretamente, notara seus pontos fracos, sempre querendo parecer irresistível diante das garotas e até dos amigos, sem levar nada a sério.

Áurea achava natural essa insegurança, mas, embora fosse muito jovem também, tinha dentro de si o que desejava para seu futuro e já se conformara em amá-lo de longe não esperando nada dele.

Quando ele começou a procurá-la, ela sentiu-se emocionada, porém não desejava tornar-se mais uma com quem ele saísse algumas vezes e depois, como fizera com outras, a abandonasse.

Apesar de ele ter se mostrado mais interessado quando se encontraram em São Paulo, ela não confiava que estivesse realmente apaixonado. Era um jovem em férias na capital, deslumbrado com a cidade grande e ela, apesar de gostar de estar com ele, continuou mantendo as reservas, ocultando seus verdadeiros sentimentos.

Claro que gostaria que esse relacionamento se aprofundasse, mas de sua parte isso somente aconteceria se sentisse que ele estava sendo sincero.

Mesmo assim, sentia-se feliz com sua vida e penalizada com a situação de Carolina. Faria tudo o que pudesse para auxiliar o casal de namorados torcendo para que o casamento deles se realizasse.

18

Depois que Áurea se foi, Carolina releu várias vezes a carta de Sérgio. Sua mãe bateu à porta chamando-a para jantar. Carolina não sentia fome, mas resolveu obedecer a fim de não provocar a ira do pai como fizera muitas vezes desde que voltaram da capital.

Vendo-a sentar-se à mesa, Augusto Cezar olhou-a aliviado. Ele desejava jantar em paz. Carolina, quando estava ao lado dos pais, não conversava, apenas respondia às perguntas que lhe eram endereçadas de forma lacônica.

Mas naquela noite seu rosto estava mais corado pela alegria da carta e ela não queria que seu pai desconfiasse de alguma coisa. Portanto, assim que Augusto Cezar perguntou se Áurea era muito sua amiga, respondeu de boa vontade:

— Amiga íntima não, mas ela estudava na mesma sala que eu e sempre nos demos bem.

— Parece ser uma boa moça — comentou ele continuando: — Ela já ingressou na faculdade?

— Já. Vai fazer psicologia.

— Em nossa cidade não tem esse curso.

— O pai dela tem uma irmã que mora em São Paulo e ela matriculou-se lá. As aulas vão começar daqui a quase dois meses.

Ernestina, que se mantivera calada, interveio:

— Ela tem um livro que ajuda a escolher uma carreira. Fala de várias delas. Vai trazer para Carolina ler.

— É isso que você precisa. Posso ajudá-la a escolher.

— Primeiro quero ler sobre cada uma das profissões e sentir qual é minha vocação.

— Terá de escolher entre o que temos na cidade. Não adianta procurar na capital. Você não poderá ir.

Carolina não respondeu e ele não insistiu. Não queria brigar com ela que estava demonstrando estar mais cordata.

Assim que terminaram de comer, Carolina voltou para o quarto, trancou a porta e leu novamente a carta de Sérgio.

Estendeu-se na cama sentindo muitas saudades do namorado. Lembrou-se dos momentos que tinham desfrutado juntos, dos beijos e dos projetos de casamento que tinham feito. Mergulhada em suas lembranças, adormeceu.

Viu-se fora do corpo ainda em seu quarto e não conteve um grito de alegria. Marcos estava na sua frente, braços estendidos e Carolina mergulhou neles emocionada:

— Sérgio! Você está um pouco diferente, parece Marcos, mas eu sei que você é Sérgio, o amor de minha vida.

Ele beijou-a com carinho, depois disse:

— Sou eu sim. É que quando saio do corpo, retomo a figura que tinha antes de reencarnar e o mesmo nome daquele tempo. Você não se lembra, mas nosso amor remonta há muitos anos. Mas nunca conseguimos realizar nossos sonhos de ficarmos unidos para sempre.

— Por quê?

— É uma longa e emocionante história que um dia você ainda vai se lembrar.

— Quero saber. Você vai me contar.

— Seria apressar seu processo, desequilibrar seu emocional e isso retardaria mais nosso desejo.

— O que posso fazer para ajudar?

— Vamos aproveitar o momento. Eu não aguentava mais de saudades. Durante esse tempo tenho vindo algumas vezes até aqui vê-la, mas você nunca me notou. Hoje você estava pensando em mim, o que facilitou nosso encontro. Venha, vamos dar um passeio.

Sérgio segurou a mão dela e passou o braço pela sua cintura.

— Vamos para aquele jardim onde você já me levou?

— Sim. Era naquela dimensão que eu vivia antes de voltar ao corpo.

Carolina suspirou enlevada e ambos atravessaram a parede e foram volitando, sentindo o peito dilatado de prazer, vendo lá embaixo as luzes da cidade adormecida. Pouco tempo depois chegaram ao jardim e pararam diante do grande portão.

Ele disse:

— Marcos.

O portão abriu e eles passaram.

— Eu não me lembrava deste portão — comentou Carolina.

— Quando viemos aqui antes, você estava menos consciente do que hoje. Mas lá está o banco onde nos sentamos.

— Vamos nos sentar lá novamente?

— Não temos muito tempo. Eu gostaria de levá-la até uma amiga que poderá nos auxiliar muito.

— Nesse caso, vamos.

Eles caminharam de mãos dadas pelo magnífico jardim, sentindo o perfume delicado das flores que, coloridas, formavam um tapete encantador, com seus vários matizes e suas pétalas delicadas.

— Que lindo! — comentou Carolina extasiada. — Eu gostaria de poder ficar aqui com você, para sempre.

— Eu também gostaria, mas se fizéssemos isso, demoraria muito mais para vencermos o que nos separa.

— Está se referindo a meu pai?

— Estou me referindo aos motivos que nos separaram e que precisamos vencer.

— O que teremos de fazer para isso?

— Aprendermos a desenvolver nossos potenciais naturais dentro das leis da espiritualidade e conquistar o que queremos.

Ao fazerem uma curva, Carolina surpreendeu-se diante de um edifício de vários andares, iluminado e onde muitas pessoas circulavam.

— Que lindo! — exclamou Carolina.

Admirada ela notou que as pessoas não eram iguais. Isto é, além da aparência de várias idades, não se vestiam da mesma forma. Algumas estavam acompanhadas de pessoas que tinham um comprido cordão prateado na nuca que ela não conseguia ver o fim.

Notando sua estranheza Sérgio explicou:

— As pessoas que têm o cordão de prata ainda estão encarnadas na Terra.

Imediatamente Carolina levou a mão à nuca e Sérgio sorriu alegre:

— Sim, você também tem um igual. É sua ligação com o corpo de carne que ficou adormecido na sua cama. Se acontecer alguma coisa lá, perto do seu corpo, você será chamada de volta em alguns segundos.

— Estou vendo que você também o tem.

— Sinal de que meu corpo ainda está vivo. Esse cordão se rompe só com a morte e então não há como voltar.

Eles estavam em um saguão onde havia intenso movimento, o que fez Carolina perguntar:

— Aqui eles não dormem?

— Todos dormem, mas para trabalhar com os encarnados a noite é mais fácil, aproveita-se o momento em que eles saem do corpo.

Eles caminhavam por um corredor e Sérgio parou diante de uma porta batendo levemente.

Uma senhora alta, magra, elegante, em um vestido creme que ressaltava a cor clara de sua pele delicada e seus cabelos louros, presos na nuca por um coque, recebeu-os. Aparentava cerca de sessenta anos, mas em seu rosto não havia nenhuma ruga. Era de uma beleza serena e delicada.

— Marcos! Que bom vê-lo.

Ele a abraçou beijando-a delicadamente na face, depois disse:

— Esta é Carolina.

— Meu nome é Márcia — disse ela abraçando Carolina com carinho.

Carolina não escondia a emoção. A custo procurou controlar-se. A presença daquela mulher provocava nela um sentimento forte de ternura.

— Não a conheço de algum lugar?

— Talvez. Mas vamos entrar. É um prazer recebê-los aqui.

— Não temos muito tempo. Viemos dar-lhe um abraço.

— Obrigada. Tenho pensado muito em você nestes dias. Sei que os acontecimentos estão se precipitando.

— Eu senti, e a custo consigo controlar-me.

— Confie, fique firme no bem e tudo seguirá melhor.

Marcos suspirou:

— Tenho me esforçado.

— Os encontros entre vocês dois vão aliviar a ansiedade e permitir que encontrem a melhor solução.

Carolina olhava-os sem saber o que dizer. Sabia que eles falavam do futuro e dos objetivos que desejavam alcançar, mas seus sentimentos misturavam-se tornando-a tímida diante daquela mulher.

Márcia aproximou-se dela passando a mão delicadamente por seus cabelos em um gesto de carinho:

— Estou feliz que tenha vindo me ver. Acalme seu coração. Estou do seu lado e tudo farei para que alcance o que deseja.

— Vai nos ajudar?

Márcia fixou os olhos nos dela e respondeu com voz calma:

— Sempre. Mas por mais que eu queira que vocês vençam as dificuldades e consigam a felicidade, não poderei fazer a parte que lhes cabe. São vocês que precisam aprender e encontrar o caminho.

— O que deverei fazer, qual é a parte que me cabe? — indagou Carolina.

Márcia sorriu levemente e tornou:

— Na vida os acontecimentos surgem, e é preciso tomar decisões, fazer escolhas. Os resultados dependem delas.

— Estou pronta para me esforçar em fazer o meu melhor.

Sérgio ouvia em silêncio e em seus olhos havia um brilho indefinido. Márcia passou o olhar pelos dois e respondeu com voz firme:

— Aconteça o que acontecer, mantenham essa disposição.

Depois, segurou a mão de Carolina, juntou-a à de Marcos e continuou:

— Estarei vibrando por vocês.

— Obrigado pelo apoio — respondeu Marcos comovido. — Agora, está na hora de irmos.

Márcia abraçou-os, beijando-os delicadamente nas faces. Carolina emocionada, num impulso, segurou a mão dela levando-a aos lábios com amor.

Um brilho de emoção passou pelos olhos de Márcia que retribuiu pousando seus lábios na testa dela com carinho.

— Vão com Deus — sussurrou.

Marcos puxou Carolina para fora da sala e ela o abraçou pousando a cabeça sobre seu peito.

Assim, juntinhos, foram caminhando devagar pelo corredor enquanto dos olhos de Carolina algumas lágrimas rolavam.

Em silêncio, Marcos conduziu-a para o jardim e levou--a até o banco que ela já conhecia. Sentaram-se e ele esperou que Carolina falasse. Sabia o quanto ela estava comovida com aquele encontro.

Depois de alguns minutos ela disse:

— Eu já conhecia essa mulher. Sua presença fez-me infinito bem, mas ao mesmo tempo provocou certa ansiedade. Você deve saber o porquê. Gostaria que me dissesse.

— É verdade. Márcia foi muito importante em sua vida em outros tempos. Ela a ama muito. Pense nisso e deixe que esse amor ilumine seu coração. Agora, olhe em volta, veja como este lugar é reconfortante. Essa nossa visita teve o objetivo de nos fazer felizes, de sabermos que mesmo que todos queiram nos manter distantes, poderemos nos encontrar e viver esses momentos. Não acha que somos privilegiados?

— Tem razão. Não vou insistir em querer descobrir o passado.

— É mais importante usufruir esses momentos.

Marcos beijou-a nos lábios com amor e ficaram abraçados, sentindo o coração bater forte. A alegria de estarem juntos apagava todos os sofrimentos provocados pela separação.

— Dentro de uma hora vai amanhecer. Temos de ir.

Carolina suspirou:

— Que pena!

— Não lamente. Outros encontros virão.

— Quisera encontrar com você todas as noites.

— Não posso prometer. Tenho de ater-me à disciplina. Mas sempre que obtiver permissão, vou buscá-la.

— Terá de pedir permissão? De quem?

— Do núcleo em que vivo quando estou fora do corpo e onde presto serviços como voluntário no atendimento às pessoas que precisam.

— Todas as pessoas encarnadas estão ligadas a um lugar no astral?

— Sim, embora a maioria ignore. Muitos ainda estão presos ao imediatismo do mundo, imersos em suas ilusões, incapazes de perceberem a realidade.

— Por que os espíritos iluminados não lhes mostram a verdade?

— Porque sabem que o desenvolvimento interior só acontece no momento certo, conforme a pessoa vai amadurecendo. Entenda, o progresso é uma conquista pessoal, realizada pelo esforço próprio.

— Sendo assim, fica difícil ajudar.

— De fato, ajudar não é fácil. Mas nós inspiramos pensamentos bons, ministramos energias renovadoras, sugerimos atitudes elevadas.

— Se a pessoa estiver desesperada não vai funcionar.

Marcos sorriu e respondeu:

— Em certos casos usamos a terapia do sono.

— Como assim?

— Temos vários recursos para fazer uma pessoa adormecer. Um deles é tirá-la do corpo e levá-la para um lugar em que ela possa relaxar. Quase sempre funciona.

— Gostaria de aprender a fazer o que você faz.

— Não tenha pressa. Seu momento chegará. Está na hora de voltar.

Carolina respirou fundo, passou o olhar em volta procurando gravar aquela cena, depois disse:

— Está bem, vamos.

Abraçados, eles deixaram o lugar fazendo o caminho de volta. Quando chegaram à casa de Carolina, estava começando a clarear.

Marcos acompanhou-a até o quarto.

— Estou muito feliz por você ter vindo. Quando poderemos nos ver de novo?

— Não sei ainda. Mas virei o mais rápido que puder.

— Ficarei esperando ansiosamente.

Marcos segurou a mão dela dizendo com carinho:

— Nossos encontros são para nos fazer bem, nos tornar felizes, ajudar-nos a vencer nossos obstáculos. Se você fizer deles motivo de ansiedade, não poderei estar aqui tanto quanto gostaria.

Carolina olhou-o surpreendida:

— Por quê?

— Porque o bem-estar que sentimos nessas viagens pode nos fazer esquecer nossas responsabilidades no dia a dia. Estamos encarnados para experimentar a vida no mundo, essa é nossa necessidade agora. Portanto, veja nossos encontros com naturalidade e ao acordar procure integrar-se mais nas suas obrigações, dedicando-se aos afazeres que o momento pedir.

— Mas sentirei saudades! Não dá para esquecer nosso encontro.

— Eu também terei saudades, lembrarei com prazer os momentos que estamos vivendo. Mas durante o dia, procurarei fazer bem meus compromissos. Lembre-se de que esses momentos são para trazer alegria ao nosso coração.

— Entendi. Farei tudo como me pede.

— Receio que se nossos encontros perturbarem sua vida, não mais obterei permissão para vir.

— Não darei motivos para isso.

Marcos beijou-a delicadamente nos lábios, depois disse:

— Sinto que hoje demos um passo importante para alcançar nosso objetivo. Aconteça o que acontecer, lembre-se de que eu a amo muito.

— Eu também o amo.

Trocaram mais alguns beijos, depois ele acomodou-a no corpo adormecido e esperou alguns instantes.

Carolina suspirou, virou de lado e continuou adormecida. Marcos sorriu, alisou a testa dela com carinho e saiu.

Horas depois, Carolina acordou com algumas batidas na porta do quarto. Olhou em volta tentando perceber onde estava e tomou consciência ao ouvir a voz de Ernestina reclamando do lado de fora:

— Carolina, eu já disse que não era para fechar a porta do quarto. Por que faz isso?

Ela levantou-se rapidamente e foi abrir:

— Desculpe, foi sem querer.

— Trate de descer. São sete e meia e seu pai já desceu para o café. Sabe como ele se irrita quando não obedecemos ao horário.

— Está bem. Não demoro.

Carolina sentia-se alegre e leve como uma pluma. Tinha vontade de cantar, de brincar, de rir. Em alguns segundos escovou os dentes, lavou-se, vestiu-se e desceu para o café.

Lembrava-se perfeitamente do encontro com Sérgio e de tudo o que conversaram. Desceu e Augusto Cezar já estava sentado à mesa para o café.

— Bom dia, papai — disse Carolina.

— Bom dia. Venha, Ernestina, vamos tomar o café todos juntos.

Ernestina apareceu com um ar triunfante carregando um prato de bolo que colocou sobre a mesa.

— É aquele bolo de fubá que você gosta. Eu mesma fiz.

— Parece bom, vamos ver se está igual aos outros.

Augusto Cezar serviu-se com uma generosa fatia e comentou:

— Está macio.

— Eu bati muito bem — respondeu Ernestina satisfeita.

Carolina serviu-se de café com leite, uma fatia de pão e enquanto passava manteiga recordava-se dos momentos vividos com Sérgio e seus lábios entreabriam-se em alegre sorriso.

— Não vai comer bolo? — indagou Ernestina.

— Agora não. Mais tarde eu como.

— Devia. Está muito bom — comentou Augusto Cezar.

— Não estou com muita fome.

Ele olhou-a sério. Carolina parecia-lhe diferente naquela manhã. Mas ela estava com boa aparência e ele não disse mais nada.

— Vou ligar para Adalberto. Está na hora de ele voltar.

— Faltam ainda duas semanas para começar as aulas — comentou Carolina.

— Mas ele precisa preparar-se para recomeçar os estudos.

Ela não disse mais nada. Áurea combinara de ir a sua casa naquele dia, a pretexto de ajudá-la a escolher uma carreira. Ela lhe diria como estavam as coisas com Adalberto. Torcia para que ele de fato conseguisse estudar na capital. Mas ao mesmo tempo imaginava o quc scu pai faria quando soubesse.

Quando seu pai levantou da mesa, Carolina fez o mesmo.

— Aonde você vai? — indagou Ernestina.

— Para o meu quarto.

— De novo? Por que não arranja alguma coisa útil para fazer? Aquele bordado que começou há mais de um ano continua inacabado.

— Não gosto de bordar. Vou estudar. Preciso me preparar para o vestibular.

Ernestina concordou com a cabeça. Ainda bem que a filha estava mais cordata e não criando casos com o pai. Logo Adalberto estaria de volta e tudo retomaria a rotina de sempre.

Ernestina não sabia por que, mas sempre que pensava em Adalberto sentia um aperto no peito e uma sensação desagradável. O que ele estaria fazendo em São Paulo?

O melhor era não se preocupar. Augusto Cezar o chamaria de volta, ele logo estaria em casa e ela não teria mais nenhum motivo para se aborrecer.

O que Ernestina queria era viver em paz e, para ela, a paz era quando nenhum dos filhos contrariava o pai. Sempre que isso acontecia, ela entrava em pânico. Sentia a cabeça atordoada, o estômago enjoado e forte mal-estar.

Não via a hora que o filho se formasse e fosse trabalhar na empresa ao lado do pai. Sabia que essa era a vontade do marido e não lhe passava pela cabeça que alguém imaginasse não fazer o que ele desejava.

Tentou expulsar o receio do coração e foi à cozinha ver o que teriam para o almoço.

19

Sentada em seu quarto, Carolina tinha os olhos fixos em um ponto distante, sem ler o livro aberto que tinha nas mãos. Já fazia quinze dias que estivera ao lado de Sérgio em sonho, e apesar de todas as noites ter esperado que ele voltasse a encontrá-la, ele não viera.

Algumas batidas na porta arrancou-a de seu devaneio e ela levantou-se para abrir. Áurea abraçou-a com carinho e entrou:

— Sua mãe mandou que eu subisse — explicou.

Desde que a visitara pela primeira vez, Áurea comparecia todas as tardes levando a sério o fato de auxiliá-la a pensar em seus estudos e decidir-se por uma carreira.

Carolina fechou a porta e disse contente:

— Esperava com ansiedade que viesse. Tem notícias de Sérgio?

— Ontem ele me ligou. Disse que está com saudades e mandou-lhe muitos beijos.

Carolina meneou a cabeça e protestou:

— Ele diz isso, mas não veio encontrar-se comigo novamente, como naquela noite.

— O que aconteceu foi um encontro especial. Talvez não seja fácil repeti-lo.

— Ele disse que viria, mas que para vir precisava de permissão do grupo espiritual ao qual ele é ligado.

— Sempre gostei de estudar esse assunto. Acredito que temos muito mais poder do que pensamos. Tenho lido sobre pessoas que se dedicam ao desenvolvimento do sexto sentido, e as pesquisas são surpreendentes.

— Eu gostaria de ter o poder para ir procurá-lo em vez de ter de esperar que ele venha. Mas não sei como fazer isso.

— Há estudiosos que desenvolveram um treinamento para deixar o corpo durante o sono, conservando a consciência, mas quer saber? Eu prefiro não apressar as coisas. Na natureza tudo acontece no momento certo.

— Ele não disse por que não tem vindo?

— Não. Mas se quiser, quando eu for para casa, posso ligar e perguntar.

Carolina segurou as mãos dela com entusiasmo:

— Você faria isso por mim?

Áurea sorriu e respondeu:

— Claro! Agora vamos retomar os estudos. Graças a ele estou sendo bem recebida por seus pais. Depois, como eu já lhe disse, o melhor que tem a fazer é aproveitar o tempo.

Elas sentaram-se ao lado da escrivaninha e Carolina tornou:

— Estive pensando seriamente no assunto. Eu desejo mesmo continuar os estudos. Eles representam o passaporte para a independência pessoal, pelo resto da vida.

— É o que eu penso. No futuro, aconteça o que acontecer, poder trabalhar e se manter é uma segurança. Já decidiu o que deseja fazer?

— Pensei muito e decidi fazer Direito.

— Não há muitas mulheres nessa profissão. Será que seu pai vai aprovar?

— Talvez não. Ele queria que eu estudasse pedagogia, mas eu não tenho vocação. Já o Direito tem lógica, dá asas à minha vontade de lutar contra as injustiças do mundo.

Áurea riu gostosamente:

— Do jeito que as coisas são, você terá muito trabalho!

Alguém mexeu no trinco da porta e Carolina perguntou:

— Quem está aí?

Algumas batidas a fizeram levantar-se e ir abrir. Adalberto estava diante dela. Abraçaram-se efusivamente e ele voltou-se para Áurea que o estava esperando, seus braços a rodearam enquanto ele depositava um beijo nos lábios dela.

Um pouco acanhada, Áurea afastou-se logo. Carolina fechou novamente a porta, puxando o irmão para dentro e, fazendo-o sentar-se na cama, sentou-se ao lado dele dizendo:

— Você chegou em boa hora. Tem notícias de Sérgio?

Adalberto começou a rir, enquanto ela repetiu a pergunta.

— Calma, Carolina. Acabei de chegar. Quando soube que estavam aqui, subi. Mamãe logo virá atrás, pode apostar.

— Então trate de falar depressa. Vamos, ele mandou alguma coisa para mim?

Adalberto tirou um envelope do bolso e estendeu-o a ela:

— Esta carta. Há também um pacote que está dentro de minha mala. Depois eu pego.

Carolina segurou a carta emocionada. Ernestina estava tentando abrir a porta e reclamando como de costume por ela ter trancado.

Carolina escondeu a carta dentro de um caderno sobre a escrivaninha e foi abrir:

— Você sempre com o péssimo costume de trancar a porta. Seu irmão acabou de chegar e já estão fechados no quarto? Seu pai não vai gostar disso.

— Papai não precisa saber — respondeu Adalberto. — Eu estava ansioso para ver Áurea. Essa é a moça com quem vou me casar.

Ernestina olhou-os assustada:

— Não gostei dessa brincadeira. Se seu pai ouvir pode acreditar. Você sabe como ele pensa.

— Estou falando a verdade. Essa menina me conquistou.

As duas moças riam e Áurea tentava esconder a emoção fingindo levar na brincadeira.

— Vim buscá-los para o lanche. Está servido na copa.

— Pode descer que nós já vamos — respondeu Carolina.

Ernestina se foi e Adalberto aproveitou para dar outro beijo em Áurea que protestou:

— Não faça isso. Sua mãe pode ver.

— Estou muito feliz. Consegui tudo o que queria. Consegui uma vaga para o segundo ano na mais famosa faculdade da capital.

Carolina, que apanhara a carta de Sérgio e a estava escondendo em uma gaveta embaixo de uma caixa, disse:

— Bravo! Só quero ver o que papai vai dizer.

— Não tenho medo. Tenho de lutar pelo meu futuro. Ele vai brigar, mas depois, quando perceber que estou determinado, acabará aceitando.

— Vamos descer para o lanche — decidiu Carolina.

— Não vai ler a carta? — indagou Adalberto.

— Mais tarde. Se demorarmos mamãe não vai nos dar sossego. Sabe como ela é.

— Nesse caso, é melhor irmos logo — concordou ele.

Eles desceram e sentaram-se à mesa, onde Ernestina aguardava-os com certa impaciência.

Vendo que ela olhava-os atenta, conversaram sobre trivialidades e, assim que terminaram, foram novamente para o quarto.

Vendo-os subir Ernestina pediu:

— Não tranque a porta, Carolina.

Ela fingiu que não ouviu e assim que entraram no quarto passou a chave na porta. Sem esperar mais nada, apanhou a carta e sentou-se na poltrona ansiosa para ler.

Os outros dois sentaram-se um pouco afastados para que ela pudesse ficar à vontade.

Adalberto apressou-se a passar o braço pela cintura da namorada, que disse logo:

— Seja discreto. Não quero que sua mãe implique comigo. Ela tem ciúmes de você.

— E eu de você! O que fez durante minha ausência?

— O de sempre. Nada de mais.

Enquanto isso, Carolina mergulhava prazerosamente na leitura:

Minha adorada Carolina.

Não vejo a hora de nos encontrarmos de novo. Até o momento não obtive permissão para visitá-la, mas irei assim que puder. Há momentos em que eu tenho vontade de ir até aí conversar com seu pai e resolver essa questão definitivamente. Se ainda não fui foi porque recebi a visita de Márcia, que me fez mudar de ideia.

Ela disse que, antes de tomarmos qualquer iniciativa nesse sentido, teremos de resolver fatos inacabados do passado, porque só assim conseguiremos o que desejamos.

Devo esclarecer que a dificuldade permanece porque você ainda não fez a sua parte. Eu sei que não se recorda da causa do problema e não sabe o que fazer. Não fique triste por eu dizer-lhe isso. Márcia prometeu que vai ajudá-la.

Ela costuma cumprir o que promete. Vamos confiar e esperar. Tenha paciência, irei vê-la assim que puder.

Muitos beijos do seu,

Sérgio.

Carolina releu a carta e ficou pensativa: O que teria acontecido anteriormente que os impedia de ficar juntos? Como ela poderia ajudar se não se lembrava de nada?

Lembrou-se do rosto de Márcia e da emoção que sentira ao vê-la. Ela faria parte desse passado? Seu rosto era-lhe familiar. Sentia que ela já fizera parte de sua vida. Mas quando, como?

Naquele instante fechou os olhos, mentalizou o rosto dela e pensou: "Sinto que você faz parte de meu passado. Quer ajudar-me. Por favor, mostre-me o que preciso saber!".

Uma onda de calor envolveu seu peito e ela suspirou emocionada. Mas foi só.

— Ela está sonhadora. Se eu pudesse teria trazido Sérgio para ela! — comentou Adalberto vendo-a de olhos fechados.

— Teria arranjado uma grande confusão — respondeu Áurea sorrindo. — São mais de cinco horas. Preciso ir embora. Logo seu pai estará chegando e vocês precisam conversar. Vai falar com ele esta noite?

— Ainda não sei. Vamos ver.

Carolina tinha se levantado e aproximou-se:

— É melhor esperar um momento em que ele esteja calmo.

— Assim que eu falar o que fiz, ele vai ficar zangado. Tanto faz esperar ou não.

— Estou torcendo por vocês. Agora tenho de ir.

Áurea levantou-se desvencilhando-se dos braços de Adalberto que tentavam retê-la.

— Vou acompanhá-la — tornou Carolina.

— Vai sair comigo esta noite?

— É melhor não. Você acabou de chegar e certamente seu pai não vai gostar.

— Ele não vai gostar de qualquer jeito e eu quero vê-la ainda hoje.

— É melhor não provocar a ira dele sem necessidade. Fique aqui em cima. Sua mãe não gostou quando disse que estava me namorando. Se ela falar com seu pai, ele pode não querer que eu venha ver Carolina — disse Áurea.

Adalberto concordou a contragosto, sabia que ela tinha razão. As duas desceram e depois que Áurea se foi Carolina subiu para o quarto do irmão.

Assim que entrou, ele entregou-lhe um pacote:

— Sérgio mandou para você.

Ela segurou o pacote com alegria.

— Não vai abrir para ver o que é?

Ela meneou a cabeça.

— Vou para o meu quarto. Mamãe pode chegar.

Uma vez no quarto, porta fechada, Carolina abriu o pacote e de dentro da caixa retirou um papel grosso enrolado.

Curiosa, desenrolou e seus olhos brilharam emocionados. Sérgio havia desenhado a paisagem do lugar onde eles tinham ido no astral. O banco onde haviam se sentado e trocado juras de amor.

Carolina beijou a paisagem enquanto sua mente revia o que acontecera naquela noite. Por que eles não podiam ficar juntos? O que havia no passado que impedia sua felicidade? Sentia que Márcia fazia parte desse passado. Se ao menos ela pudesse procurá-la durante o sono, talvez encontrasse algumas respostas.

Ficou rememorando todos os acontecimentos sem encontrar o que procurava. Estremeceu quando ouviu batidas na porta e a voz de Ernestina reclamando por ela estar fechada novamente.

Levantou-se apressada e foi abrir.

— Seu pai chegou e já está na mesa para jantar. Não se demore.

Carolina foi ao banheiro e lavou o rosto tentando desviar o pensamento do assunto que a preocupava. Depois desceu. Augusto Cezar e Adalberto estavam à mesa. Ela sentou-se enquanto Ernestina a olhava tentando descobrir por que ela ficava tanto tempo fechada naquele quarto.

— Ainda bem que você voltou — comentou Augusto Cezar. — Precisa ir à sua faculdade. Já paguei a matrícula deste ano.

— Podia ter me esperado. Eu mesmo queria fazer isso.

— Você estava demorando e eu gosto de pagar as contas em dia.

Adalberto fez uma pausa, hesitou um pouco e respondeu:

— Depois do jantar quero conversar com você sobre meus estudos.

Augusto Cezar arqueou as sobrancelhas e Ernestina estremeceu. Quando ele fazia isso era sinal de irritação.

— Por que não fala agora?

— Porque estamos comendo e prefiro prestar atenção na comida para ter boa digestão.

— Quem disse isso?

— Eu, pai. Na hora da refeição, devemos só falar sobre assuntos triviais.

Augusto Cezar não respondeu. Continuou comendo em silêncio. Assim que terminaram, Carolina pediu licença e foi para o quarto. Ela sabia o que o irmão ia dizer e temia a reação do pai. Ernestina ficou olhando quando os dois foram para a sala e hesitou. Não sabia se ia também ou se continuava seus afazeres costumeiros. Não gostava de deixar tudo para a criada. Preferia ela mesma cuidar das sobras de comida.

Augusto Cezar sentou-se e olhou para o filho em silêncio. Adalberto sentou-se diante do pai.

— Pai, estive pensando em minha carreira como advogado. Não quero me formar aqui, em uma cidade do interior. Em São Paulo conheci um advogado famoso, ele interessou-se pelo meu futuro. Fez-me ver que um advogado que se forma em uma faculdade do interior tem dificuldade para ser aceito no mercado de trabalho.

— Quem lhe disse essa bobagem não pode ser bom. Eu formei-me em uma cidade de interior e nunca tive problemas. O importante é ser um bom profissional.

— Eu não penso assim. Enquanto você se satisfaz em continuar morando aqui, eu não. Quero crescer na carreira. Por esse motivo, reservei uma vaga no segundo ano na melhor faculdade da capital.

Augusto Cezar levantou-se irritado:

— Quem o autorizou a fazer isso sem me consultar?

— Imaginei que você não permitiria. Portanto, já levei todos os documentos e consegui a vaga.

— Como? Você teve a capacidade de premeditar tudo isso? Pois foi trabalho perdido. Não vou permitir que faça isso.

— Pai, estou decidido e gostaria muito que me apoiasse.

— De forma alguma. Você vai é continuar aqui. Como eu lhe disse, já paguei a matrícula deste ano.

— Certamente eles lhe devolverão o dinheiro uma vez que não irei ficar aqui.

— Você não fará isso! Não ousará me desrespeitar!

— Desculpe, pai. Não o estou desrespeitando. Penso apenas em meu futuro.

— Seu futuro é aqui, ao lado de sua família — gritou ele nervoso.

Ernestina, que estava ouvindo a conversa, estremeceu. Por que seu filho teimava em conturbar o pai? Não podia entender.

— Sei disso, pai. Virei vê-los sempre que puder.

— Eu o proíbo de fazer isso. Está decidido.

— Sinto muito, pai, mas desta vez não vou lhe obedecer. Estou cuidando do meu futuro.

— Se fizer isso, nunca mais quero vê-lo. Não lhe darei nenhuma mesada.

— Estou decidido, pai.

— Nesse caso, pode arrumar suas coisas e deixar esta casa.

Ernestina não se conteve e entrou na sala chorando:

— Filho, obedeça seu pai. Não nos abandone.

Adalberto abraçou-a com carinho e respondeu:

— Você devia falar com ele, não comigo. É ele que está sendo intransigente. Você está errada em concordar com tudo o que ele quer. Um dia ainda vai se arrepender.

Augusto Cezar fulminou o filho com o olhar:

— Como fala assim com sua mãe? Perdeu o respeito por ela também? Vá embora agora mesmo. Não vai ficar aqui nem mais um minuto.

Adalberto baixou a cabeça, ficou em silêncio por alguns segundos, depois respondeu:

— Está certo, pai. Se é isso o que quer. Mas lembre-se de que é você quem está me expulsando desta casa.

Ernestina soluçava nervosa. Adalberto saiu da sala e foi para o quarto arrumar suas coisas.

Carolina, que ouvira as palavras do pai, foi à procura do irmão e abraçou-o com carinho.

— Você vai mesmo embora agora? Por que não espera até amanhã?

— Ele não vai mudar de ideia. Eu quero ir embora o quanto antes. Já previa que ele teria essa reação.

— Ele vai cortar sua mesada. Como fará para estudar em São Paulo sem dinheiro?

— Vou ficar na casa da vovó. Tenho algum dinheiro que deverá dar até eu arranjar um emprego.

— Vai trabalhar e estudar? Não vai ser difícil?

— Estou disposto a tudo para conseguir o que quero. Estou no segundo ano e pretendo arranjar emprego em um escritório de advocacia.

Carolina foi para o quarto e voltou em seguida com um envelope que entregou ao irmão:

— Fique com este dinheiro. Não é muito, mas pode ajudá-lo.

Ele hesitou:

— É melhor não. Vai lhe fazer falta.

— Não preciso de nada. Eles não me deixam nem sair de casa com medo que eu me comunique com Sérgio. De qualquer forma, chego a sentir uma ponta de inveja de você. Eu gostaria muito de ser livre também.

— Sua vez vai chegar. Farei tudo para ajudá-la a conseguir o que quer.

Carolina abraçou-o, beijando-o na face:

— Nunca pensei encontrar tanta compreensão em você. Sempre poderá contar comigo em tudo o que eu puder ajudá-lo.

Depois, Carolina sentou-se e ficou observando enquanto Adalberto decidia o que deveria levar ou não. Ele precisava levar os livros que eram pesados e Carolina emprestou-lhe uma mala.

Quando ele estava pronto, abraçou-a mais uma vez:

— Até um dia, Carolina.

— Diga ao Sérgio que adorei o presente. Vou escrever para ele e Áurea vai colocar a carta no correio. Vá com Deus.

Eles abriram a porta e Ernestina, em lágrimas, estava no corredor. Vendo o filho com as malas, aproximou-se e o abraçou:

— Filho, pense bem. Não vá. Diga a seu pai que está arrependido e ele vai deixá-lo ficar!

— Não posso, mãe. Não existe bem maior do que a liberdade. Você também vive prisioneira nesta casa. Não se posiciona, não ousa enfrentar papai que se comporta como um ditador. Aqui só se faz o que ele quer, do jeito que ele quer e quem não obedece se dá mal. Eu não posso viver assim. Lamento por você e por Carolina, outra vítima dele. E você, que nos ama e deveria estar do nosso lado, prefere ficar do lado dele. Assim como hoje está me expulsando desta casa, chegará o dia de fazer o mesmo com Carolina. Você ficará só e será tarde demais.

— Não fui eu quem o expulsou. Você está indo porque não quer obedecer.

— Você ficou do lado dele. Portanto, você também me expulsou. Mas eu sei que você faz isso porque é uma pessoa fraca, sem coragem para enfrentá-lo. Pense nisso, mãe. Sempre é tempo de acordar e assumir seu lugar de mulher, como companheira, não como uma serviçal. Até um dia.

Deu um beijo na face dela e outro em Carolina e desceu com as malas. Passou pela sala onde Augusto Cezar estava e não disse nada. Carolina desceu com uma valise de mão que era do irmão e entregou-a a ele.

Depois, com mão firme, Adalberto abriu a porta e saiu. Carolina fechou-a e foi caminhando em silêncio até seu quarto. Sua mãe não estava mais no corredor, ela entrou e fechou a porta com a chave.

20

Naquela noite Carolina deitou-se pensando no irmão. Ele mostrara-se forte e decidido. Ela o subestimara, Adalberto portara-se como um homem. Estava certa de que ele estava preparado para enfrentar a situação.

Ela também gostaria de poder fazer o mesmo, mas sua situação era diferente. Pensara em fugir com Sérgio, porém ele não queria submetê-la a uma situação dessas.

Preferia que tudo se resolvesse da melhor maneira. Carolina suspirou e preparou-se para dormir.

Apanhou a carta de Sérgio e deitou-se, lendo-a mais uma vez à luz do abajur. Depois pensou em Márcia. Ela prometeu ajudá-la. Carolina mentalizou o rosto dela e o lugar onde se encontraram, começou a rezar pedindo a Deus que a ajudasse a encontrar-se com ela. Em seguida, adormeceu.

Adalberto deixou a casa dos pais e foi diretamente para a rodoviária. Comprou a passagem para uma hora depois, deixou a bagagem registrada para o embarque e foi procurar Áurea.

Não podia ir embora sem contar-lhe o que acontecera. Eram mais de oito horas e a luz da sala estava acesa. Ele não desejava chamar a atenção dos pais dela para não ter de explicar os motivos da visita àquela hora.

A luz do quarto de Áurea estava acesa. Ele olhou em volta procurando alguma coisa para atirar na janela chamando sua atenção. Não encontrou nada. Tirou uma moeda do bolso e mirando a janela atirou. Pouco depois ela se abriu e Cíntia apareceu na janela.

Vendo Adalberto, fez-lhe sinal para que esperasse e, alguns minutos depois, Áurea saiu pela porta dos fundos e foi a seu encontro. Ele tinha ficado alguns metros distante da casa para não chamar a atenção.

Ela aproximou-se e notou logo que ele estava preocupado:

— O que aconteceu? — perguntou.

— O que eu já esperava. Conversei com papai e ele foi radical: ou eu desistia ou teria de sair de casa. Foi o que fiz. Estou indo embora para a casa de vovó.

— Está seguro do que está fazendo?

— Sim. Ele cortou-me a mesada, portanto, assim que chegar a São Paulo vou procurar um emprego.

Áurea abraçou-o sem dizer nada. Ela temia que se o pai pressionasse, ele não resistiria. Não esperava que ele enfrentasse a situação com firmeza. Afinal, Adalberto sempre lhe parecera mimado, sem coragem de fazer valer sua vontade.

— Comprei passagem e vou embora esta noite.

— Estou orgulhosa de você. Estou certa de que se continuar firme conseguirá tudo o que quer.

— Eu quero você! — respondeu ele beijando-a longamente nos lábios.

Ela correspondeu emocionada. O tom pareceu-lhe sincero.

— Pode contar comigo para o que precisar.

— Muito obrigado. Sentirei sua falta. Não demore para ir encontrar-me.

— Irei assim que puder.

Ficaram conversando mais um pouco, trocaram beijos de despedida. Com o apoio dela, Adalberto sentiu-se fortalecido.

Chegou à rodoviária dez minutos antes do ônibus partir. Certificou-se de que sua bagagem já fora colocada no bagageiro e acomodou-se.

O ônibus deixou a rodoviária no horário previsto. Vendo-se deixando a cidade em que sempre vivera, Adalberto sentiu emoção. Ia começar vida nova, estava ansioso, perguntando-se: o que lhe reservaria o futuro?

Pensou nos pais com raiva. A intransigência de Augusto Cezar, controlando tudo e todos, o irritava. Já a mãe era tão passiva e apagada que ao pensar nela sentia um aperto no peito e uma sensação desagradável.

Como ele gostaria que ela se rebelasse e não se curvasse às imposições do marido! Esse era um sonho que ele nunca realizaria.

Lembrou-se das palavras duras que o pai lhe dissera e fechou os punhos com raiva, pensando: "De hoje em diante só poderei contar comigo! Sou dono da minha vida! Vou me esforçar, vencer, conquistar meu lugar na sociedade. Quero mostrar a eles do que sou capaz!".

Era jovem, corajoso, inteligente. Tinha todas as qualidades para vencer. Além de tudo, havia Áurea.

Revendo a cena da despedida, sentiu um calor agradável no peito. Ele começara aquele namoro por brincadeira, mas agora sentia que estava gostando dela.

"Não posso perder tempo", pensou. "Amanhã mesmo vou procurar emprego. Desejo trabalhar na minha área. Vou me dedicar mais aos estudos e pensar em minha carreira. Quero ter dinheiro para as minhas despesas. Ainda tenho algum, mas não é muito. Logo vai acabar. Não desejo viver à custa de vovó. Ela tem uma situação financeira boa, mas o que tem é dela."

Durante toda a viagem, Adalberto foi fazendo planos para o futuro.

Passava da uma hora quando o táxi que conduzia Adalberto parou diante da casa de Guilhermina. Depois de pagar o táxi, o neto tocou a campainha. Demorou um pouco para que a luz da sala fosse acesa. Pouco depois, ele viu abrir a pequena janela da porta e o rosto de Dina espiar.

— Sou eu, Adalberto. Desculpe a hora. Acabei de chegar.

Imediatamente ela abriu a porta e ele entrou carregando a bagagem.

— Espero não ter acordado vovó nem tia Odete.

— Vim atender depressa para que elas não acordassem — respondeu Dina procurando não fazer ruído.

— É claro que eu acordei — disse Odete aparecendo na sala.

— Sinto muito, tia, ter chegado tão tarde... — desculpou-se Adalberto.

Odete o abraçou beijando-o na face com carinho:

— Quer saber? Foi brincadeira. Eu não estava dormindo. Às vezes acordo durante a noite e perco o sono. Passei pelo quarto de mamãe, ela continua dormindo.

— Ainda bem.

— Dina, leve a bagagem dele para o quarto e veja se tudo está em ordem.

Ele fez questão de ajudá-la e voltou em seguida para conversar com a tia. Ela o esperava na copa, arrumando a mesa para um lanche.

— Não se incomode, tia. Não estou com fome.

— Vamos comer alguma coisa. Quero tomar um café com leite para chamar o sono. Sente-se e, enquanto arrumo tudo, vamos conversar. Você chegando fora de hora faz-me pensar que estourou a bomba. Você contou a seu pai.

— Isso mesmo, tia. Ele foi irredutível. Não cedeu um milímetro. Por fim, fez-me escolher entre continuar estudando em nossa cidade ou ir embora de casa.

Odete colocou as xícaras na mesa e disse nervosa:

— Ele teve coragem?

— Teve. Como eu fiquei firme, cortou a mesada e mandou que eu saísse de lá. Por isso estou de volta.

— Como sempre ele exagerou! Por que é tão teimoso?

— Para dizer a verdade, eu já esperava. Sabia como ele reagiria. Mas fiquei firme. Amanhã mesmo pretendo sair para ver se consigo arranjar emprego.

— Você não deve trabalhar. Precisa estudar muito. Trabalhar vai atrapalhar seus estudos.

— Não se preocupe, tia. Quero trabalhar em um escritório de advocacia. Vou aprender muito, pode crer. Quando me formar já terei prática, o que vai me ajudar.

Odete dispôs tudo para um lanche, sentaram-se e, enquanto comiam, trocavam ideias sobre o futuro.

Desabafar com a tia, cuja compreensão e apoio o estimulavam, deixou-o confiante. Sentia-se livre e dono de si mesmo. Nunca sentira essa sensação antes.

Odete ouvindo-o falar surpreendeu-se e notou o quanto o sobrinho tinha amadurecido em apenas alguns dias.

Dina apareceu na copa dizendo:

— Seu quarto está pronto. Troquei os lençóis e tem toalhas limpas no banheiro.

Eles terminaram de comer e Odete ajudou Dina a tirar a mesa, dizendo:

— Vá dormir, Dina. Deixe essa louça para amanhã.

— Não senhora. É pouca coisa e vou arrumar tudo agora.

— Faça como quiser.

Odete acompanhou o sobrinho até o quarto, verificou que tudo estava em ordem, depois o beijou com carinho na face:

— Seja bem-vindo em nossa casa, meu filho. Apesar de seu pai estar zangado, sinto-me feliz por tê-lo aqui conosco. Durma com Deus.

— Você também, tia. Desejo que agora consiga dormir melhor — respondeu beijando a testa dela com carinho.

Ela se foi. Ele lavou-se, vestiu o pijama, deitou-se. Apesar de cansado, sentia-se bem. Era muito bom sentir-se livre da opressão paterna. Logo adormeceu.

No dia seguinte, Carolina acordou pensativa. Havia pedido para visitar Márcia durante o sono, mas nada acontecera. Mesmo assim, ela não perdia a esperança de ter um encontro com ela. Todas as noites Carolina pedia a Deus para encontrar-se com Márcia.

Áurea comparecia a sua casa todas as tardes e dava-lhe notícias de Adalberto e de Sérgio, insistindo para que ela não desanimasse e motivando-a a estudar.

— Tendo uma carreira, você vai libertar-se da tutela de seus pais e conseguir a verdadeira independência. Adalberto saiu de casa, mas só vai conquistar a independência quando tiver dinheiro para sustentar-se.

— Você acredita que ele vai conseguir? Às vezes ele me parece um tanto displicente.

— Quando o conheci ele era mesmo imaturo, mas de uns tempos para cá ele amadureceu. Tomou essa decisão com firmeza e acredito que vai levá-la até o fim.

— Fico aliviada. Seria muito triste se ele desistisse e voltasse para casa.

— Ele não vai fazer isso. A liberdade é uma conquista tão prazerosa que vai lhe dar forças para superar as dificuldades. E você está mesmo decidida a fazer Direito?

— Estou. Por enquanto terei de me ater às faculdades da nossa cidade.

— Não importa. Comece mesmo assim. Mais tarde, se desejar mudar, não lhe será difícil.

— Eu gostaria de fazer psicologia como você. Gosto de aprender a lidar com as minhas emoções, entender melhor o ser humano. Mas não será possível.

— Você pode fazer Pedagogia, Direito, Letras, Filosofia. Vai se dar bem em qualquer uma delas.

— Escolhi Direito mesmo.

Áurea sorriu:

— Escolheu bem. Estou certa de que dará ótima advogada. Não tenho muito tempo, logo terei de voltar para São Paulo, mas posso prepará-la antes.

— Acho que perdi este ano. O vestibular já foi.

Áurea pensou um pouco, depois disse:

— Perder um ano não é nada bom. Você não disse que seu pai é amigo do doutor Eurico?

— É, mas o que tem isso?

— Ele faz parte do conselho da faculdade. Seu pai pode pedir a ele que interceda para que você faça um exame e prove que está apta para cursar o primeiro ano. Você acha que ele faria isso?

— Não sei se papai vai querer pedir-lhe esse favor... Ainda mais que não vai gostar da carreira que escolhi.

— Por que não? Ele ficará muito satisfeito por você ter decidido estudar. Ele disse que você teria que cursar uma faculdade, não importava qual. Lembra-se? Eu mesma vou ficar até um pouco mais tarde só para conversar com ele.

— Está bem. Vamos ver.

— Não gostou da ideia?

— Eu queria mesmo é voltar para São Paulo.

Áurea riu com gosto e respondeu:

— Isso eu sei! Mas pelo menos, enquanto não tiver uma solução melhor, você poderá sair de casa e comunicar-se com Sérgio ou Adalberto. Já pensou como será sua vida depois que eu for embora?

Carolina suspirou:

— Nem me fale uma coisa dessas! Fico arrepiada só em pensar. Está bem. Vamos fazer como você diz.

— Então vamos tratar de estudar. Não temos muito tempo.

Quando Augusto Cezar chegou, as duas desceram e depois de cumprimentá-lo Áurea disse alegre:

— Carolina tem uma ótima notícia para o senhor.

Ele olhou-as sério e perguntou:

— Qual é, Carolina?

— Escolhi cursar uma faculdade. Vou fazer Direito.

— Direito? Esse não é curso para uma moça!

— Dos que têm em nossa cidade, foi o que me atraiu mais.

— Por quê? Pedagogia seria muito mais indicado para uma moça.

— Não penso assim. Prefiro ser uma boa advogada a uma péssima pedagoga. Para estudar com entusiasmo é preciso gostar. Se não for esse curso, prefiro não fazer nenhum.

— Você sempre encontra um jeito de me contrariar.

— Sinto muito, papai, mas estou dizendo a verdade. Você disse que eu podia escolher qualquer curso contanto que fizesse uma faculdade.

Augusto Cezar ficou pensativo durante alguns segundos, depois disse:

— Eu disse isso mesmo. Faça o que quiser, mas deveria ter resolvido antes para não perder o ano.

— De fato — interveio Áurea —, o vestibular já passou. Mas, se o senhor nos ajudar, talvez Carolina consiga matricular-se ainda este ano. As aulas ainda não começaram.

— Não entendi. Como eu poderia ajudar?

Áurea explicou sua ideia e finalizou:

— Ela faz o exame, se passar estará tudo resolvido.

Augusto Cezar ficou silencioso durante alguns minutos, depois disse:

— Você tem razão. Vale a pena tentar. Vou procurá-lo logo depois do jantar. Só espero que ela passe mesmo.

— Estou certa de que ela conseguirá — reafirmou Áurea. — Em todo o caso, se o senhor permitir, amanhã virei mais cedo. Temos de repassar todas as matérias.

Depois que ela se foi, Carolina foi para o quarto. Estava cansada de ficar presa em casa. Pelo menos, se entrasse na faculdade poderia distrair-se.

Áurea tinha razão. Enquanto a sua situação com Sérgio não se resolvesse, ela deveria aproveitar o tempo, aprimorando seus conhecimentos. Tanto Sérgio como sua família eram pessoas cultas e ela não queria ser ignorante.

No quarto, apanhou a relação de matérias do curso que escolhera e preparou uma lista das que ela julgava saber menos para rever no dia seguinte.

Na hora do jantar, Carolina notou que o pai estava mais gentil com ela e resolveu dar mais atenção a ele. Assim seria mais fácil ganhar sua confiança. Estava cansada de ser tratada com severidade. Ernestina notou que algo tinha se modificado e, mesmo sem saber o que era, sentiu-se aliviada.

Depois que Adalberto saíra de casa ela sentia-se muito triste. Seu filho, bonito, alegre, era seu orgulho. Ficava feliz quando alguém o elogiava, achando-o bonito.

Não se conformava com o que ele havia feito. Por que ele tinha se revoltado? O pai era o chefe da casa. O dever dos filhos era obedecer aos pais.

Ela fora educada com severidade. Seus pais não permitiam que ela falasse durante as refeições e mesmo depois de mocinha só lhes dirigia a palavra se eles perguntassem alguma coisa. Quando se casou, sua mãe teve uma conversa séria com ela afirmando que é dever da mulher amar e obedecer ao marido. “Ele é o chefe do lar. A esposa tem de ser dócil, prestativa, sempre disposta a servi-lo, sem retrucar." Essa frase não lhe saía da cabeça.

Adalberto se revoltara contra ela: "Você está errada em concordar com tudo o que ele quer. Um dia vai se arrepender".

Isso era injusto. Ela estava cumprindo seus deveres de mãe e esposa. Por que ele não entendia isso? Quando pensava no filho, uma dor aguda em seu peito a deixava angustiada e inquieta.

Lembrava-se de quando ele era pequeno, do prazer que sentia em amamentá-lo, dar-lhe banho, cuidar de tudo para que ele ficasse bem. Agora, depois de crescido, ele não a valorizava. De que lhe servira tanta dedicação se só colhera ingratidão?

Nesses momentos uma revolta surda a acometia. Por que a vida a castigava dessa forma? Ela estava cumprindo seu dever, não merecia isso.

Estava sendo difícil aparecer diante do marido com a fisionomia calma, alegre, como ele gostava. Fazia tudo para encobrir a palidez, as olheiras, mas ainda assim ele notou.

— Por que você está com essa cara? — perguntara no dia anterior.

— Não tenho me sentido bem.

— Você está pálida mesmo. Amanhã vou levá-la a uma consulta no doutor Jorge.

— Não é preciso. É apenas uma indisposição passageira. Nada de mais.

Augusto Cezar a olhara sério e prometera:

— Se não passar até amanhã, vou levá-la ao médico. Não gosto de ver pessoas abatidas ao meu lado, me deprime.

No dia seguinte, Ernestina se esforçara para melhorar a aparência, mas apesar de pintar-se discretamente, não conseguiu.

Inconformado, no fim do dia o marido levou-a ao doutor Jorge. Depois de examiná-la cuidadosamente, ele disse:

— Vamos fazer exame de sangue. Ela parece anêmica.

Augusto Cezar não gostou:

— Minha mulher não é anêmica. Em minha casa tomamos muitos cuidados com a alimentação. Não falta nada.

Pacientemente o médico respondeu:

— Sei que ela se alimenta bem, mas pode sofrer de algum problema que a impeça de aproveitar bem os alimentos.

Augusto Cezar concordou e a acompanhou ao laboratório para a realização do exame. Alguns dias depois, voltaram ao médico com o resultado.

Jorge abriu o envelope, leu atentamente, depois disse:

— Está tudo bem. Ela não tem nada.

— Mas ela não tem estado bem, anda inquieta, abatida. Deve ter alguma coisa! É melhor examiná-la de novo.

O médico notou que Ernestina estava muito nervosa, remexia-se na cadeira e seus olhos estavam angustiados. Ele sabia o quanto Augusto Cezar era autoritário e se agastava por pouca coisa. Por esse motivo, escolheu as palavras para dizer o que pensava:

— Vou receitar-lhe um calmante. Dona Ernestina está um pouco nervosa. O filho foi estudar fora, ela deve estar com saudades. Sabe como é mãe.

Ernestina olhou para o médico assustada, mas não disse nada. Foi Augusto Cezar quem respondeu:

— Ela não tem nenhum motivo para estar nervosa. Ele escolheu o próprio caminho. É um ingrato. Preferiu ficar longe de nós.

— Os primeiros tempos são os mais difíceis. Por que não a leva para visitá-lo? Esse seria o melhor remédio.

Augusto Cezar levantou-se:

— De forma alguma. Ele é que terá de voltar atrás e nos pedir desculpas. Nós não iremos procurá-lo.

Jorge olhou-o sério e respondeu:

— Você precisa melhorar esse seu gênio senão algum dia ainda vai acabar mal.

— Você está enganado. Sei controlar minhas emoções. Ernestina vai ter de aprender a fazer o mesmo.

— Como vai Carolina? Também está na capital?

— Não. Carolina está em casa e passa muito bem.

O médico prescreveu a receita e entregou-a a Ernestina dizendo:

— Você vai tomar uma cápsula depois do café e outra antes de dormir. Dentro de quinze dias volte. Quero saber como está. Durante esse tempo, procure distrair-se, passear um pouco, ir ao cinema, ao clube. Há muito tempo não os vejo em parte alguma.

Ernestina guardou a receita na bolsa, olhou o marido e respondeu:

— Obrigada, doutor. Farei como mandou.

Depois que eles deixaram o consultório, Augusto Cezar não se conteve:

— O Jorge está se intrometendo muito em nossa vida. Se continuar assim, teremos de procurar outro médico.

Ela não respondeu. Para quê? Sentia um aperto no peito, um vazio que nada conseguia preencher. Ela precisava continuar fazendo tudo que podia para que o marido não soubesse dos seus sentimentos.

21

Um mês depois da partida de Adalberto, Carolina estava no quarto pensativa. Na véspera, Áurea viera despedir-se. Ela também fora embora. Suas aulas estavam para começar.

Durante esse tempo, tivera notícias do irmão e de Sérgio, mas nunca mais ele viera buscá-la durante o sono.

Sabia que tudo continuava igual. Adalberto estava bem na casa da avó e esperava ansioso o início das aulas. Ele tinha procurado emprego em alguns escritórios de advocacia, mas não conseguira nada.

Para ela a rotina estava insuportável. Seu pai convencera Eurico a interferir e conseguir permissão para ela fazer o exame e não perder o ano.

Mas Carolina estava preocupada: Como obter notícias de Sérgio e Adalberto agora que Áurea se fora?

Para não pensar nisso se entregou aos estudos. Se entrasse na faculdade, teria de sair de casa e assim talvez pudesse driblar a vigilância e conseguir notícias.

As pancadas na porta a tiraram de seus pensamentos íntimos. A voz de Ernestina chamando-a fê-la estremecer:

— Abra a porta, Carolina! Você não perde o péssimo costume de se trancar. Seu pai já está à mesa para o jantar.

Carolina suspirou e respondeu:

— Já vou.

— Não se demore.

Ela largou o livro e imediatamente abriu a porta. Ernestina já havia descido. Nos últimos tempos sua mãe estava nervosa demais. Vivia reclamando o tempo todo. Só se calava diante do marido.

Perdia a paciência com Rute e andava inquieta. Certa vez, Carolina lhe perguntou se estava nervosa por causa do que acontecera com Adalberto. Ela ficou irritada, seu rosto ruborizou-se e ela respondeu com raiva:

— Cale a boca. Você é bem capaz de dizer isso na frente de seu pai!

Surpreendida, Carolina não respondeu. Ela não entendia por que a mãe tinha tanto medo do marido. Ele era teimoso, mas não violento. Decidiu não lhe perguntar mais nada.

Quando Carolina desceu para o jantar, já encontrou os pais à mesa. Sentou-se por sua vez e esperou que eles se servissem. Depois se serviu.

— Como vão os estudos? — indagou ele.

— Estou estudando muito.

— Trago boas notícias. O Eurico conseguiu o exame.

— Que bom, pai!

— Agora vamos ver se você não me desaponta. Eu lhe disse que estava bem preparada.

— E estou. Sei que dão grande importância à redação e nisso sou boa. As demais matérias tenho estudado muito. Peguei os livros de Adalberto, ele os deixou para mim.

Augusto franziu o cenho e não respondeu logo. Depois de alguns minutos disse:

— Espero que seja verdade. O exame foi marcado para depois de amanhã. As aulas terão início na próxima semana.

— Vou rever tudo até lá. Estou certa de que vou conseguir.

Ernestina comia em silêncio. Carolina notou que ela estava comendo muito menos do que antes. Seria por isso que estava emagrecendo tanto e ficando tão abatida?

Depois do jantar, Carolina foi para o quarto e decidiu continuar estudando. Passava das dez quando fechou o livro e foi lavar-se para dormir. Sentia-se cansada de tanto ler e não conseguia mais nem entender o que lia.

Deitou-se, querendo descansar. Naquela noite nem fez a oração costumeira pedindo que Marcos viesse buscá-la. Era o que mais desejava. Dormiu em seguida.

Sonhou que estava caminhando por uma casa grande e antiga, procurando a saída. Sentia-se angustiada e ansiosa. Só sabia que precisava fugir e não conseguia.

De repente, uma porta abriu e um homem surgiu. Seus olhos brilhavam rancorosos e ela sentiu seu medo aumentar. Ele aproximou-se:

— Não adianta. Você não vai escapar. Dei ordem para que acabem com ele de uma vez!

Ela sentiu uma dor imensa e sem poder controlar-se pediu:

— Acabe comigo. Eu sou a culpada. Mas não faça nada a ele! Por favor!

— Vocês vão pagar! Nunca mais o verá!

Carolina sentia-se como se estivesse dividida em duas. Uma dialogando com ele, sentindo terror e angústia, a outra observando atentamente a cena.

— Você é minha e farei de você o que eu quiser!

Aproximou-se dela abraçando-a e querendo beijá-la. Horrorizada, ela lutava para desvencilhar-se daquele homem, seu corpo tremia e cobria-se de suor. Acordou desesperada, corpo suado, dolorido, cabeça zonza. Atordoada, sentou-se na cama.

“Foi um pesadelo”, pensou trêmula.

Quando se acalmou um pouco, levantou-se, apanhou um copo de água e bebeu tentando reagir.

Deitou-se novamente, mas sentiu medo de dormir e reencontrar aquele homem. Se ao menos ela pudesse pedir ajuda a Marcos! Ele certamente poderia explicar-lhe por que tivera esse pesadelo.

Mas, de alguma forma, aquela cena era-lhe familiar. O que pensar? Sentia que temia e odiava aquele homem.

Analisando seus sentimentos começou a pensar que talvez tivesse a ver com uma encarnação anterior.

Lembrou-se de que Marcos dissera-lhe que ele já havia feito o necessário para libertar-se do passado, mas que para poderem ficar juntos era preciso que ela fizesse a parte dela.

Quanto mais pensava, mais sentia que estava no caminho certo. Já mais calma, elevou seu pensamento agradecendo a Deus por essa revelação e pediu ao espírito de Márcia que a ajudasse a recordar-se dos fatos que deram origem ao empecilho que persistia, separando-a de Sérgio.

Durante os dias que se seguiram, Carolina lembrou-se diversas vezes daquele sonho. As emoções eram muito fortes e estava difícil esquecer.

Ela estudara bastante para o exame e no dia marcado rezou pedindo ajuda para se recordar de tudo o que estudara. Na faculdade, fez um exame oral e outro escrito e não teve dificuldade.

O professor Eurico fazia parte da banca examinadora e, quando ela terminou, ele fez-lhe sinal para que aguardasse do lado de fora.

Meia hora depois, ele foi ter com ela satisfeito:

— Você foi muito bem. Já conferimos as respostas e você conseguiu a vaga. Gostei muito da prova oral. Você tem o dom da palavra. Estou certo de que será uma ótima advogada. Meus parabéns!

Carolina, satisfeita, apertou a mão que ele lhe oferecia.

— Obrigada, professor. Sem a sua ajuda eu teria perdido o ano.

— O que seria uma pena. Você já pode ir à secretaria cuidar da matrícula.

Quando se dirigia à secretaria, encontrou o pai.

— E então? Como foi?

— Passei, pai. O professor Eurico mandou cuidar da matrícula.

Ele acompanhou-a, e depois de tudo encaminhado eles saíram. Carolina ia calada, pensando se ele iria acompanhá-la todos os dias em suas idas à faculdade ou colocaria alguém. Mas não perguntou nada. Seria melhor fingir que havia se esquecido de Sérgio. Se perguntasse alguma coisa a respeito, ele ficaria desconfiado.

Quando chegaram em casa, deram a notícia para Ernestina, que suspirou aliviada. Era um problema a menos. Se ela não tivesse passado, Augusto Cezar ficaria irritado e ela não teria paz.

— Ainda bem — comentou ela.

Ela disse isso sem demonstrar contentamento e Carolina observou-a pensativa. Ernestina parecia-lhe distante, fora da realidade, sem alegria ou entusiasmo.

Carolina foi para o quarto cuidar de suas coisas. As aulas começariam dentro de uma semana. Havia meses ela estava fechada em casa, perdera o prazer de arrumar-se. Suas roupas estavam velhas e feias.

Ela sabia que nessa faculdade as moças andavam na moda, caprichavam na maquiagem.

Durante o jantar, Carolina comentou com o pai a necessidade de renovar seu guarda-roupa, ao que ele concordou. Disse para Ernestina:

— Amanhã você vai com ela comprar tudo o que for preciso. Nossa filha precisa apresentar-se bem.

Carolina agradeceu satisfeita:

— Obrigada, pai.

Na tarde do dia seguinte, Carolina saiu com a mãe para fazer compras. Os conhecidos admiravam-se de vê-la. Pensavam que ela continuava morando na capital.

Ernestina não dava opinião na escolha das roupas. Só fazia questão da boa qualidade. Observando a mãe, Carolina notava que ela não estava bem. Ao encontrar-se com pessoas amigas, com as quais se dava bem, ela conservava o ar entristecido e o rosto indiferente. Não demonstrava entusiasmo por ninguém nem por nada. Ao fixar o olhar na mãe, Carolina sentia um aperto opressivo no peito.

Chegaram em casa quase na hora do jantar e Ernestina correu para a cozinha a fim de verificar se Rute estava fazendo tudo certo e não ia atrasar o jantar.

Carolina subiu para tomar um banho e o jantar, para alívio de Ernestina, foi servido pontualmente no horário de sempre.

Augusto Cezar estava bem-disposto. Ver a filha na faculdade era um dos seus sonhos. Foi amável com ela perguntando o que haviam comprado. No fim, comentou:

— Só não gostei da carreira que você escolheu. Não é profissão para mulher.

— Isso era antigamente. Pelo que percebi na lista dos aprovados, há muitas moças fazendo esse curso. O professor Eurico, que ajudou no exame, elogiou-me, disse que serei uma ótima advogada.

— Vamos ver. Pelo menos vai se formar. Ter uma profissão liberal. Isso é que importa.

Depois do jantar, Carolina foi para o quarto. Tinha um romance que havia parado na metade para estudar e pretendia continuar a ler.

A história estava interessante e ela leu até ficar com sono. Fechou o livro e acomodou-se para dormir. Seu pensamento foi até Sérgio. Será que viria buscá-la naquela noite?

Fez uma oração pedindo proteção e a presença dele e logo adormeceu. Em seguida, viu-se andando por um jardim muito bonito. Olhou em volta e reconheceu o jardim a que Marcos a levava quando se encontravam.

Diante do banco em que eles costumavam ficar, ela parou, sentou-se e esperou para ver se ele viria ter com ela.

— Hoje Sérgio não virá!

Carolina voltou-se e Márcia estava diante dela.

— Que bom vê-la! — disse abraçando-a. — Ele não tem vindo me ver e eu tenho chamado por você.

— Marcos não tem podido ir buscá-la. Tenho ouvido seu chamado, mas essas coisas só ocorrem quando chega o momento certo. Nem sempre é quando a gente quer.

— Sinto-me feliz. Hoje eu consegui vir até aqui.

— Vamos nos sentar e conversar. Esse nosso encontro aconteceu porque você começou a recordar de seu passado.

— Sinto que você faz parte dele. Não é verdade?

— Sim.

— Eu sabia! Sinto um carinho muito grande por você.

— Nós fomos muito próximas. Você foi minha filha.

Carolina sentiu uma onda de emoção e abraçou-a novamente.

— É por isso que eu a amo tanto! Diga-me, o que aconteceu que impede que eu fique com Sérgio?

— É melhor você descobrir.

— Eu preciso saber. Estou com medo! Há um homem que me persegue, eu tento fugir, mas ele não deixa!

— Ele agora não pode fazer-lhe mal. O que você viu foram cenas que já aconteceram e no momento não podem se repetir.

— Mas ele queria me beijar, falava em matar alguém: pensei em Sérgio e talvez ele esteja correndo perigo! Tenho de avisá-lo!

— Sérgio está muito bem e não corre nenhum perigo.

— Por favor, proteja-me. Ele pode voltar.

— Acalme-se. Não vai acontecer nada de mal. Você está protegida.

Márcia segurou a mão dela, fazendo-a sentar-se, e sentou-se a seu lado. Carolina, vencida pela emoção, soluçava nervosa.

Márcia alisou-lhe os cabelos com carinho dizendo:

— Minha querida! Sei que é doloroso recordar momentos difíceis, mas é desta forma que você vai descobrir o que deseja.

— Você prometeu me ajudar.

Márcia levantou-se:

— Venha comigo.

Carolina levantou-se, Márcia passou seu braço no dela e ambas se dirigiram até um dos prédios. Entraram e seguiram por um corredor.

Carolina, olhos marejados, a seguia em silêncio. Diante de uma porta pararam. Márcia acionou um botão que tinha na lapela, a porta se abriu e elas entraram.

A sala tinha uma atmosfera azul, havia uma maca e alguns aparelhos. Um jovem com um jaleco branco aproximou-se e fixou seus olhos em Carolina. Ela sentiu-se mais calma. As mãos dele eram delicadas e quando ele as colocou em seus braços ela sentiu-se tomada de uma sensação agradável, difícil de descrever.

Delicadamente ele conduziu-a à maca fazendo-a deitar-se. Depois disse com voz suave:

— Deus está em seu coração. Sinta-se unida a Ele, que a abençoa e fortalece. Confie. Deixe-se conduzir.

A voz dele era suave, confortante, e, à medida que ele falava, Carolina sentia que um rodamoinho de energias a envolvia.

Em seguida, as cenas começaram a acontecer. Ela viu--se jovem, com roupas do começo do século dezenove, em um baile, sendo cortejada por vários homens. Viu entrar um homem moço, vestido com trajes de nobreza. Todos se voltaram para ele, reverenciando-o.

Uma senhora disse baixinho:

— Ele é Lord Norton, senhor do condado de York Lodge.

Ele fixou os olhos nela com interesse, disse alguma coisa a um dos seus pajens, caminhou até um dos lados da sala e acomodou-se na mesa principal. Essa cena desapareceu e ela viu-se depois dançando com ele, sentindo-se lisonjeada por ter sido a preferida. Ela sentiu-se importante. Gostou de notar que as outras mulheres a olhavam com inveja.

Depois, várias cenas apareceram, e ela sempre ao lado dele, vaidosa e satisfeita. E ele, apaixonado e disposto a atender a todos os seus caprichos.

Viu quando ele a pediu em casamento e ofereceu-lhe valiosas joias selando o compromisso. Carolina sentia-se fascinada visitando as propriedades de Lord Norton.

Revivia as cenas do seu passado sentindo as emoções daqueles tempos, mas ao mesmo tempo percebendo o quanto se envaidecera por despertar o amor de um homem tão poderoso.

O casamento foi digno de um rei, tal o luxo e a beleza da recepção. Carolina lembrou-se de como se sentira orgulhosa e feliz e como mergulhou em uma onda de festas e recepções onde sempre era a pessoa principal.

Até que uma noite, quando viajava para Londres escoltada por sua dama de companhia e um valete, sua carruagem foi assaltada. Dois homens mascarados os fizeram parar, apropriaram-se de todas as suas joias e agrediram o valete que caiu desmaiado. Um deles, entusiasmado com a beleza dela, obrigou-a a descer enquanto o outro apontava a arma para o cocheiro apavorado e sua dama de companhia desmaiava.

O ladrão abraçou-a com força e tentou beijá-la. Ela procurou defender-se como pôde, mas ele era muito mais forte e dominou-a com facilidade. Carolina sentia um cheiro forte de álcool que lhe dava náuseas, gritou mais de raiva do que de medo:

— Largue-me, não faça isso comigo. Vá embora antes que os meus cavaleiros apareçam. Saia daqui!

Ela sabia que não viera escoltada e ninguém iria aparecer, mas tentou enganá-lo.

Ele não se incomodou e beijou-a com ardor. Carolina sentiu nojo e deu-lhe uma tremenda bofetada. Ele riu e respondeu:

— Eu gosto de mulher brava!

Começou a tentar desabotoar a roupa dela, que se debatia tentando livrar-se dele, rasgou sua blusa, deixando à mostra parte de sua roupa íntima.

Nesse momento uma mão forte o arrancou dela, vibrando-lhe violento soco enquanto dizia:

— Fique quieto se não quiser que eu arrebente sua cabeça com uma bala!

Carolina então notou que o rapaz segurava o seu agressor por trás, impedindo-o de reagir, enquanto um outro libertava o cocheiro e amarrava o bandido.

Depois que os dois rapazes controlaram os ladrões, tendo-os bem amarrados, devolveram a Carolina todas as suas joias, ajudaram o valete e a dama de companhia a recuperar-se e se apresentaram. O homem que socorrera Carolina disse:

— Meu nome é Marcos.

— Marcos!

Nesse instante a cena desapareceu e Carolina sentou-se na maca assustada. Mil perguntas apareciam em sua mente e ela olhou para Márcia, mas ela fez-lhe um sinal para que ficasse calada.

O rapaz fê-la deitar-se de novo, colocou a mão sobre sua testa e Carolina sentiu-se mais calma. Empolgada com a presença de Marcos, fechou os olhos desejando encontrá-lo novamente.

Então se viu cortejada por ele em várias cenas, até o momento em que ambos se entregaram ao sentimento de amor que sentiam. Até então ela nunca tinha amado de verdade. Arrependeu-se de ter se casado, mas era tarde demais.

Sem querer perder o amor de Marcos, Carolina entregou-se a ele e passaram a se encontrar às escondidas.

Marcos não gostava dessa situação e insistia para que eles fugissem para longe, onde ninguém os pudesse encontrar. Ele estava disposto a deixar tudo para poder estar com ela.

Mas Carolina não aceitou. Marcos, embora pertencesse a uma família nobre, não era rico, e se abandonassem tudo teriam de começar a vida sem nada.

Ele insistia, ela negava, mas o sentimento que os unia estava cada dia mais forte e eles continuaram se encontrando.

Até a noite em que uma carta anônima alertou Lord Norton, e ele acabou por encontrá-los juntos. Cheio de ódio, levou Carolina e Laura, sua filha de três anos, para uma propriedade no interior, onde costumavam passar o verão.

Cheio de amargura e raiva, Norton a trazia vigiada constantemente e a tratava com rudeza e crueldade. Do homem delicado e atencioso que satisfazia a todas suas vontades, não restou nada.

Mantinha relacionamento íntimo com a esposa, contra a vontade dela, que, se antes o tinha como um amigo, agora passara a odiá-lo.

Ela reviu a cena de seu sonho quando ele ameaçara matar Marcos e chorou desesperada.

As cenas se apagaram e Carolina acordou soluçando. Sentou-se na maca dizendo triste:

— Agora eu sei, recordo-me de tudo. Durante muitos anos estive prisioneira de Norton, que nunca me perdoou. Laura foi internada em um colégio e nunca mais a vi. Muitas vezes pedi a ele que me deixasse vê-la, mas ele dizia que eu não era digna para isso.

"Em uma noite ouvi uma conversa entre Norton e um de seus homens e soube que Marcos tinha sido ferido em uma briga e estava entre a vida e a morte. Suspeitei de Norton. Ele prometera acabar com Marcos. Fiquei desesperada e, à noite, quando todos dormiam, decidi fugir. Arrumei alguns pertences em uma maleta, fiz uma corda amarrando os lençóis e desci pela janela.

Estava quase alcançando o chão quando ouvi um tiro e ao mesmo tempo senti um fogo queimando meu peito, não vi mais nada."

Márcia aproximou-se e abraçou-a dizendo:

— Atingida por um dos vigias que julgou tratar-se de um ladrão, você deixou a carne. Anos depois, quando vim para esta comunidade, você já estava aqui. Ficamos juntas durante algum tempo, estudando e nos preparando para o futuro.

— Eu me arrependi de ter sido tão leviana tendo me casado com Norton só por vaidade, sem amor. Paguei um preço muito alto.

— Ele sofreu muito com a sua morte, trancou-se em seu castelo até o fim da vida. Laura deixou o colégio, eu a visitava sempre em Londres. Era uma moça encantadora. Norton lhe dissera que você estava muito doente e por isso tinha de viver reclusa e não podia vê-la. Ela sofria muito. Pedia-lhe para vê-la, mas ele só lhe permitiu quando você estava morta.

— Depois que vim para cá, obtive permissão para vê-la e acompanhei sua vida. Mas quando precisei reencarnar perdi o contato. Gostaria muito de saber onde ela está.

O rapaz interveio:

— Chega por hoje. Você agora precisa refazer-se. Deite-se novamente.

Carolina estava excitada demais e desejava fazer mais perguntas, porém o assistente a fez deitar-se.

— Sei que este não é um sonho. Não quero esquecer tudo quando voltar ao meu corpo.

— Você vai se lembrar apenas do essencial. Agora, relaxe, pense que tudo isso já passou e que hoje você está em outra experiência.

Carolina fechou os olhos e em seguida adormeceu.

Márcia alisou os cabelos dela com amor e beijou-a na testa.

— Vá em paz, minha filha. Deus a abençoe.

A porta da sala abriu-se e uma jovem mulher entrou fazendo Carolina, semiadormecida, levantar-se. Abraçando-a pela cintura, ambas reiniciaram o caminho de volta.

22

Na manhã seguinte, Carolina abriu os olhos, olhou em volta tentando recordar-se do sonho. Em sua lembrança várias cenas misturavam-se, porém as mais claras eram as do seu encontro com Márcia, da sala azul onde estivera e das emoções fortes que sentira ao deitar-se naquela maca.

Aos poucos foi se lembrando do passado, onde a figura de Norton aparecia ameaçadora e a de Marcos apaixonado, impulsivo, insistindo para que fugissem para longe. Um sentimento de arrependimento a acometeu ao lembrar-se de que ela não aceitou partir porque ele não poderia manter o luxo a que ela estava habituada.

O que teria acontecido com Marcos? Norton o teria assassinado? Márcia não lhe dissera. Talvez ele mesmo lhe contasse quando se encontrassem.

Reconhecia que tinha sido ambiciosa, leviana. Teria sido por esse motivo que a vida não permitia que ficassem juntos? Onde estaria Norton, também teria reencarnado? Como saber?

Márcia deveria saber, mas não tocara no assunto. Por quê?

Algumas batidas na porta do quarto a fizeram levantar-se e ir abrir. Ernestina estava do lado de fora:

— Como sempre a porta fechada à chave. Seu pai já está à mesa tomando café e você sequer se levantou. Apresse-se. Você sabe que ele não gosta de esperar.

Carolina correu para lavar o rosto e escovar os dentes. Vestiu-se o mais rápido que pôde. Ao chegar à copa, notou que seu pai já havia se servido e estava passando manteiga no pão. Vendo-a chegar apressada ele comentou:

— Você está atrasada.

— Desculpe, papai. Fiquei estudando até tarde e não ouvi o despertador.

Carolina serviu-se de café com leite, passou manteiga no pão e começou a comer. Apesar de tentar dissimular, sentia que estava diferente naquela manhã. Sentia-se mais atenta, observando coisas que antes lhe passavam despercebidas.

Olhou a mãe que se servia e comia lentamente, ao mesmo tempo em que permanecia atenta para que nada lhes faltasse, e pareceu-lhe que ela estava mais velha, mais curvada, como se carregasse um grande peso nas costas.

Estremeceu lembrando-se do sonho quando a carruagem foi assaltada e sua dama de companhia desmaiara. A figura dela ajustou-se à de Ernestina e Carolina entendeu que as duas eram a mesma pessoa. Sua mãe era sua dama de companhia reencarnada.

Tentando dissimular o assombro, tomou alguns goles de café com leite procurando acalmar-se.

O telefone tocou e Ernestina levantou-se para atender. Augusto Cezar ficou irritado:

— Você não deve atender. As pessoas precisam aprender a respeitar nossa privacidade. Telefonar a esta hora da manhã é de muito mau gosto.

O telefone continuava tocando, Rute atendeu e pediu para a pessoa ligar mais tarde.

Observando o rosto contraído do pai, Carolina quase engasgou com o café com leite. Viu a figura de Norton colar-se ao pai. Naquele momento teve a certeza de que Augusto Cezar era Norton reencarnado.

Isso esclarecia os motivos pelos quais ele não aceitara seu casamento com Sérgio. Mesmo esquecido dos acontecimentos do passado, o pai ainda a mantinha reclusa e não queria libertá-la.

A revelação foi muito forte e Carolina empalideceu, colocou a xícara no pires e disse com voz fraca:

— Não estou me sentindo bem. Preciso ir ao banheiro.

Augusto Cezar olhou-a com certa preocupação:

— Você está pálida. O que está sentindo?

— Forte mal-estar. Vou ao banheiro.

Sem esperar pela resposta, Carolina subiu e fechou-se no banheiro. Precisava ganhar tempo para analisar o que acabara de descobrir.

Por que será que Ethel, sua dama de companhia, havia se transformado em esposa de seu pai e sua mãe? Ao fixar seu pensamento nela, lembrou-se de cenas onde Ethel aparecia como uma sombra de Norton, pronta a obedecer a todas as suas ordens sem questionar. Depois que ele a surpreendera com Marcos, Ethel se transformara em sua carcereira, vigiando-a o tempo todo.

Carolina lcmbrou-sc dc quc cla não a maltratava ou procurava tirar partido da situação, simplesmente fazia o que ele mandava rigorosamente.

Naqueles tempos ela suportava Ethel, mas não a estimava, agora como sua mãe tudo continuava igual. Ernestina cumpria todas as suas obrigações de mãe e dona de casa, mas só. Nunca fora carinhosa nem tivera nenhuma manifestação de afeto.

Com Adalberto ela era um pouco diferente. Tratava-o com admiração, dava para notar que se orgulhava dele. Depois que ele saiu de casa, ela tornara-se um pouco mais triste e calada. Estaria sentindo a falta dele?

Era difícil afirmar. Agora, diante do que descobrira, Carolina se perguntava o porquê de ela ainda fazer parte de sua vida. Que fatos do passado ignorava?

Ficara claro que Augusto Cezar não via Ernestina como esposa, embora a tratasse com respeito. Para ele, ela continuava sendo a criada que ele tratava bem porque lhe era fiel e obedecia a todas as suas ordens.

Carolina foi para o quarto tentando aprofundar-se no passado, recordando cenas de sua infância e, quanto mais pensava, mais se convencia de que tudo era verdade.

Naquela noite, antes de dormir, rezou pedindo a Deus que Marcos viesse a seu encontro. Desejava contar-lhe suas descobertas e ao mesmo tempo ouvir o que ele tinha a dizer a respeito. Pelo que lhe dissera, o passado não era segredo para ele.

Acomodou-se para dormir e logo pegou no sono. Entretanto, Marcos não foi buscá-la naquela noite nem nas outras que se seguiram.

Carolina sentia-se diferente. Parecia outra pessoa. As aulas começaram e Augusto Cezar deixou-a ir sozinha para a faculdade, ela sentiu-se alegre e bem-disposta.

Mas depois de alguns dias notou que havia um homem que sempre a acompanhava a certa distância e quando ela deixava a escola ele também estava por perto.

Começou a desconfiar de que seu pai o contratara para vigiá-la. Isso a deixou irritada. Havia momentos em que sua revolta misturava-se ao seu rancor por Norton e ela esforçava-se para não perder o controle. E Marcos que não vinha buscá-la durante a noite?

Começou a pensar que talvez ele estivesse começando a se esquecer, que a distância estivesse matando seu amor.

Havia momentos em que ela desejava ir procurá-lo em São Paulo para um entendimento. Mas isso seria romper com os pais definitivamente. Carolina não se importava muito com isso, uma vez que não os via mais como pais, apenas como parte de um passado doloroso e cruel.

Mas não o fez porque não tinha certeza de que essa atitude removeria os impedimentos que havia entre ela e Marcos.

Por que a vida os juntara fazendo de Norton seu pai e de Ethel sua mãe? Que objetivos teria?

Carolina lembrava-se de que Marcos lhe dissera que a remoção do impedimento que havia entre eles dependia exclusivamente dela, uma vez que ele já fizera a parte que lhe cabia.

Um rompimento definitivo com seus pais poderia retardar ainda mais a união dela com Marcos. A solução deveria ser outra. Carolina procurava encontrá-la.

Vendo-se vigiada, ela não tentava telefonar para ninguém com receio de perder a pouca liberdade de que estava desfrutando.

Uma tarde, ao chegar a sua casa, Ernestina entregou-lhe uma carta e ela notou que o envelope fora aberto. Apesar do rubor de indignação que lhe inundou o rosto, não disse nada. Reconheceu que a letra era de Áurea.

Foi para o quarto pensando que talvez outras cartas tivessem vindo e sido interceptadas. Mesmo assim sentiu prazer por receber notícias da amiga. Ela escrevera sobre sua vida em São Paulo, suas aulas, as amizades que fizera na faculdade.

Relatava que fora visitar Guilhermina porque Adalberto lhe dissera que ela não estava bem de saúde. Nenhuma palavra sobre Sérgio. Falava de uma colega de quando estudaram juntas, de nome Célia, que também estava na capital para estudar e que todos os dias lhe perguntava se tinha notícias de Carolina.

Como não se lembrava de ter estudado com nenhuma Célia, entendeu que Áurea usara desse subterfúgio para contar-lhe que Sérgio estava ansioso por notícias.

Um brando calor invadiu seu coração. Sérgio continuava amando-a como sempre, sentindo sua falta. Se não fora buscá-la durante a noite, foi porque não pôde.

No mesmo instante respondeu a carta, falando o quanto estava feliz por ter notícias e que já estava frequentando suas aulas na faculdade. Também sentia falta de Célia, desejava que ela lhe escrevesse também.

Colocou a carta no envelope e deixou-o aberto. Estava certa de que seus pais iriam ler, mas se eles não desconfiassem, ela poderia ter notícias de Sérgio mesmo que escrevesse com nome de mulher.

Na hora do jantar, Carolina falou sobre a carta:

— Áurea escreveu e disse que vovó não está passando bem. Gostaria de ligar para ela e saber se melhorou.

— Não é preciso. Odete me ligou ontem. Sua avó não estava bem, mas foi ao médico e logo se recuperou. Felizmente não foi nada grave. Uma indisposição passageira.

— Mesmo assim, papai, eu gostaria muito de falar com ela. Eu adoro vovó e tia Odete.

— Hoje eu liguei para ela a fim de saber como estava e sabe o que ela fez? Recusou-se a falar comigo. Tudo porque eu a trouxe de volta para casa. Ela não se conforma.

— Ela gostava muito da minha companhia. Depois que vovô morreu, sente-se muito só.

Augusto Cezar franziu o cenho procurando conter a irritação:

— Ela tem Odete e Adalberto. Devia contentar-se com isso. Desde o princípio eu lhes disse que você ficaria lá só durante algum tempo.

— Sinto saudade delas...

— Pois não devia. Mamãe não está do meu lado. Em vez de dizer a Adalberto que ele deveria voltar para casa, fez exatamente o contrário. Abrigou-o mesmo sabendo que eu não estava aprovando.

Carolina calou-se. De que adiantaria questionar? Conhecia bem a resistência do pai e mais ainda de Norton, que a desejava prisioneira.

Depois do jantar, Augusto Cezar foi para a sala ler o jornal e Carolina ficou observando a mãe ajudando Rute a tirar a mesa.

Em sua mente vieram cenas daquele tempo em que ela foi Ethel e apesar de terem convivido durante anos nunca tinham sido íntimas. Mesmo tendo se tornado sua mãe ela continuava uma desconhecida.

Como seria por dentro? Por que se conservara tão passiva durante tanto tempo? Qual seria sua verdadeira personalidade? Que segredos guardava dentro do coração?

Sentiu vontade de observá-la melhor. Talvez pudesse entender um pouco mais sobre as causas de terem de viver juntas.

Sabia que a inteligência da vida juntava as pessoas para que aprendessem umas com as outras. O que Ernestina teria para lhe ensinar? E o pai, quais as lições que teria de aprender para poder libertar-se?

Quando pensava neles só enxergava os defeitos. A mãe apagada e sem vontade própria. Não queria ser igual a ela. O pai, um homem voluntarioso, obstinado, que obrigava a família a fazer só o que ele queria. Incapaz de um gesto de carinho. Não. Seus pais não tinham nada para ensinar-lhe.

Esse pensamento deixou-a amargurada e triste. O que teria de fazer para libertar-se deles?

Naquela noite, ao se deitar, não rezou nem pediu nada. Queria dormir, esquecer suas preocupações. Dormiu e pouco depois se viu caminhando em um lugar escuro e desagradável.

"Preciso sair daqui", pensou temerosa.

— Você vai ouvir tudo o que preciso dizer-lhe.

Carolina voltou-se e viu um homem ainda moço, alto, magro, cujos olhos brilhantes a fixavam com raiva.

— Quem é você? O que quer?

— Como se arvora a criticar a mulher que eu amo? Só porque agora tem tudo se julga melhor do que ela? Não sabe como ela sofreu por sua causa e como tem se sacrificado pelo seu bem-estar.

Carolina abanou a cabeça negativamente, não escondendo a surpresa:

— De quem está falando?

— De Ethel, por amor a você me deixou de lado. Eu tinha planos, amava-a muito, queria ter uma família. Hoje estou nesta solidão por sua causa.

— Engana-se. Quem mandava em Ethel era Norton, não eu.

— Mas foi você quem arranjou aquele amante e, por causa disso, ela pagou pelo seu erro.

— Como assim?

— Depois que você morreu, ele a perseguiu querendo saber onde estava seu amante. Ele queria dar cabo dele, mas Ethel nunca lhe contou onde Marcos se encontrava. Eu tentei fugir com ela, levá-la para longe, mas ele a fez prisioneira e não pude encontrá-la. Ele a acusava de encobrir seus encontros de amor. Tudo o que aconteceu conosco foi culpa sua.

Carolina tremia sentindo o peso daquela acusação e tentou defender-se:

— Eu não sabia que Ethel tinha um namorado nem que a estava prejudicando.

— Claro! Você só tinha olhos para seus problemas. Nunca se importou com a coitada que tudo fazia para impedir que Norton descobrisse e a castigasse.

Lágrimas desciam pelo rosto de Carolina e ela disse:

— Eu não sabia! Perdoe-me! Eu não sabia!

Carolina acordou soluçando sentindo ainda o peso do olhar dele acusador e nervoso.

Levantou-se, lavou o rosto, tomou um copo de água e respirou fundo. Depois, sentou-se na cama pensativa. Como Ethel vivera um drama, sofrera por causa dela e ela nunca percebera? Reconheceu que ela só tivera olhos para seu próprio drama, sem se importar com os que estavam à sua volta.

Pela primeira vez começou a pensar que talvez ela não tenha sido uma vítima como julgara. Que outros segredos Ernestina ainda guardaria dentro do coração?

Deitou-se novamente tentando adormecer, mas os pensamentos revoltos, as cenas do passado a visitavam e só quando o dia estava clareando foi que conseguiu dormir.

Mesmo tendo dormido mal, Carolina levantou-se no horário costumeiro. Quando desceu para o café, os pais já estavam acomodados. Ela deu bom-dia e acomodou-se. Mas não conseguia desviar os olhos de Ernestina, observando-a furtivamente.

Notou que ela havia emagrecido, suas mãos não estavam firmes e seus olhos inquietos refletiam certo temor enquanto olhava ao redor procurando ver se tudo estava em ordem.

Do que ela teria medo? Seu pai era austero, voluntarioso, exigente, mas nunca fora violento e a tratava com respeito. Teve vontade de saber mais.

Depois que o pai saiu para trabalhar, ao invés de fechar-se no quarto para ler, Carolina apanhou um livro de estudos e sentou-se na sala.

Após dar as ordens para o almoço, Ernestina foi ao quarto de costura. Carolina levantou-se e foi ter com ela que, vendo-a entrar, perguntou:

— Precisa de alguma coisa?

— Não. O que você está fazendo?

Ernestina olhou-a admirada:

— Como assim?

— Você está sempre fazendo alguma coisa. Não fica cansada?

— Cuidar de uma casa dá trabalho. Quero que tudo esteja em ordem.

Carolina fixou os olhos nos dela e não se conteve:

— Você emagreceu, sente-se bem?

— Não estou doente e não gosto de ficar parada.

— Nunca procura se distrair, está sempre trabalhando.

— A vida da mulher é isso mesmo. Não dá tempo de pensar em bobagens.

Carolina ia responder, mas Ernestina colocou as mãos na cintura e perguntou com certa irritação:

— O que é agora? O que você quer?

— Conversar com você. Nós nunca conversamos, nem trocamos ideias. Sinto falta de companhia.

— Eu tenho muito que fazer e você está sempre trancada no quarto, não sei por quê.

Carolina aproximou-se colocando a mão sobre seu braço:

— Mãe, às vezes eu me sinto muito só. Depois que Adalberto se foi, ficou pior.

O brilho de uma lágrima nos olhos dela emocionou Carolina que continuou:

— Sinto muita falta dele.

— É tarde para dizer isso.

— Você também sente falta dele.

— Sinto. Mas não há nada que se possa fazer.

Carolina suspirou, encarou a mãe com seriedade e respondeu:

— Claro que há. Adalberto tem o direito de escolher o próprio caminho. É um homem. Se ele preferiu estudar na capital, nós todos deveríamos aprovar. Ele é um rapaz estudioso, bom. Não há motivo para que não possa nos visitar.

— Todo filho tem de obedecer aos pais. Ele foi ingrato. Seu pai está pensando no bem dele.

— Se ele pensasse no bem dele, teria lhe apoiado, não o enxotado daqui como se ele tivesse cometido um crime.

Ernestina estremeceu como se tivesse sido atingida por uma bofetada e reagiu:

— Não permito que fale assim de seu pai. Deve-lhe respeito.

— Você é mãe e concorda com a atitude dele. Se fosse meu filho eu brigaria, não deixaria que alguém fizesse isso com ele. Não é justo. Você deveria ter interferido. Não deixado que ele o mandasse embora daquele jeito.

Ernestina empalideceu e segurou-se na mesa respirando com dificuldade.

— Mãe, o que foi? Está se sentindo mal?

Carolina amparou-a e fê-la sentar-se. Chamou Rute e pediu que trouxesse um copo de água.

Ernestina tremia como se estivesse com febre. Rute trouxe a água.

— Beba, mãe. Acalme-se.

Carolina segurou o copo e ajudou-a a tomar alguns goles. Depois, puxou uma cadeira, sentou-se ao lado dela e segurou suas mãos. Estavam geladas e ela começou a friccioná-las. Sentia-se penalizada, passou um dos braços sobre os ombros da mãe tentando confortá-la.

Então Ernestina caiu em prantos, um choro sentido, triste, como nunca Carolina se lembrava de ter visto. Abraçou-a com força e ela aconchegou-se em seus braços como uma criança.

Emocionada, Carolina pensou em Deus pedindo ajuda. Não sabia o que fazer. Aos poucos, a mãe foi se acalmando e parou de chorar. Carolina levantou-se, puxando-a para que o fizesse também. Depois, abraçou-a dizendo com voz calma:

— Venha, mãe. Você precisa descansar. Vamos para o seu quarto.

Ela parecia sem forças e não objetou. Deixou-se conduzir com docilidade. Uma vez no quarto, Carolina tirou-lhe os sapatos e acomodou-a na cama. Então ela se deu conta e tentou levantar-se, mas Carolina alisou-lhe os cabelos com carinho dizendo:

— Você está cansada, magoada, triste. Precisa recuperar suas forças.

— Eu preciso cuidar das minhas obrigações.

— Não agora. Está tudo bem e se for preciso eu mesma posso fazer isso.

Ernestina olhou-a admirada:

— Você não sabe, nunca se interessou pelas coisas de casa.

— Mas agora me interesso. Seu bem-estar é mais importante do que tudo agora.

Algumas lágrimas voltaram a aparecer nos olhos dela, que tentou explicar-se:

— Eu não estou doente. Posso reagir.

— Mas eu não vou deixar. Vou sentar ao seu lado e você vai fechar os olhos e relaxar.

Carolina começou a passar a mão na testa dela com carinho. Sentia-se abalada por verificar que sua mãe sofria e ela nunca fizera nada para confortá-la.

Ernestina fechou os olhos enquanto Carolina pensava em Deus, pedindo aos espíritos de luz, a Márcia que pudessem inspirá-la no que fazer.

23

Uma hora depois, Ernestina acordou assustada, abriu os olhos e levantou-se afobada:

— Que horas são? Por que me deixou dormir desse jeito?

— Você estava cansada e precisava dormir. Ainda é cedo. Descanse.

— Não posso. O almoço não pode atrasar.

Ela calçou os sapatos e foi para a cozinha. Carolina a acompanhou:

— Está tudo bem. Agora mesmo estive com Rute.

Ela verificou tudo e respirou aliviada. A mesa na copa já estava posta, havia um arranjo de flores no centro, e Carolina explicou:

— Eu colhi essas flores e as coloquei na mesa. Não ficou bonito?

— É... ficou.

Ernestina sentia-se envergonhada por ter perdido o controle diante da filha. Desviava os olhos e procurava dissimular. Carolina notou o embaraço e achou melhor deixá-la sozinha. Foi para o quarto onde, estirada na cama, refletiu sobre o que havia acontecido.

Ernestina não era a mulher indiferente que imaginava. Como seria ela na realidade? Que motivos teria tido para construir uma barreira diante dos outros como se nada fosse capaz de feri-la?

Lembrava-se dela sempre sem emoções, fria, ausente como se o que acontecia à sua volta não lhe dissesse respeito. Na verdade, sua emoção fora reveladora. Mostrara que ela sentia, mas fazia de tudo para que ninguém soubesse.

Por que não reagia diante das contrariedades como seria natural? Como continuava servindo Norton, fazendo-lhe todas as vontades, mesmo depois de tanto tempo vivenciando uma situação muito diferente daquela em que fora apenas uma criada dele? Agora ela era a esposa, a companheira, mas não se comportava como tal.

Com que finalidade a vida os unira nesta encarnação como marido e mulher? Sabia que Deus reúne as pessoas para que aprendam umas com as outras. Mas pelo visto Ernestina não estava aprendendo nada, continuava a mesma.

Penalizada, Carolina decidiu que a partir daquele dia se aproximaria mais dela, tentaria conhecê-la melhor.

Aquele homem do sonho acusara-a de tê-los prejudicado, porém ela não se recordava de ter-lhes feito algum mal. Mas algo dentro dela lhe dizia que havia sido omissa, indiferente, e essa sensação a incomodava porque, estando novamente ao lado dela, agora como filha, continuava distanciada, sem nenhum reconhecimento pelo que ela fazia em favor do seu bem-estar.

A partir desse dia, Carolina passou a ficar mais tempo com a mãe, pedindo sua opinião sobre pequenas coisas, contando-lhe coisas da faculdade, falando sobre moda, música, cinema.

A princípio, Ernestina respondia por monossílabos, contudo, aos poucos, começou a participar mais, conversar, dar algumas opiniões tímidas, porém sensatas e inteligentes, o que surpreendeu Carolina. Ela começou a notar que sua mãe era mais perspicaz do que imaginava.

Se antes Carolina fazia isso como uma obrigação, com o tempo começou a sentir prazer e admiração em descobrir algumas qualidades de Ernestina.

O relacionamento de Carolina com o pai continuava distante como sempre. Mas algumas vezes, quando ela e a mãe conversavam animadas, ela surpreendia o olhar indagador dele sobre elas.

Ele não conversava com a esposa. Não lhe falava sobre os negócios e, quando comentava sobre outros assuntos, era sempre para emitir a própria opinião. Como ela concordava com tudo, o assunto morria ali.

Carolina começou a pensar que talvez o pai, assim como ela mesma fizera, imaginava que Ernestina tivesse inteligência limitada.

Sentia que precisava fazer alguma coisa para que aquela situação se modificasse. No dia seguinte, durante o café da manhã, Carolina contou à mãe que tinha uma colega na faculdade que estava deprimida.

— Ela conversou comigo e descobri que ela se julga feia, pensa que ninguém gosta dela, não tem prazer de viver. É uma moça bonita, que tem tudo. O que você acha que eu poderia fazer para ajudá-la?

Ernestina pensou um pouco, depois respondeu:

— Dizer a verdade.

— Foi o que eu fiz, mas ela não acredita. Ela se vê feia.

Ernestina suspirou tristemente e disse:

— Vai ver que ela foi rejeitada por alguém, alguma pessoa que ela admira e considera, e se ressentiu.

— É, pode ser. Vou verificar se isso aconteceu. As pessoas às vezes estão de mau humor e desabafam sobre os outros.

Augusto Cezar as observava calado. Sentia que entre elas estava acontecendo alguma coisa diferente. Antes, sempre que queria saber alguma coisa, era para ele que Carolina perguntava. Por que agora ela preferia a mãe?

Seria porque ela ainda estava magoada com ele por não concordar com seu namoro?

Ele remexeu-se na cadeira inquieto. Ela precisava entender que ele fazia tudo para o seu bem. Ernestina não tinha conhecimento para responder como deveria.

— Meu pai fazia sempre isso comigo. Era muito severo, vivia observando tudo o que eu fazia e só me criticava. Dizia que era para que eu me corrigisse. Mas eu ficava com muita raiva. Até hoje, quando me lembro, sinto o estômago enjoado — disse Ernestina.

Augusto Cezar olhou-a surpreendido. Não esperava essa resposta. Ele sabia que Ernestina tinha sido educada por um pai severo, a novidade era a raiva que ela dizia sentir por causa disso. Ela nunca lhe contara. O que mais ela guardaria em segredo?

— E isso a fazia sentir-se rejeitada? — indagou Carolina.

— Claro. Eu queria muito agradar meus pais e quando ele me olhava e criticava eu pensava que era menos por não conseguir agradá-lo. Sofri muito.

Carolina olhou-a séria e disse:

— Agora entendo por que você me parece tão triste. Nunca a vejo sorrir, cantar, brincar. Deve ser por causa dessas lembranças.

— Eu procuro não me lembrar, mas de vez em quando isso ainda me incomoda.

— Isso já passou, hoje você é uma excelente dona de casa e uma boa mãe que está sempre cuidando do bem-estar da família.

Pelos olhos de Ernestina passou um brilho de emoção que ela, baixando o olhar, tentou dissimular.

— Obrigada, mãe. Você me ajudou a entender um pouco mais sobre a vida.

Depois do café, Carolina foi para o quarto estudar um pouco, mas não lhe passou despercebido o interesse do pai e a maneira diferente que ele olhava para a esposa.

Assim que Carolina deixou a copa, Augusto Cezar tornou:

— Carolina me parece diferente. Você acha que ela já se esqueceu daquele namorado?

— Não sei. Ela nunca toca no nome dele.

— Ela está mais próxima de você. Aconteceu alguma coisa?

Havia certa desconfiança na voz dele.

Ernestina deu de ombros:

— Não aconteceu nada. Ela deve sentir-se muito só, sem amigas, sem o irmão... É natural que se aproxime mais de mim.

— O que quer dizer com isso? Está me criticando por ter sido duro com Adalberto?

Os olhos de Ernestina brilharam e ela trancou os lábios e não respondeu.

— Você não me respondeu. Até você agora está contra mim?

— Não estou contra você, mas preferia ter o meu filho aqui em casa.

— Aquele ingrato. Foi ele quem escolheu nos deixar.

— Ele é nosso filho. Procurou nosso apoio e não conseguiu. Como será que ele está?

Augusto Cezar levantou-se irritado.

— Eu sabia que você estava contra mim. Nunca disse nada, mas eu sentia seu olhar triste sobre mim.

Ernestina levantou-se também e em um assomo de coragem disse:

— Estou triste, sim. Sofro a ausência de meu filho sem saber o que ele está fazendo e como está vivendo longe de casa.

— Sua tristeza é uma afronta. Você sabe que faço tudo para o bem da nossa família. Ele foi embora, mas vai voltar arrependido para pedir perdão. Então, tudo ficará melhor do que antes.

— E se ele não voltar? E se ele conseguir fazer o que quer sem a nossa ajuda?

— Não creio. Ele é inexperiente. Logo estará de volta, você vai ver. Agora não quero ver mais sua cara triste.

— Não vou fingir só para ser-lhe agradável. Estou triste, o que posso fazer?

Ernestina encerrou o assunto e foi para a cozinha. Augusto Cezar sentiu raiva, teve vontade de ir atrás, mas achou melhor ir para o trabalho para não provocar uma cena diante da criada.

Ernestina nunca o tinha enfrentado como naquela manhã. Ele não podia deixar que ela continuasse com essa atitude. Onde já se viu? Ele era o chefe da casa, o provedor do lar, o marido. Ela tinha que lhe obedecer e fazer o que ele dizia.

Ernestina de onde estava ouviu quando o marido bateu a porta ao sair e voltou para a sala. Estava difícil conter as lágrimas de indignação. Desde que Augusto Cezar expulsara o filho, ela procurava conter a raiva, mas nos últimos tempos estava difícil olhar para o marido e não gritar sua revolta.

Seu filho era seu enlevo. Adorava sua figura bonita, seus olhos alegres, suas tiradas de humor, ficava orgulhosa quando iam andar na praça e notava os olhos de admiração das moças sobre ele.

Sempre fora um menino bonito, inteligente, jeitoso em lidar com o pai, mas os olhos marotos do filho por vezes a faziam temer que um dia ele não mais aceitasse as imposições do pai.

Quando isso aconteceu, ela ficou em pânico, mas não teve coragem de ir contra o marido. Primeiro porque pensou que Adalberto voltaria atrás e tudo ficaria bem, segundo porque conhecia o temperamento de Augusto Cezar e sabia que ele não mudaria de opinião.

Mas os dias foram passando e ela foi ficando cada vez pior, sem saber como ele estava, o que estava acontecendo na capital, se ele estava mesmo cursando a faculdade. Sem dinheiro, como poderia fazer isso? Sua sogra e cunhada tinham boa renda, mas Guilhermina era doente e tinha muitas despesas com saúde.

A convivência melhor com Carolina, que a valorizava pedindo-lhe opiniões, trocando ideias, acatando sua forma de pensar, contrastava com a maneira como o marido a tratava, conversando com ela apenas assuntos domésticos do dia a dia. Agora ela começava a observar a diferença, e isso a irritava ainda mais.

De repente, ela tomou uma decisão. Apanhou o telefone e ligou para a casa de Guilhermina. Odete atendeu e ela tornou:

— Sou eu, Odete, como vai?

— Bem... Aconteceu alguma coisa?

— Não. Está tudo bem. Eu quero falar com Adalberto, ele está?

— Não. Está na faculdade.

— Ele está frequentando as aulas? Está tudo bem com ele? Estou com muitas saudades.

— Ele está bem, gosta da faculdade, está trabalhando também.

— Graças a Deus! Conseguiu emprego?

— Sim. Ele é muito trabalhador e estudioso.

— Eu fiquei preocupada, sem notícias.

— Por que não ligou antes?

— Você sabe como são as coisas aqui em casa.

— Augusto Cezar a impediu. Aquele teimoso. Ele também nunca mais ligou nem para perguntar da saúde de mamãe.

— Ela está bem?

— Graças a Deus! A presença de Adalberto tem feito muito bem a ela. Nós sentimos muito a falta de Carolina.

— Ela também sente saudades de vocês.

— Ainda bem que Augusto Cezar a deixou ligar.

— Ele não deixou. Estou ligando porque não aguento mais ficar sem saber notícias do meu filho.

Odete ficou calada por alguns segundos. O que teria acontecido para que Ernestina tomasse essa atitude contra a vontade do marido? Por fim respondeu:

— Fez muito bem. Você é mãe, tem esse direito. Adalberto é um bom rapaz, não está fazendo nada de mal, meu irmão não tem razão ao impor sua forma de pensar. Ele cresceu, está um homem, tem ideias próprias. Fico feliz por você ter tomado essa atitude.

— A que horas eu poderia ligar para falar com ele?

— Até nove da manhã ele está em casa. Vai ficar muito feliz em saber que você ligou. Está saudoso. Toda hora fala em você, menciona o carinho com que cuidava das coisas dele, como procurava receitas para fazer o que ele gostava.

Lágrimas vieram aos olhos de Ernestina e seu rosto coloriu-se de um rubor de prazer. O filho nunca a elogiara, mas sentiu que ele a admirava.

— Obrigada por vocês estarem cuidando do meu menino com tanto carinho. Que Deus os proteja.

— A vocês também. Finalmente você tomou uma sábia decisão. Sempre nos perguntamos por que você permite que Augusto Cezar seja tão mandão. Ele exige e você obedece, mesmo quando ele exagera. O que ele está fazendo com os filhos é revoltante.

Ernestina suspirou. Apesar de concordar com a cunhada, tinha receio de reconhecer isso.

— Olhe, Odete, vou ver se consigo ligar nesse horário. Augusto Cezar sai às oito. Diga a Adalberto que eu estou com muitas saudades, que rezo todas as noites para que ele seja feliz... — A voz dela embargou e ela suspirou triste, depois continuou: — Amanhã cedo, se der eu ligo. Um abraço a dona Guilhermina e a você.

— Outro. Vamos esperar sua ligação.

Ernestina desligou com a mão trêmula. Sentou-se na poltrona e respirou aliviada. Por que não fizera isso antes? Por que sofrera tanto sem saber notícias se poderia ter ligado e perguntado? Odete tinha razão. Ela não podia obedecer ao marido quando ele lhe dava ordens que a faziam sofrer.

Respirou fundo, levantou-se e foi bater à porta do quarto de Carolina, que abriu e notou logo que algo havia acontecido. Ernestina estava corada, excitada:

— O que foi, mãe, aconteceu alguma coisa?

Ela entrou, fechou a porta, sentou-se na cama e disse eufórica:

— Sim. Eu liguei para Odete em busca de notícias de seu irmão.

Carolina deu um salto de alegria:

— Verdade? Conversou com ela?

— Sim. Ele não estava em casa, tinha ido para a faculdade. Arranjou emprego.

— Que bom! Onde está trabalhando?

— Ela não disse. Eu estava mais interessada em saber se ele está bem. Ela garantiu que ele está ótimo, mas sente saudades de nós duas — sorriu e continuou: — Ela disse que ele vive falando de mim, de como eu cuidava de tudo, das comidas que ele gostava.

— Eu já disse que você é uma excelente mãe e grande dona de casa.

Carolina abraçou a mãe e as duas riram satisfeitas.

— Odete ficou contente por eu ter ligado mesmo contra a vontade de seu pai. Disse que eu não devo aceitar tudo o que ele fala.

— Ela tem razão. Nós só devemos aceitar coisas que estejam de acordo com nossa vontade. Quando não concordamos temos o direito de rejeitá-las. Vai dizer a papai que telefonou?

Ernestina estremeceu:

— Claro que não. Ele ficará muito bravo e não vai deixar que eu ligue amanhã.

— É... Ele fará isso mesmo. Mas seria muito bom se ele entendesse que você não concorda com o que ele faz.

— Ele sabe. Esta manhã eu disse isso a ele.

Carolina abriu a boca e fechou-a novamente. Ernestina estava reagindo e isso era muito bom.

— Você está se tornando uma mulher corajosa. Sempre achei que ele age assim porque você nunca lhe disse que não aprova certas atitudes. Agindo dessa forma, você está não só permitindo que ele continue, como contribuindo para que ele fique pior.

— Você acha?

— Acho. E Adalberto também. Várias vezes ele reclamou por você não reagir quando papai era injusto e severo demais.

— É... Ele me disse isso várias vezes. Mas eu não sei o que é, quando seu pai me olha com aqueles olhos me fuzilando, entro em pânico, perco até o raciocínio.

Carolina lembrou-se de Norton, alisou a cabeça da mãe com carinho. Ela ainda guardava no inconsciente as maldades que ele fizera com ela em outra vida. Disse com carinho:

— Mãe, não há razão para ter tanto medo de papai. Ele é turrão, mas nunca foi violento. Nunca a ameaçou. Sempre a trata com respeito. Quando sentir esse medo deve reagir. Ele pode brigar, mas não acredito que se torne agressivo.

— É, acho que ele não seria capaz.

— Nesse caso, o que a impede de dizer o que pensa? Quando você diz o que sente, expressa o que acredita, as pessoas podem não concordar, mas respeitam.

— Não sei se conseguiria fazer isso. Muitas coisas que ele diz eu odeio.

Carolina sorriu e respondeu:

— Nesse caso, não deve aceitá-las. Estou certa de que quando você lhe obedece e vai contra seus sentimentos, depois se sente infeliz, errada, fraca. Ao passo que quando expressa o que realmente sente, sente-se leve, valorizada e mais feliz, mesmo que os outros não concordem.

— De fato, tenho me sentido assim muitas vezes. Quando Adalberto fez a mala e deixou esta casa, senti vontade de abraçá-lo e de dizer que não queria que ele fosse. Mas fiquei calada, com o coração batendo forte, com uma raiva muito grande de mim mesma por ter sido tão fraca.

— Nessa hora o que você sentiu vontade de fazer?

Ernestina levantou-se, abriu os braços, e disse com raiva:

— De gritar que não queria que ele fosse embora daquele jeito. Exigir que Augusto Cezar mudasse de ideia. Caso contrário, eu sairia com ele.

— Mas foi Adalberto que desejou sair de casa.

— Desejou estudar na capital, mas continuar ligado a nós, ficando aqui até as aulas começarem, vindo passear nos fins de semana. Isso seria o certo. Mas não, Augusto Cezar o expulsou, fez mais, tirou sua mesada. Fiquei com muita raiva.

Os olhos dela brilhavam rancorosos e Carolina ficou pensando quanta força ela possuía para esconder esses sentimentos e ficar passiva. Percebeu que Ernestina era uma mulher muito forte, que usava a própria força para se imobilizar.

Sentiu que precisava ajudá-la a inverter esse ato utilizando a enorme força que possuía a seu favor para encontrar seu espaço e tornar-se uma mulher de verdade.

24

Na manhã seguinte, depois que Augusto Cezar saiu para o trabalho, Ernestina e Carolina ligaram para a casa de Guilhermina. Para a alegria delas foi Adalberto quem atendeu.

Ernestina, ouvindo a voz do filho, emocionou-se:

— Meu filho! Você está bem?

— Sim. Estava louco de vontade de falar com você, mas não liguei com receio de provocar um problema. Como estão as coisas aí em casa?

— Do mesmo jeito. Seu pai continua intransigente. Decidi ligar assim mesmo. Não concordo com o que ele está fazendo com vocês.

— É bom ouvir isso, mãe! Até que enfim você percebeu a verdade.

— Seu pai é um homem muito bom, de valor, mas há muito tempo eu não concordo com certas coisas que ele faz.

— Estou feliz que tenha tomado essa atitude. Ele não quer me ouvir, nem a Carolina. Você é a única pessoa que pode mostrar a ele que precisa mudar. Eu não sou mais criança. Tenho aprendido muito depois que saí de casa. Quando cheguei aqui estava inseguro, sem saber bem o que fazer. Papai nunca deixou que eu tomasse qualquer decisão. Ele sempre resolvia tudo e não perguntava sequer minha opinião. Trata-se da minha vida e tenho o direito de escolher o meu caminho.

— Eu sei disso, filho. Penso como você. Mas ele é difícil de lidar. Estou ligando escondido e até para isso precisei fazer muita força para vencer o medo. Carolina tem me ajudado muito.

— É pouco, mas já é um começo. Você, como mãe, tem todo o direito de se posicionar sobre o nosso futuro.

— É o que eu penso. Por isso eu decidi reagir. E não me arrependo. Muitas vezes perdi o sono, angustiada, imaginando o que estaria acontecendo com você.

— Não se preocupe. Aqui estou sendo muito bem tratado. As duas fazem de tudo pelo meu bem-estar.

— Odete disse que você está trabalhando.

— Estou. Não foi fácil conseguir esse emprego. Foi Sérgio quem me ajudou. O pai dele é advogado de fama e me recomendou a um colega. Estou trabalhando em um escritório de advocacia. Por causa da faculdade, trabalho só meio período, não ganho muito, mas tem dado para minhas despesas pessoais.

— Vou ver se consigo mandar-lhe algum dinheiro, tenho algumas economias.

— Não, mãe. Papai pode descobrir e brigar com você. Eu estou muito bem. Não preciso de nada.

Ernestina quis saber todos os detalhes sobre a vida que ele estava levando e, quando se deu por satisfeita, prometendo que ligaria outras vezes, entregou o telefone para Carolina, que queria muito falar com o irmão.

Assim que atendeu, Carolina perguntou de Sérgio.

— Eu sabia que você ia querer saber. Mas eu não vou dizer nada. Ele, sabendo que mamãe ia ligar e que você poderia estar por perto, apareceu aqui às sete horas da manhã e está aqui do meu lado querendo agarrar o telefone.

Carolina sentiu forte emoção. Ela não esperava que isso fosse possível. Sua voz morreu na garganta e ela respirou fundo ouvindo Sérgio dizer emocionado:

— Carolina, Carolina, você está aí? Fale comigo, não suporto mais essa saudade.

— Eu também — respondeu ela sentindo imenso prazer.

— Como você está?

— Mais ou menos. Tenho esperado por você todas as noites, mas você não vem!

— Não obtive permissão. Márcia afirmou que você estava num processo interior e que seria melhor eu não interferir. Você não sabe o quanto eu tenho pensado em você, por duas vezes estive em seu quarto para vê-la com a promessa de não intervir.

Carolina olhou a mãe que, admirada, ouvia o que ela estava dizendo e sentiu que não poderia falar abertamente sobre suas experiências do passado. Disse apenas:

— Tenho tido algumas revelações, mas ainda há alguns pontos que preciso esclarecer. Mudei minha atitude interior e as mudanças começaram a ocorrer ao meu redor.

— Quando eu soube que sua mãe ligou e você ia estar ao lado dela nesta manhã, senti mesmo que ouve uma modificação.

— Gostaria de contar-lhe o que descobri, mas agora não é possível.

— Eu entendo. Estou muito feliz por poder ouvir sua voz, saber que ainda pensa em mim, tanto quanto eu em você.

— Você faz parte de minha vida. Aconteça o que acontecer, passe o tempo que passar, no fim, sei que ficaremos juntos para sempre.

— É o que eu mais desejo. Tenho vontade de ir até aí. Você teria como se encontrar comigo?

— Ainda não. Só saio de casa para ir à faculdade, mas meu pai colocou um vigia que me segue por toda a parte.

Sérgio suspirou nervoso. Isso era demais.

— Tenho vontade de ir falar com seu pai de novo e pedir que consinta nosso casamento.

— Isso não adiantaria.

— Às vezes penso que poderíamos fugir juntos e resolver essa questão de uma vez por todas. Assim ele não teria outro remédio senão aceitar nosso casamento.

— Foi você mesmo que me fez ver que há uma força maior que nos impede de ficarmos juntos, e enquanto eu não conseguir resolver, nada dará certo. Sei que tem razão. Estou tentando fazer a minha parte. Acredito que o caminho seja esse.

— Quanto tempo ainda teremos de esperar?

— Espero que não seja muito. Precisamos ser pacientes, afinal, temos toda a eternidade pela frente.

— Sinto que vamos conseguir ainda nesta vida.

— Eu também.

Depois de falar mais um pouco, foram forçados a desligar. De um lado Adalberto, que precisava sair, e do outro Ernestina, que achava que a ligação muito longa poderia chamar a atenção do marido sobre o telefonema.

Quando Carolina desligou, Ernestina tornou:

— Não entendi sua conversa com esse rapaz. Você reclamou que ele não veio vê-la aqui. Ainda bem, porque se ele tivesse vindo seu pai não permitiria que se encontrassem.

— Mãe, Sérgio não vem pessoalmente. Veio algumas vezes em sonho.

— Como assim? Isso não pode ser, você está tendo alucinações. Explique-me.

— Não, mãe. Quando nosso corpo dorme, nosso espírito pode sair e visitar as pessoas de quem gosta. Sérgio veio ver-me algumas vezes.

Ernestina abanou a cabeça negativamente olhando-a com preocupação:

— Você não me parece bem. Nunca ouvi falar nisso.

— Mas é verdade. Você, quando dorme, pode encontrar-se com alguém que quer ver e até com nossos parentes que já morreram e vêm nos visitar.

Ernestina ficou pensativa por alguns instantes depois disse:

— Quando minha mãe morreu, uma vez sonhei com ela me abraçando. Foi um sonho tão forte, tão vivo que eu cheguei a sentir o perfume dela. Durante os dias que se seguiram eu me lembrei desse sonho muitas vezes. Parecia verdade. Ela me pediu que eu não chorasse mais pela sua morte porque ela estava viva e minha tristeza a deixava angustiada.

— Pode estar certa, mãe, o espírito de vovó veio visitá-la.

— Depois disso, quando me lembrava de sua doença, sua morte, eu pensava nesse sonho e não chorei mais.

— Ela de fato a ajudou.

— Como é que você sabe dessas coisas? Quem a ensinou?

— Ninguém. Eu nunca lhe disse, mas algumas vezes eu vejo os espíritos, saio do corpo, viajo por outros lugares, encontro pessoas amigas que aqui eu não conheço, mas que me apoiam, esclarecem e eu me sinto muito bem. Dá muita paz, uma alegria no peito que nada pode impedir.

Ernestina olhou-a com certa preocupação. Carolina notou e sorriu:

— Mãe, a vida não é apenas o mundo onde estamos agora. O Universo é imenso e há muitas moradas fora deste planeta. Nosso espírito é eterno.

— Não sabia que você era religiosa. Não gostava nem de ir à missa.

— Eu não sou. Deus é tudo o que existe e para mim ele não precisa dos templos de pedra para ser reverenciado. Ele habita em nosso coração e podemos conversar com ele diretamente. Para isso não precisamos de intermediários.

Ernestina abriu a boca e fechou-a de novo sem encontrar palavras para responder. Carolina sorriu e disse:

— Mãe, vamos parar por aqui. Com o tempo você entenderá tudo. Por hoje já demos um grande passo.

Ernestina estremeceu, olhou o relógio preocupada com o almoço e imediatamente foi para a cozinha.

A partir desse dia Carolina passou a conversar com a mãe sobre espiritualidade e, nesses momentos, ela ouvia com interesse e aos poucos foi aceitando com naturalidade.

— Quando você conta essas coisas, tudo me parece natural. Não sei por quê. Se seu pai soubesse, diria que estamos fantasiando.

— Porque ele ainda não descobriu essa realidade. Mas tudo o que existe é natural, faz parte da vida e é assim que deve ser olhado.

— Então, por que a maioria das pessoas ainda não sabe?

— Quando nascemos neste mundo esquecemos do nosso passado, das outras vidas que já vivemos aqui. Isso acontece para facilitar nossos relacionamentos com as pessoas que farão parte da nossa vida e com as quais nos desentendemos anteriormente.

— Uma pessoa que foi nossa inimiga em outra vida poderá nascer na nossa família?

— Se o amor une, o ódio também. Tanto pode nascer na mesma família os que nos amam como os que nos odeiam. Os amigos para nos apoiar, os inimigos para abrir nosso entendimento e nos libertar daquele peso.

Ernestina meneou a cabeça enquanto dizia:

— Ainda bem que isso não nos aconteceu.

Carolina sorriu:

— Será?

Ernestina assustou-se:

— Por que diz isso?

— Porque quando vejo papai me impedir de casar com o homem que eu amo, que é um rapaz de bem, fico me perguntando se ele, no passado, não foi um inimigo para mim.

Ernestina ficou séria, franziu o cenho pensativa, depois disse:

— Você está exagerando. Ele é enérgico, mas faz tudo pelo bem da família.

— Ele acredita nisso. Mas está errado. Papai não precisava tirar a mesada de Adalberto nem expulsá-lo de casa só porque quer fazer uma coisa diferente do que ele planejou.

— É... pensando assim... também concordo que ele foi duro demais. Mas isso não quer dizer que seja nosso inimigo.

— Eu não diria isso. Na verdade ele nos sustenta, deu-me a oportunidade de viver, sou grata por tudo isso, mas ele nos está fazendo sofrer. Você preocupada com Adalberto, eu e Sérgio sofrendo por não podermos ficar juntos, vovó e tia Odete vivendo distantes, sem contato. Se ele fosse mais cordato todos estaríamos mais felizes.

— Mas ele não me parece feliz. Tem estado mais calado, triste, você não notou?

— Não. Tenho evitado ficar perto dele. Ainda estou muito magoada.

Depois dessa conversa Carolina foi para o quarto e ficou pensativa. Ela só conversava com o pai o essencial e evitava sua presença porque, quando se aproximava dele, pensava em Sérgio e sentia muita raiva por ele os ter impedido de se ver.

Naquele momento lembrou-se do homem que apareceu em seu sonho chamando-a de egoísta por nunca ter feito nada para ajudar Ethel. Estaria também se omitindo no caso de Norton?

A esse pensamento ela se assustou. Tentou justificar-se pensando que ao lado dele sentia sempre um aperto no peito e uma sensação desagradável. Achava que era só porque o pai a impedira de ver Sérgio. Julgava já ter perdoado Norton, antes de voltar, quando ainda no astral se reencontraram antes de ele nascer.

Ela lembrou-se desse encontro quando Márcia a levou para uma reunião onde estavam Ethel, Norton, Marcos e Adalberto.

Ela, enquanto estava no astral, queria ficar perto de Marcos, mas não conseguiu. Ainda não era o momento. Teriam de esperar.

Norton pediu-lhe perdão, dizendo que estava arrependido, prometendo que a deixaria livre de qualquer compromisso para seguir seu caminho ao lado de Marcos. Ele sentia-se culpado pela morte dela quando, tentando fugir do lugar onde a prendera, foi morta pelo vigia. Por esse motivo desejou recebê-la como filha.

Ao lembrar-se da cena de sua morte, Carolina teve uma surpresa: o vigia que atirara nela tinha a fisionomia de Adalberto. Ele teria reencarnado como seu irmão?

Naquele instante, a figura dele encaixou-se na de Adalberto e ela teve certeza de que era verdade. Ele tinha sido seu assassino. Depois do tiro, ele verificou o engano e ficou desesperado. Não se conformava por ter atirado nela. Só fazia repetir:

— Meu Deus! Estava escuro, julguei que fosse um ladrão!

Quando Norton descobriu o que havia acontecido, pegou a arma para matar o vigia, mirou e atirou, mas o rapaz saiu correndo e embrenhou-se no bosque.

Norton correu em direção à esposa na tentativa de reavivá-la, porém ela estava morta. Os empregados perseguiram o vigia, mas não conseguiram encontrá-lo.

Carolina lembrou-se de que ele estava naquela reunião antes de eles reencarnarem, e vendo-a atirou-se a seus pés pedindo-lhe perdão. Ela não tinha raiva dele, sabia que havia sido um engano, mas chegara a hora de ela ir. Ele, então, pediu--lhe para dar-lhe a oportunidade de ficar ao lado dela, protegê--la na nova vida.

Se Norton arrependeu-se do que havia feito à esposa, não perdoou o vigia. Não queria recebê-lo na família. Foi Ethel que, penalizada com o sofrimento dele, intercedeu com os superiores e Norton acabou o aceitando.

Agora o passado estava claro diante dos olhos de Carolina. Ela sabia o que havia acontecido naquele tempo. Apesar de tudo o que Norton fizera, ela reconhecia a sua própria responsabilidade por ter se casado com ele sem amor, apenas por ambição. Quando ela conheceu Marcos, este pediu que ela deixasse o marido e o acompanhasse. Fugiriam para longe e seriam felizes.

Ela, porém, ainda não estava disposta a deixar o luxo e o castelo em que vivia para ter de viver escondida em algum lugarejo distante. Marcos não era rico como Norton, mas tinha posses e poderia oferecer-lhe uma vida boa, mas ela sabia que Norton iria atrás deles e faria tudo para impedir sua felicidade. Achou mais cômodo ficar com ele e tomar Marcos como amante.

Naquele momento, Carolina notou o quanto fora leviana e sentiu que assim provocara toda a tragédia em que todos se envolveram. Entendeu a razão pela qual Sérgio se recusara a fugir com ela e lhe dissera que só ela poderia acabar com o impedimento que os distanciava.

Nesse momento, Carolina compreendeu: ela alimentara o amor de Norton, o traíra, provocara o ciúme que infernizou a vida dele de tal forma que, mesmo tendo esquecido o passado, ele ainda estava tentando impedir que ela se casasse com Marcos.

A vida, tendo-a trazido de volta para casa, deixando-a reclusa com os pais, dera-lhe a oportunidade de desfazer o mal que havia feito aos dois.

Sentiu os olhos cheios de lágrimas, ajoelhou-se no chão e pediu:

— Meu Deus! Aceito a minha responsabilidade pelo que fiz no passado e desejo refazer meu caminho. Enquanto estou ao lado deles, vou me dedicar aos dois, tentar de todas as formas provar que eu mudei, que hoje não seria capaz de fazer o que fiz outrora, que estou arrependida e disposta a fazer de tudo para conquistar sua estima. Agradeço aos meus amigos espirituais por terem me ajudado a recordar o passado e peço-lhes que me inspirem para que eu encontre o caminho da paz e da alegria que há tanto tempo perdi.

Enquanto ela orava comovida, deixando que as lágrimas lavassem seu rosto, uma luz muito suave descia do alto sobre sua cabeça inclinada e o espírito de Márcia, mãos estendidas sobre ela, emitia energias coloridas que revitalizavam todo o seu corpo.

Carolina sentiu um calor gostoso, bocejou várias vezes. Depois, deitou-se e adormeceu imediatamente, um sono tranquilo e harmonioso.

25

Na manhã seguinte, Carolina acordou cedo e bem-disposta. Recordou-se de tudo o que decidira na noite anterior, desejava melhorar seu relacionamento com o pai, mas não sabia como. Se por um lado sabia que o melhor seria vencer os problemas do passado, por outro havia ainda certa raiva por precisar fazer isso.

Respirou fundo e procurou analisar seus sentimentos e varrer do seu íntimo essa sensação desagradável quando se aproximava dele.

Afinal, além de dar-lhe a vida, embora a seu modo, sempre se dedicara em dar-lhe tudo o que precisava, cuidando do seu bem-estar. De certa forma, ele estava cumprindo sua parte no trato que haviam feito antes de reencarnar. Tendo esquecido o passado, ele não imaginava que proibia seu casamento com Sérgio por ter sido traído pelos dois. Ela fora culpada dessa traição. Não tinha por que sentir raiva, apenas remorso. Tentou descobrir de onde vinha esse sentimento e percebeu que vinha do orgulho.

Ela sempre o enfrentara e agora, tentando uma aproximação, sentia que estava cedendo e isso a enraivecia.

Carolina decidiu que não seria dominada pelo orgulho e que tudo faria para conseguir o que desejava.

Por isso, ao sentar-se à mesa do café, depois de dar bom-dia, ela observou o pai, que comia em silêncio. Pareceu-lhe que ele havia emagrecido e estava um pouco pálido e triste. Sentiu que sua mãe tinha razão.

Tentando fazer alguma coisa, começou a falar sobre suas aulas na faculdade, buscando manter uma conversação, mas conseguiu apenas que ele a olhasse com certa surpresa. Foi sua mãe quem respondeu.

Pouco depois, ele foi para o trabalho e Carolina ficou decepcionada. Não sabia como derrubar o muro que se esguelhava entre eles. Comentou com Ernestina:

— Você tem razão. Papai não está bem. Emagreceu, tem olheiras.

— Isso está me preocupando um pouco. Mas pode até ser um bom sinal.

Carolina surpreendeu-se:

— Por quê?

— Ele também deve estar sentindo falta de Adalberto, das conversas que mantinha com a irmã sobre os assuntos de família. Eles sempre se falavam e, desde que discutiram por causa de Adalberto, não têm se falado mais. Quem sabe assim ele muda de ideia.

Carolina balançou a cabeça indecisa:

— Não sei. Ele sofre, mas não cede.

— Vamos ver... — respondeu Ernestina em tom desafiador.

Carolina sorriu. Ela estava mudada de fato. Antes nunca teria dito isso. Sempre sofria quando o marido estava insatisfeito. Agora achava até bom, imaginando que assim ele poderia fazer o que ela desejava.

O dia decorreu normal e, à noite, na hora do jantar, enquanto comiam, Carolina disse de repente:

— Pai, hoje cedo tia Odete ligou.

Ele parou de comer e olhou-a irritado. Carolina fingiu que não viu e continuou com naturalidade:

— Ela queria saber como você estava. Ela e vovó estão muito tristes sem notícias suas e preocupadas com sua saúde.

Augusto Cezar pensou um pouco e respondeu:

— Ela não tinha nada de ligar. Você não deveria ter conversado com ela.

— Não posso, pai. Eu adoro tia Odete. Depois, ela estava tão triste, chorosa, e eu fiquei triste também. Afinal, é nossa família. Sinto também muita falta delas. Vovó nos quer muito bem, adora você. Gostei muito de falar com tia Odete.

— Eu também gostei de falar com ela — interveio Ernestina séria.

Augusto Cezar olhou-a surpreso. Ela nunca se atrevera a desobedecer a uma ordem dele. Fingindo não ver o olhar irritado do marido, ela continuou:

— Não posso esquecer que quando você não apoiou meu filho, elas o receberam com carinho e estão fazendo de tudo para que ele fique bem. Estamos devendo favores a elas.

Augusto Cezar levantou-se e saiu da mesa antes de terminar o jantar. Um pouco assustada, Ernestina olhou para Carolina que disse:

— Deixe, mãe. Ele vai pensar no que lhe dissemos. Não esperava que você tivesse a coragem de ir contra o que ele deseja. Mas eu sei que no fundo sabe que temos razão. Adorei o que você disse. É mesmo verdade que elas estão nos fazendo um grande favor e de todo o coração. Isso eu garanto.

Augusto Cezar fechou-se no escritório, sentou-se atrás da escrivaninha e colocou a cabeça entre as mãos. Uma onda de tristeza o acometeu.

Dedicara toda sua vida à família, pensara no futuro dos filhos, pretendia orientá-los para evitar que sofressem. E o que conseguira? A filha querendo deixá-lo para se casar com um almofadinha da capital; o filho desprezando tudo o que ele gostava, sua cidade, a vida calma e organizada que ele construíra para ir em busca do bulício da cidade grande, arriscando-se a ter de enfrentar o convívio com pessoas que mal conhecia e que podiam fazê-lo sofrer.

Quando olhava para Ernestina notava que ela estava sofrendo a ausência do filho e isso o incomodava porque sabia que intimamente ela o estava censurando.

Certamente fora isso que a fizera mudar sua maneira de tratá-lo, atrevendo-se a contrariar suas ordens.

Apesar disso, reconhecia que o que ela lhe dissera tinha uma dose de razão. Era mãe, e as mães sempre querem ficar perto dos filhos.

Lembrou-se de quando decidiu mudar-se para o interior um ano antes do seu casamento. Guilhermina não queria e chorava sempre que ele tocava no assunto. Mesmo assim, ela sempre o apoiou, e foi por insistência dela que seu pai o ajudou a comprar a bela casa onde residiam.

Lembrou-se do casamento; do nascimento dos filhos; da empresa que montou com alguma dificuldade, mas que conseguiu tornar um bom negócio; do respeito que sua família conquistara na cidade; das amizades que ele prezava e que justificavam sua vontade de manter os filhos morando lá.

Revendo sua vida, Augusto Cezar sentia-se comovido. Seus filhos estavam sendo ingratos, ele não esperava por isso.

Por outro lado, sentia saudades das visitas à casa da mãe, das conversas com Odete, das risadas gostosas que davam recordando momentos da juventude.

Ela também não tivera sorte no casamento. Escolhera um rapaz bonito, mas sem juízo, que a fez sofrer muito, trocando-a por outra. Odete levou um tempo para recuperar a alegria. Com os desentendimentos entre eles, como estaria?

Certamente julgando-o maldoso, criticando-o por querer disciplinar os filhos. Ela dissera que estava triste, com saudades. Ele também estava, embora não quisesse admitir.

Mas não lhe passava pela cabeça continuar proibindo que atendessem aos telefonemas da família. A culpa era de Adalberto que criara todos aqueles problemas.

Augusto Cezar ficou remoendo seus pensamentos no escritório e só decidiu ir dormir muito tarde, quando todos já se haviam recolhido.

Carolina estava acordada e ouviu quando o pai atravessou o corredor e foi para o quarto. Ela pedira ajuda a Márcia para que o inspirasse com bons pensamentos.

Ernestina também se deitara, mas estava acordada. Quando ouviu o marido entrando no quarto, fingiu estar dormindo. Um pouco por receio de que ele a repreendesse por sua atitude e também para evitar ter de voltar a um assunto que a deixava revoltada e que tinha medo de não poder se controlar.

Nos dias que se seguiram, Carolina procurou aproximar-se mais do pai, falando com naturalidade sobre seus estudos, pedindo-lhe opinião, tratando-o com mais carinho.

Augusto Cezar gostou da atitude dela. Notou que estava mais cordata e começou a pensar que Carolina não estava mais tão zangada com ele. Ele não tocou mais no telefonema de Odete e sabia que certamente as duas estavam se comunicando com a família e possivelmente conversando com Adalberto na sua ausência.

Fingiu que não sabia porque não tinha vontade de impedir que conversassem, mas ao mesmo tempo não queria que descobrissem que tinha mudado de ideia.

Todos os dias de manhã, Sérgio ligava para Carolina, o que os deixava alegres pelo resto do dia. Adalberto também conversava de vez em quando com a mãe, contando como estava sua vida no trabalho e em tudo o mais.

Uma manhã Odete ligou aflita para informar que Guilhermina passara mal e o médico diagnosticara uma pneumonia e dissera que se ela não melhorasse seria melhor interná-la.

Ernestina procurou confortá-la:

— Ela é forte, há de melhorar, você vai ver. Vou falar com Augusto Cezar.

— É bom mesmo porque estou nervosa, não sei o que fazer.

— Vou pedir para ele ligar para você.

— Espero que ele faça mesmo isso.

Assim que ela desligou, Carolina disse:

— Papai deve ir vê-las. Vovó ficou doente de tristeza.

— Como você sabe?

— Porque a tristeza é que afeta os pulmões.

— De onde você tirou isso?

— Eu sei que quem vive triste acaba afetando os pulmões.

Ernestina abanou a cabeça e ligou para o marido dando-lhe a notícia. Ele ouviu e não respondeu logo. Ela continuou:

— E então? Odete está muito nervosa, nós precisamos fazer alguma coisa. Temos de ir ver dona Guilhermina.

— Vou ligar para Odete, depois conversaremos.

— O médico falou até em internação.

— Pode deixar, vou falar com ela, depois eu ligo para você.

Ernestina desligou e Carolina indagou:

— O que ele disse?

— Vai ligar para Odete. Eu acho que deveríamos ir até lá para vê-las. Se a tristeza a deixou doente, a nossa presença poderá fazer com que ela recupere a saúde.

— Também acho. Vamos ver o que papai decide.

Meia hora depois, Augusto Cezar chegou em casa e assim que Ernestina abriu a porta disse preocupado:

— Ela está mal e com muita febre. Vamos arrumar as coisas e ir até lá. Carolina fica.

— Ela não pode ficar sozinha em casa.

— Rute cuidará dela. Não quero que ela vá.

— Se é por causa de Sérgio — disse Carolina aproximando-se —, mesmo sem nos ver continuamos namorando.

— Como se atreve a me dizer isso? Eu pensei que tivesse esquecido esse namoro.

— Nós nos amamos de verdade e queremos ficar juntos.

— Eu os proíbo — retrucou ele com raiva. Depois, diante dos olhares admirados das duas continuou: — Nunca antes de sua formatura.

— Se for preciso esperaremos até lá. Eu quero que entenda que tudo o que fizer não vai nos separar de novo!

Carolina disse isso olhando firme nos olhos dele, que estremeceu e baixou o olhar. Ela se dirigira ao espírito dele, que não teve como reagir. No fundo, ele sabia que não poderia impedir mais que os dois se unissem.

Ernestina olhou-o séria e disse com voz firme:

— Carolina vai conosco. Não vou deixá-la sozinha aqui. Dona Guilhermina ficará feliz vendo-a, ela precisa de alegria. Ficou doente de tristeza. Sabia que a tristeza afeta os pulmões? Antigamente muitas mulheres morriam tuberculosas por causa da tristeza.

Carolina vibrou com as palavras da mãe, mas ficou calada. Augusto Cezar não se conteve:

— O que está dizendo, mulher? Que ideia é essa?

— É verdade. Lembra da filha da dona Ana, que morava vizinha da casa de minha mãe? Ela foi abandonada pelo noivo e morreu tuberculosa. Esqueceu-se? Era uma moça linda, jovem, ficou magra e tossia sem parar.

— Não vamos perder mais tempo. Vamos nos arrumar. Quero partir o quanto antes. Carolina não pode perder aula.

— Nós tivemos prova ontem. Eu posso ir. Não tenho nada de importante até o começo do mês.

— Então vá se arrumar — disse Ernestina com voz firme.

Meia hora depois, o carro saiu levando os três rumo à capital. Carolina, apesar de preocupada com a doença da avó, sentia-se feliz diante da possibilidade de encontrar-se com Sérgio.

Na casa de Guilhermina, Odete desligou o telefone e correu ao quarto da mãe:

— Mãe, Augusto Cezar ligou e estão vindo para cá.

— Graças a Deus! — exclamou Guilhermina emocionada. — Certamente Carolina também vem.

Odete hesitou:

— Não sei... ele não disse e eu não tive coragem de perguntar.

— Ele não vai fazer isso comigo. Estou morrendo de saudades de Carolina! Tão doce, tão querida!

— Eu também estou com muitas saudades dela. Mas sabe como Augusto Cezar é turrão. É bem capaz de deixá-la na casa de alguém para impedi-la de ver o Sérgio.

Adalberto apareceu no quarto:

— Foi papai quem ligou?

— Foi — respondeu Odete. — Estão vindo para cá.

— Que bom! Sérgio vai ficar muito feliz.

— Não sei se Carolina virá com eles.

— Certamente. Se eu bem conheço minha irmã, ela não ficará lá de jeito nenhum. Ainda mais agora que mamãe a está apoiando.

— Só acredito vendo — disse Odete. — Ela é tão passiva! Não teria coragem de ir contra o marido.

— Se fosse assim ela não permitiria que Carolina conversasse sempre com Sérgio pelo telefone. Nem teria ligado escondido dele para saber de mim.

— O amor de mãe falou mais alto — disse Guilhermina entre uma tosse e outra.

Adalberto acariciou a testa da avó dizendo com carinho:

— A tristeza acabou, vovó. Você precisa sarar logo para aproveitar a presença deles.

— Não. Mesmo que eu melhore, vou fingir que ainda estou mal para que eles fiquem aqui mais tempo.

Eles riram e ambos notaram que os olhos de Guilhermina brilhavam comovidos e alegres.

Odete começou a calcular a que horas eles deveriam chegar e disse:

— Vou mandar preparar os aposentos para eles e um bom lanche para quando chegarem.

— Pode ir, tia, vou ficar fazendo companhia para vovó.

— Você está perdendo aula por minha causa.

— Estou bem. Se continuar assim, logo fecho a média do ano. Posso ficar em casa com você.

— Não gostaria de dar motivo para que seu pai dissesse que não cuidamos bem de você.

— Quando me vir, ele vai pensar que vocês me mimaram muito. Estou até mais forte e corado.

— Você está mais bonito, mais homem — respondeu Guilhermina sorrindo.

Pouco depois, Odete voltou e colocou a mão na testa da mãe dizendo:

— Está na hora do seu remédio. Antes, vou medir sua temperatura. A febre ainda está alta.

— Eu sei. Meus arrepios ainda não passaram.

Odete mediu e a temperatura passava de trinta e oito. Ela deu-lhe o remédio e disse:

— Relaxe. Você agora precisa dormir.

— Eu quero esperá-los acordada.

— Nada disso. Eles ainda vão demorar. Tente dormir, descansar para estar melhor quando chegarem.

— Vou ficar aqui do seu lado. Fique tranquila. Se estiver dormindo quando chegarem, eu a acordarei.

— Promete?

— Prometo. Agora feche os olhos e descanse.

Ele ficou alisando com carinho a testa dela, que fechou os olhos e pouco tempo depois adormeceu.

No meio da tarde, Odete ouviu o carro do irmão chegando e avisou Adalberto. Antes que ele acordasse a avó, ela abriu os olhos dizendo:

— Ouvi o ruído de um carro. São eles?

— São, vovó.

Odete espiou no quarto e, notando que a mãe estava acordada, desceu em seguida para receber os parentes.

Augusto Cezar colocou o carro na garagem e pouco depois Adalberto estava ao lado deles. Ernestina desceu e abraçou o filho longamente, beijando seu rosto com carinho.

Augusto Cezar não disse nada, abriu o porta-malas, e Adalberto, que também havia abraçado Carolina, foi ter com ele:

— Como vai, papai? Pode deixar que eu faço isso.

Augusto Cezar resmungou:

— Vou bem, obrigado — e afastou-se deixando que o filho tirasse a bagagem.

Cumprimentou Odete e perguntou:

— Como está mamãe?

— Ainda com febre. Apesar do remédio, ela não abaixa. Se continuar assim, terá de ser internada.

— Ela vai melhorar, tia, você vai ver — interveio Carolina, que em seguida subiu para o quarto da avó. Aproximou-se dela e beijando-a na testa disse:

— Vovó! Que saudade!

Guilhermina abraçou a neta e não encontrou palavras para responder. Começou a soluçar. Carolina beijava-a no rosto com carinho.

— Não chore, vovó. Nós estamos aqui de novo. Apesar de longe não deixei nem um segundo de pensar em você, do quanto fomos felizes juntas e de como nos demos bem.

Guilhermina respirou fundo e conseguiu dizer:

— É verdade. Depois que você foi embora, tudo para mim perdeu a graça. Nossa casa ficou sem alegria. Você é como uma luz. Quando aparece tudo fica mais bonito.

Augusto Cezar, parado na porta, lutava para controlar a emoção. Ernestina, mais atrás, também estava emocionada.

Quando notou que a mãe tinha se acalmado, Augusto Cezar entrou e Ernestina o acompanhou.

— Mãe, está melhor?

— Ainda não muito. E você, meu filho, está bem?

— Sim, estou.

Ernestina abraçou a sogra, que lhe deu as boas-vindas:

— Que bom que vieram! Não aguentava mais de saudades.

Augusto Cezar quis saber de Odete tudo o que o médico dissera, ver as receitas. Depois, reservadamente, disse à irmã:

— Esse antibiótico é forte, mas ela ainda está com bastante febre.

— Essa é minha preocupação. Vamos esperar que ela melhore sem precisar de internação. Logo mais à noite, o médico ficou de passar aqui, depois que sair do consultório. Vamos ver o que ele diz.

— Eu quero conversar com ele.

Odete levou-os para os aposentos que lhes destinara e avisou-os de que assim que descessem serviria o lanche na copa.

Carolina não saiu do lado da avó e, enquanto segurava a mão dela, intimamente pedia ajuda a Márcia para que intercedesse a seu favor.

Adalberto foi ficar ao lado delas e, assim que os pais deixaram o quarto, ele disse em voz baixa:

— Sérgio está me dando trabalho. Queria porque queria esperá-la aqui. Custou para entender que isso poderia atrapalhar um entendimento. Pelo que sei, papai ainda não concorda com o namoro.

— Ele não concorda, mas ainda hoje, antes de viajarmos, eu lhe disse que eu e Sérgio, mesmo sem nos ver, continuamos namorando.

— Ele ficou irritado?

— Um pouco, mas não revidou porque mamãe não lhe deu tempo. Interveio e mandou que eu me arrumasse para a viagem. Papai não queria que eu viesse, mas ela resolveu e pronto.

— Ele não disse nada?

— Não. O tom dela foi decisivo.

— Eu gostaria de ter visto isso. Há muito esperava que ela reagisse. O que aconteceu para que ela mudasse?

Os olhos de Carolina brilharam expressivos:

— Eu decidi me aproximar mais dela. Nunca tinha feito isso e nos entendemos melhor. Descobri que mamãe, no fundo, não é tão passiva quando demonstrava. Ela era muito fechada e carente de afeto. Só dei um empurrãozinho, observando suas qualidades e elogiando-a. Assim, ela acreditou mais em si mesma e ganhou coragem.

Adalberto meneou a cabeça:

— Por que não pensei nisso antes? Eu sentia que havia qualquer coisa errada naquele comportamento dela, mas não percebia o que era.

— Eu consegui algumas coisas, mas ainda faltam outras para que ela assuma sua verdadeira postura.

— Quero colaborar. Farei o que puder para que ela continue assumindo seu verdadeiro lugar em nossa família.

Guilhermina, que descansava sob o efeito do remédio, sentia-se mais calma com Carolina segurando sua mão. Abriu os olhos e perguntou:

— Estão falando de Ernestina?

— Sim, vovó. Ela está mais ativa. Você vai ver — esclareceu Carolina.

— Eu senti isso quando ela nos ligou às escondidas para perguntar de Adalberto.

— Isso mesmo.

— Augusto sempre foi teimoso. O pai, para lidar com ele, precisava impor-se. Quando se casou eu temia que fosse difícil de ele se entender com a esposa. Rezava para que ela soubesse lidar com ele para torná-lo mais flexível. Mas aconteceu o contrário. Foi ela quem ficou passiva.

— Ela não era assim antes do casamento? — perguntou Adalberto.

— Penso que não. Quando a conheci era uma moça alegre, bem-disposta, gostava de conversar sobre qualquer assunto. Depois, com o tempo, foi ficando quieta, só se interessava pela família, perdeu o prazer de uma boa conversa.

— Eu me aproximei mais dela contando coisas, e ela foi muito receptiva. Nos últimos tempos temos conversado bastante sobre vários assuntos.

— Você é uma fada que conseguiu mais um milagre — comentou Guilhermina beijando a mão da neta que segurava.

O telefone tocou e Adalberto atendeu logo.

— Como vai, Áurea? Sim. Chegaram. Deixe-me falar com ele.

Carolina aproximou-se do telefone e perguntou baixinho:

— É o Sérgio?

— É — e passou o telefone para ela.

— Carolina, estou ansioso. Vou dar uma passada aí agora.

— Calma, Sérgio. Acabamos de chegar.

— Eu quero ver você.

— Eu também. Mas é melhor esperarmos uma ocasião oportuna.

— Não quero mais esperar.

— Eu também não. Mas não venha aqui agora. Vou dar um jeito de vê-lo, mas preciso de um tempo para pensar em como fazer isso. Eu prometo ligar assim que decidir. Adalberto vai nos ajudar.

Carolina ouviu os pais se aproximando e disse:

— Preciso desligar. Não faça nada. Espere eu ligar. Um beijo.

Desligando rapidamente, voltou a segurar a mão da avó exatamente no momento em que os pais entravam no quarto.

26

Naquela noite, durante o jantar, Augusto Cezar estava mais calado do que o habitual. Ele tinha ficado uma hora fechado no escritório com Odete, inteirando-se da situação financeira das duas. Antes, elas não faziam nada sem o consultarem, mas depois do desentendimento nunca mais tinham recorrido a ele.

Ficou surpreso quando Odete contou-lhe que Adalberto as tinha orientado, emitindo opiniões sensatas sobre como lidar com os rendimentos que possuíam, e até tendo contribuído para que elas os aumentassem.

— Ele tem o dom das finanças — comentou ela entusiasmada. — Faz milagres com o salário que recebe no escritório: paga a faculdade, os livros, cuida da aparência com capricho.

— Diga a verdade. Adalberto não é isso tudo que você diz. Não tem experiência nenhuma, nunca trabalhou nem administrou nada. Você está querendo que eu o veja dessa forma, não é?

Odete irritou-se:

— Acha que estou mentindo? Bem se vê que você não conhece o filho que tem. Ele não é mais um menino, tornou-se um homem que sabe o que quer e corre atrás.

— Vamos mudar de assunto. Não estou interessado em saber o que ele anda fazendo. Só quero que a presença dele não seja pesada para vocês que vivem dos seus rendimentos.

— Como lhe tirou a mesada, no começo, até ele encontrar trabalho, nós o ajudamos nas despesas. Mas quando ele começou a trabalhar, queria nos pagar, o que não aceitamos de forma alguma. Ainda agora ele está sempre querendo nos dar dinheiro para as despesas da casa. Como não precisamos, não aceitamos, mas quando ele recebe sempre compra alguma coisa para nós. Estamos muito felizes com a presença dele aqui. O único problema que temos é com a doença de mamãe. Ela precisa ficar boa logo.

Ainda no jantar, Ernestina conversava com Odete que, ao contrário do que sempre fora, estava muito à vontade e trocava ideias com a cunhada. De vez em quando Augusto Cezar as olhava admirado.

Adalberto e Carolina notavam e trocavam olhares maliciosos. Assim que terminaram de comer, os dois, a pretexto de fazerem companhia para a avó, saíram da mesa.

Odete convidou a cunhada para ir ao quarto, onde desejava mostrar-lhe algumas revistas de moda, e Augusto Cezar ficou só. Foi sentar-se na sala pensativo.

Estava angustiado, triste. De repente pareceu-lhe que era um estranho diante da própria família. Todos estavam descontentes com ele. Imaginava que por trás das aparências estava sendo odiado por eles, e esse pensamento dava-lhe uma desagradável sensação.

Sentiu vontade de pegar o carro, deixar todo mundo lá e voltar para sua cidade, sua casa, seu refúgio.

O que estava acontecendo com ele? De onde vinha essa insatisfação que o incomodava deixando-o inseguro e infeliz? Ele acreditava estar cuidando da família, fazendo o melhor para todos, e não era compreendido.

Pela primeira vez sentiu-se inútil. Ernestina estava diferente, não lhe obedecia mais, parecia outra pessoa, os filhos também não precisavam mais dele. Queriam ver-se livres de sua tutela.

Tudo o que fizera fora inútil. Conseguira apenas ser odiado, colocado de lado.

Ele não percebeu que naquele momento uma sombra escura o envolveu segredando em seus ouvidos:

— Ninguém gosta de você! Eles querem ir embora porque o odeiam. Você merece. Foi malvado com Ethel, tirou-a dos meus braços depois que sua mulher morreu, tomou-a para si contra a vontade dela! Ela nunca o amou! Era a mim que ela amava, e você nos separou! Nunca vou perdoá-lo! Você precisa pagar por tudo o que fez a ela!

Essas palavras passavam pelo pensamento de Augusto Cezar como se fossem dele e, quanto mais ele as aceitava como realidade, mais se sentia infeliz.

Carolina, no quarto da avó, ouvia as brincadeiras do irmão querendo distrair Guilhermina, que sorria feliz. De repente, ela notou a presença do espírito de Márcia, que lhe disse:

— Procure seu pai, ele precisa de você.

Imediatamente ela levantou-se:

— Vou até a sala, já volto.

Ela seguiu o vulto de Márcia que se encaminhava para a sala onde Augusto Cezar estava. Assim que entrou, Carolina viu o vulto escuro envolvendo-o e sentiu o que aquele espírito estava dizendo.

Augusto Cezar sentia a cabeça atordoada e a tinha entre as mãos. Carolina aproximou-se e colocou a mão espalmada sobre a cabeça dele, que abriu os olhos surpreendido.

— O que foi, Carolina, aconteceu alguma coisa com sua mãe?

— Não, papai. Está acontecendo com você. Feche os olhos e relaxe, vamos ajudá-lo.

Sem pensar em nada, Augusto Cezar lhe obedeceu. Estava exausto e no limite de sua resistência. O gesto da filha o sensibilizou. Carolina começou a falar:

— Pai, você precisa ceder ao que a vida quer. O tempo muda todas as coisas, é natural. Aceite as mudanças! Estou certa de que será para melhor. Você está cansado de lutar contra aquilo que é. Mas aprenda que ninguém consegue controlar a vida. Ela é soberana e só faz o que sabe que será para o bem de todos.

A voz de Carolina estava modificada, seu tom mais maduro e suave. Augusto Cezar suspirou e ela continuou:

— Jogue fora a sua dor, aceite que nem sempre as coisas são como você gostaria, mas sim como devem ser. Há uma força maior que cuida de todos nós e nos dá o melhor. Mas é preciso saber enxergar. O que está pensando não é verdade, é apenas uma sugestão de alguém que ainda não aprendeu a lição do perdão e deseja cobrar por suas atitudes do passado. Você não se lembra, mas seu espírito sabe que falo a verdade. Mande embora essas energias de insatisfação e de revolta. Ninguém é vítima a não ser de si mesmo. Você não é mais como naqueles tempos. Está mudado, tornou-se melhor, mais bondoso, aprendeu. Quanto a você que o está envolvendo, querendo vingar-se, já deveria ter aprendido e perdoado. Ethel agora está melhor e vai ser feliz. Deixe-a em paz. Ela não é mais para você.

Augusto Cezar sentia o corpo tremer enquanto não conseguia conter as lágrimas que desciam pelo seu rosto. Carolina colocou a mão em sua testa e disse com voz firme:

— Você não pode mais ficar aqui. Essa mulher é uma amiga minha que deseja ajudá-lo. Vá com ela que será melhor.

Augusto respirou fundo e estremeceu:

— Graças a Deus! — tornou Carolina já com a voz normal.

Augusto Cezar sentiu muito frio enquanto seu corpo continuava tremendo. Carolina segurou as duas mãos dele dizendo:

— Vamos rezar, pai. Agradecer a Deus por ter nos auxiliado nesta hora. Hoje conseguimos uma grande graça.

Ela proferiu sentida prece de agradecimento e Augusto Cezar sentiu uma forte onda de calor. Logo após, uma sensação agradável o envolveu.

Quando Carolina se calou, Ernestina e Odete estavam paradas junto deles rezando. Ela foi buscar um copo de água e entregou-o a ele:

— Beba, papai. Vai sentir-se bem.

Admirado, ele olhou-a e obedeceu-lhe. Carolina entregou-lhe uma toalha. Seu corpo estava ensopado de suor.

Os três olhavam Carolina curiosos e Augusto Cezar não se conteve:

— Carolina, você pode me explicar o que aconteceu aqui?

— Posso, pai. Você foi envolvido por um espírito que veio reclamar de uma atitude que você teve na vida passada.

Augusto Cezar abriu os olhos assustado, Odete fez o mesmo, só Ernestina estava calma.

— Isso não pode ser — respondeu ele. — Não me recordo de ter tido outra vida.

— Mas teve. A reencarnação é um fato. Alguns conseguem lembrar-se, mas a maioria não. Quando nós voltamos a este mundo o esquecimento facilita a convivência com os desafetos de outros tempos.

Augusto Cezar meneou a cabeça:

— Não pode ser. De onde tirou isso?

— Você tem outra explicação?

— Não, mas...

— Esse espírito tem raiva de você, aproximou-se e mandou-lhe energias depressivas. Você sentiu inquietação, angústia, tristeza, torpor na cabeça e até enjoo. Frio, arrepios, como se estivesse com febre.

— Foi isso mesmo que senti.

— Embora você estivesse preocupado com alguns problemas de família, não se sentia mal. Quando foi abordado por esse espírito, sentiu-se mal e acreditou que tudo que estava sentindo fosse seu, o que é comum acontecer nessa situação. Como está se sentindo agora?

— Estou intrigado. A princípio, quando você começou a falar, senti meu mal-estar aumentar. Uma revolta muito grande se apoderou de mim.

— É ele quem está revoltado. Você captou as energias.

— Custo a crer.

— O que sentiu depois?

— O frio foi passando e senti um calor forte que apesar de tudo era agradável e, de repente, um alívio muito grande me fez ficar bem.

Carolina segurou a mão do pai e sentou-se ao lado dele dizendo:

— Pai, desde criança eu vejo espíritos. Quando eu desmaiava na igreja, tinha um deles que me tirava do corpo e me levava para passear na outra dimensão.

— O que está dizendo? Você perdia os sentidos, mas não saía do lugar.

— Eu ia, em espírito. Esse é um fenômeno natural que acontece todas as noites quando dormimos. Sempre voltamos, só vamos definitivamente quando nosso corpo morre. Nós continuamos vivos depois da morte.

— Como pode ser? Quando morremos nosso corpo apodrece.

Ernestina e Odete haviam se sentado e ouviam com atenção. Carolina falava com segurança e elas estavam fascinadas.

— Acontece que a vida é perfeita e nos dotou de um outro corpo que é invisível para a maioria dos seres humanos quando vivem aqui, mas que sobrevive depois da morte. Ele é feito de matéria mais delicada, porém ainda é matéria, e nos possibilita viver em outras dimensões do Universo preparadas para nos receber. A morte é apenas uma viagem. Quando entregamos nosso corpo de carne para a decomposição, saímos para outra vida. Somos iguais às borboletas, que passam pelo mesmo processo.

Augusto Cezar estava boquiaberto. Parecia-lhe estar vendo a filha pela primeira vez. Ela falava com firmeza e embora ele ainda tivesse muitas dúvidas não podia deixar de sentir que havia uma verdade na qual ele nunca havia pensado. Quando pensava na morte, preocupava-se em deixar a família amparada, mas só isso.

— Se você sabe tudo isso desde criança, por que nunca nos contou nada?

— No começo eu pensava que todos estavam vendo os espíritos, tanto quanto eu. Mas logo percebi que apenas eu os via. Foi quando eles me disseram que seria melhor eu esperar uma ocasião oportuna para contar-lhes. Márcia é um espírito bondoso que tem me protegido e ensinado. Foi ela quem me chamou no quarto de vovó para vir ajudá-lo. Quem conversou com o espírito foi ela por meu intermédio.

— Eu notei que sua voz estava bem diferente — interveio Odete.

Augusto Cezar, pensativo, passou a mão nos cabelos. Essa coisa de espíritos o deixava temeroso.

— Ele foi embora. Acha que poderá voltar?

— Márcia o levou e estou certa de que vai ajudá-lo a entender que deve desistir de vir abordá-lo. Mas não vou enganá-lo. Enquanto ele estiver obstinado, não entender que o passado precisa ser esquecido, poderá voltar.

— Isso não é justo. Ele me vê enquanto eu não sei quem ele é. Não me recordo de nada. Sou um homem de bem.

— Pai, você não é uma vítima. Se ele está com raiva, mesmo confundindo as coisas e exagerando, você deve ter provocado isso. Está em suas mãos impedir que ele lhe faça mal.

— De que forma?

— Se vier a sentir o mesmo mal-estar, sem motivo aparente, pode ser que ele tenha voltado. Nesse caso, resista e mande-o embora, afirmando que você está bem, que o que está sentindo não é seu. Se fizer isso com convicção, logo começará a bocejar e sentirá que tudo voltará ao normal.

— Acha que ele vai me obedecer?

— Você é dono do seu corpo, de sua mente e não deve aceitar pensamentos negativos. Mesmo sendo seus, eles fazem mal. É mais seguro ficar no bem. Só o bem faz bem. O mal sempre faz mal.

Adalberto apareceu na sala e disse admirado:

— Faz tempo que vocês estão conversando e noto que o assunto é sério. Do quarto de vovó eu ouvia o murmúrio da conversa sem entender o que diziam. Vovó ficou intrigada e mandou-me ver o que estava acontecendo.

Foi Ernestina quem respondeu:

— Seu pai não estava bem, mas já melhorou. Diga a ela que já vamos vê-la.

— Eu mesma vou conversar com ela — disse Carolina levantando-se.

— Eu vou com você — tornou Odete.

Adalberto as acompanhou. Ernestina sentou-se ao lado do marido em silêncio. Depois de alguns segundos ele perguntou:

— Você sabia alguma coisa sobre as ideias de Carolina?

— Sim. Há pouco tempo ela começou a falar-me sobre esse assunto.

— É incrível! Carolina ainda é uma criança. Pode estar se iludindo. É muito crédula.

— Ela é muito madura. Quando conversamos, surpreende-me com ideias sensatas que me ajudam e me deixam bem. Nos últimos tempos tenho me sentido mais feliz, valorizado a nossa vida mais do que antes. Você não pode se esquecer de que estava mal e ela tirou seu mal-estar em um instante.

— Isso é verdade. Agora nem parece que eu tenha me sentido tão mal. Parecia que eu ia morrer. Foi horrível.

— Eu também já passei pela mesma coisa e ela me ajudou a ficar bem. Acredite. Carolina sabe o que está dizendo.

— Mas essa coisa de espírito me assusta e confunde.

Ernestina deu de ombros e respondeu:

— Pois a mim não. Depois que minha mãe morreu, ela veio em sonho me pedir para não chorar mais porque ela continuava viva no outro mundo. Eu chorava todos os dias diante do retrato dela, depois disso, nunca mais chorei.

— Você nunca me contou isso.

— É que só me recordei depois que Carolina me disse que os que morreram continuam vivos no outro mundo.

Augusto Cezar suspirou pensativo. Ela continuou:

— Vai ver que você estava aqui pensando nos problemas e atraiu esse espírito. Eu agora presto atenção e, quando vem um pensamento de tristeza, trato logo de não dar importância e rapidamente mudá-lo para uma coisa boa. Assim, nunca mais me senti mal.

— Pelo jeito você acredita em tudo que Carolina disse.

— Acredito. E acho bom você pensar no assunto e procurar investigar. Carolina me ensinou que eu deveria questionar as coisas e não acreditar em tudo o que as pessoas dizem. Mas procurar a verdade onde ela estiver, experimentando as coisas para saber quais funcionam.

Augusto Cezar abriu a boca e fechou-a de novo sem saber o que dizer. Nunca Ernestina lhe falara com tanta sabedoria.

Ela levantou-se:

— Vou ver dona Guilhermina. É melhor você ficar sozinho para pensar sobre tudo isso.

Ela se foi e Augusto Cezar continuou remoendo o assunto. Uma coisa era verdade: Carolina conseguira que ele recuperasse o bem-estar sem lhe dar um remédio sequer. Isso o impressionou muito. Para ele, todo mal-estar tinha a ver com problemas de saúde. Não acreditava nem que as emoções pudessem provocar reações no corpo físico.

O que Carolina lhe dissera virara suas crenças de pernas para o ar. Pensou em seu pai. Se isso fosse verdade ele também continuaria vivo no outro mundo. Ao pensar nisso, sentiu que um calor agradável o envolvia. Sentiu saudades dele. Como seria bom abraçá-lo, trocar ideias como fazia sempre que o visitava.

Levantou-se e foi até o escritório onde ambos costumavam se reunir para tratar dos assuntos da família. Sentou-se diante da escrivaninha fixando o retrato de casamento que ainda se encontrava sobre ela, como estivera desde que os pais haviam se casado.

Ficou comovido. Guilhermina mocinha, vestida de noiva, esboçando leve sorriso, ele de fraque, sério. Augusto Cezar fixou-o, fora um homem bonito. Pela primeira vez notou como ele era parecido com Adalberto. Ao pensar no filho, lembrou-se de como fora ingrato ao preferir deixar a casa a seguir seus conselhos de pai.

Nesse instante, recordou-se de como seu pai reagira quando, recém-formado e desejando casar-se em breve, decidira mudar-se para a pequena cidade de Bebedouro, onde tinha ido passar umas férias e se encantara com as belezas e a calma do lugar.

Era ideal para se estabelecer, levar sua jovem esposa, criar os filhos. Guilhermina tinha chorado, ficado triste, dizendo que não permitiria que ele fosse morar tão longe. Mas o pai tivera uma atitude diferente, abraçara-o e dissera:

— Você é um homem, tem o direito de escolher seu próprio caminho. Vou sentir muito sua falta, mas se é isso o que deseja, vou apoiá-lo.

Foi então que ele notou a diferença da atitude dele com a sua. A situação era a mesma, apenas com a diferença de que Adalberto ainda não estava formado. Mas pelo que Odete lhe dissera, ele sabia o que queria, estava se esforçando para estudar, trabalhar. Sentiu vergonha. Seu pai não só consentira, como lhe dera dinheiro para comprar a bela casa onde ele residia com a família.

Ele não fizera nenhum esforço para ter a casa, só precisara trabalhar para mantê-la, mas mesmo assim, o pai sempre lhe mandava dinheiro e o ajudou a abrir a empresa de construção que lhe garantia o sustento e o bem-estar de todos.

Adalberto fizera muito mais do que ele. Não se prevalecera da ajuda da avó e da tia para ser sustentado. Tivera dignidade de trabalhar e viver às próprias custas.

Ele não sabia, mas o espírito de Norberto estava ao seu lado, desde que Márcia o ajudara a libertar-se, e o seguira ao escritório, ligando-se a ele, inspirando suas lembranças e fazendo comentários ao seu ouvido que o fizeram perceber o que ele não queria ver. O espírito de Márcia estava ao lado dele, auxiliando-o nesse processo. Ela projetou para Augusto Cezar a imagem de Carolina e de Sérgio.

Ele estremeceu. Um sentimento de medo o acometeu. Ele não queria que a filha se casasse com Sérgio. Sentiu raiva dele.

— Por que ele não desistia dela? Sua insistência o irritava. Carolina lhe dissera que continuavam namorando. Como, se eles nunca mais se viram?

Márcia colocou as mãos na fronte de Augusto Cezar, de onde saiu uma luz azul brilhante que percorreu todo seu corpo. Ele sentiu arrepios e estremeceu. Fechou os olhos e pensou: "Será que aquele espírito voltou?".

Fez menção de levantar-se para procurar Carolina. Mas viu nitidamente a figura de seu pai, à sua frente, estendendo as mãos para ele.

Levantou-se e gritou emocionado:

— Pai, é verdade? Você está aqui?

Abriu os olhos, mas o pai havia desaparecido. Emocionado, Augusto Cezar deixou-se cair novamente na cadeira, esfregando os olhos, fechando-os novamente e tentando vê-lo outra vez. Mas não conseguiu.

Teria acontecido mesmo ou ele estaria sugestionado pelo que Carolina dissera? Levantou-se e saiu à procura de Carolina. Encontrou-a no corredor:

— Estava à sua procura.

— O que aconteceu?

Rapidamente ele a segurou pelo braço e levou-a ao escritório do pai.

— Aconteceu uma coisa incrível.

— Você viu o espírito do vovô.

— Como sabe?

— Ele ainda está aqui. Posso vê-lo. Márcia está com ele.

— Foi muito rápido. Eu gostaria de vê-lo melhor.

— Ele está dizendo que foi ele quem o trouxe para cá, abraçou-o e você sentiu. Conversou com você, que percebeu o que ele desejava dizer-lhe.

Augusto Cezar lembrou-se do calor agradável que sentira e das saudades dos tempos que estiveram juntos.

— Ele está aqui e eu não posso vê-lo. Gostaria de poder abraçá-lo.

— Ele disse que virá visitá-lo durante o sono e poderão conversar melhor.

— Ele me fez pensar coisas que eu nunca havia pensado. Há um outro assunto que eu gostaria de falar com ele.

— Ele está dizendo que precisa ir embora. Mas que voltará a procurá-lo. Vão com Deus e obrigada — disse Carolina emocionada.

— Estou comovido. Nunca pensei que pudesse voltar a conversar com ele.

Carolina levantou-se e segurou a mão do pai com carinho:

— Venha, pai. Tia Odete fez um chá e está nos esperando na copa.

— Não tenho vontade.

— Mas vai fazer-lhe muito bem. Vamos, não deixemos tia Odete esperando.

Augusto Cezar levantou-se e deixou-se conduzir por Carolina para tomar o chá.

27

Não tinham ainda terminado de tomar o chá quando Dina introduziu o médico na sala e foi imediatamente avisar Augusto Cezar, que se apressou a cumprimentá-lo:

— Como vai, doutor Jorge?

— Bem. Eu queria vir mais cedo, mas foi impossível. Parece que todos os meus clientes hoje lembraram-se de mim!

— O senhor deve estar cansado. Obrigado por ter vindo mesmo assim.

Carolina aproximou-se e cumprimentou o médico com carinho. Doutor Jorge era o médico da família, tratara de Norberto com desvelo e era querido por todos da casa.

— Vou ver se dona Guilhermina melhorou — disse ele.

— Eu o acompanho. Estava ansioso a sua espera.

Os dois dirigiram-se para o quarto da doente e Carolina ia acompanhá-los quando viu Adalberto na porta chamando-a. Foi ter com ele:

— Sérgio está no portão. Ia tocar a campainha, mas eu escutei o barulho do carro e o impedi. É melhor sair e falar com ele.

O rosto de Carolina iluminou-se de alegria, mas pediu:

— Se papai perguntar por mim, diga que estou no quarto e vá me avisar.

— Pode deixar. O doutor Jorge chegou em boa hora. Papai nem vai notar sua ausência.

Carolina saiu e Sérgio estava parado em frente da casa. Vendo-a, abraçou-a com carinho, beijando seus lábios com emoção.

Preocupada, Carolina muito emocionada pediu:

— Vamos sair daqui. Papai pode nos ver.

Foram para o carro e se distanciaram da casa, parando em uma rua próxima.

Sérgio a olhava com amor e Carolina sentia o coração bater forte.

— Eu não aguentava mais de saudades — reclamou ele continuando: — Eu queria falar com seu pai, ver se o convenço a mudar de ideia. Não gosto de encontrar com você como se estivéssemos fazendo algo errado. Nosso amor é sincero e não há motivo para tanto sacrifício.

— Eu sei. Mas sinto que precisamos esperar um pouco mais para dar esse passo.

— Olhe, durante esses meses tenho juntado dinheiro pensando em nosso futuro. Dentro de pouco tempo poderemos comprar uma boa casa e nos casar.

Carolina suspirou:

— É o que eu mais quero no mundo! Mas foi você mesmo quem me alertou sobre o passado. Estou procurando fazer a minha parte para que nada mais nos impeça de ficarmos juntos. Você precisa ter mais um pouco de paciência. Eu me lembrei de alguns fatos, pensei muito e descobri o que precisava fazer para me libertar.

— Tem certeza do que está fazendo?

— Sim. Descobri que fui a responsável pelos acontecimentos daquele tempo.

— Está se subestimando. Você sempre foi muito boa.

— Não é verdade. Por vaidade e ambição, seduzi um homem e me casei com ele sem amor. Quando o conheci e nos apaixonamos, eu não quis deixá-lo e ir viver a seu lado porque não queria perder a posição social e o luxo em que vivia. Escolhi tornar-me sua amante e paguei caro pela traição.

— Eu conheço parte da história, mas você está exagerando.

— Não, Sérgio. Estou segura do que afirmo. Em vida passada causei sofrimento a meus pais, e sei que a vida nos reuniu agora para que nos entendamos. Sinto que enquanto eu não vencer o rancor, a mágoa que às vezes ainda brota em meu coração, não serei livre para ser feliz.

Sérgio abraçou-a com carinho, beijando-a várias vezes. Depois disse:

— Desculpe se eu insisti em fazer as coisas de maneira inadequada, mas é muito cruel não poder vê-la nem de vez em quando. Logo sua avó vai melhorar, vocês voltarão para o interior, e tudo continuará igual. Não posso suportar isso.

— Está difícil também para mim. Mas tenho me esforçado e acredito que as coisas estão mudando.

Carolina contou-lhe em detalhes os últimos acontecimentos e finalizou:

— Estamos sendo auxiliados pelos nossos amigos espirituais e muito perto de conseguir o que desejamos.

— Deus a ouça. Depois de tê-la novamente em meus braços, fica mais difícil uma nova separação.

Conversaram mais um pouco, depois Carolina pediu:

— Leve-me para perto de casa. Só Adalberto sabe que saí. Eles podem dar pela minha ausência.

— Amanhã voltarei para vê-la.

— Não pare na porta de casa.

— Farei como quiser, mas quero ficar com você mais tempo.

— Verei o que posso fazer.

Sérgio voltou para perto da casa e depois de mais um beijo Carolina desceu e ele ficou esperando que ela entrasse.

Doutor Jorge entrou no quarto de Guilhermina e aproximou-se do leito, sorrindo:

— Então, dona Guilhermina, está feliz com todos à sua volta?

— Sim, doutor. Mas a febre ainda não foi embora.

— Vamos ver.

Ele sentou-se na poltrona ao lado da cama, sacudiu o termômetro, olhou-o e colocou-o na axila da doente.

Augusto Cezar perguntou:

— O senhor quer que eu saia?

— Pode ficar. Sabe, doutor Augusto Cezar, dona Guilhermina tem andado muito triste desde que sua filha foi embora. Essa menina tem muito jeito para lidar com ela.

— Quando a deixei ficar aqui avisei que seria só até o fim do ano. Ernestina sente muita falta dela.

O médico tirou o termômetro, olhou e comentou:

— Ainda está com trinta e oito.

— Baixou um pouco, ontem estava mais de trinta e nove — comentou Odete, temerosa de que ele falasse em interná-la.

— É. Baixou. Mas precisa baixar mais. Vamos continuar com a medicação. Como está seu apetite?

— Não sinto fome. Meu estômago está enjoado e se eu forçar tenho náuseas.

— Vou receitar um remédio tiro e queda para seu estômago. Tome direitinho que logo estará melhor. Sei que a senhora não gosta de ir para o hospital e estou fazendo de tudo para que possa recuperar-se em casa, mas precisa colaborar, esforçar-se para se alimentar, pelo menos um pouco.

— Pode deixar, doutor — interveio Odete —, vamos cuidar disso com todo o carinho. Fazer tudo o que ela mais gosta.

— Façam isso.

O médico despediu-se, Augusto Cezar acompanhou-o e pediu:

— Eu gostaria de falar consigo em particular, não vou me alongar, venha.

O médico concordou e eles entraram no escritório.

— Estou preocupado com mamãe. Na idade dela uma pneumonia pode ser fatal. A febre é persistente, ela sem querer comer, não seria melhor levá-la para o hospital? Ela não gosta, mas se isso ajudá-la a melhorar, deve ser feito.

— Não creio. Dona Guilhermina viveu momentos muito tristes com o doutor Norberto naquele hospital. Uma internação agora lhe faria mais mal do que bem.

— Ouvi um comentário de que a tristeza faz mal aos pulmões. Não creio que seja verdade.

Doutor Jorge balançou a cabeça pensativo, depois disse:

— A tristeza agrava qualquer doença. Os pulmões são órgãos sensíveis e uma depressão forte pode afetá-los, tanto como a raiva ao fígado e a revolta ao coração. As emoções sempre refletem no equilíbrio da saúde. Você sente essa verdade quando um acontecimento inesperado provoca sensações no corpo, tais como tremor, aceleração das batidas cardíacas, sudorese etc.

— Seria muito bom se elas aceitassem mudar-se para Bebedouro. Compraríamos uma boa casa, próxima à nossa, e estaríamos todos juntos.

— Dona Guilhermina não quer deixar esta casa. Foi aqui que viveu desde que se casou. Ama este lugar. Todas as suas boas recordações estão aqui. Não sei se ela se acostumaria no interior.

— É o que ela diz. Nesse caso, não sei como resolver esse dilema.

— Seria mais fácil o senhor vir para cá.

— Nem me fale uma coisa dessas. Eu adoro a calma da nossa cidade. Não me acostumaria a viver aqui.

— Seus filhos adorariam. Carolina vive dizendo que pretende morar aqui quando se casar, e Adalberto pretende fazer carreira em São Paulo.

Embora contrariado, Augusto Cezar não o contradisse. Pensou um pouco e perguntou:

— Qual é o verdadeiro estado de mamãe? Ela está correndo perigo?

— É uma doença grave que precisa de muitos cuidados. Do ponto em que está, tanto pode melhorar como se agravar. Vamos esperar que ela reaja, que jogue fora a tristeza e tenha vontade de viver. Ela perdeu esse estímulo quando o marido morreu.

— Tem razão. Quanto a isso não podemos fazer nada.

— Mas quando Carolina estava aqui, ela havia melhorado muito. Vivia rindo, sentia-se bem. Falava do marido com carinho, sem tanta tristeza.

— Esse é um remédio difícil. Minha filha precisa viver em nossa cidade. Está cursando faculdade lá. Mas enquanto estivermos aqui faremos o possível para alegrá-la.

— Eu sei disso.

O médico despediu-se e prometeu voltar na noite seguinte se ela ainda continuasse com febre.

Augusto Cezar fechou-se no escritório do pai. Tantas coisas tinham acontecido desde que ele chegara a São Paulo que precisava ordenar seus pensamentos.

Colocou a cabeça entre as mãos. Recordou-se do pai, da adolescência, dos tempos de faculdade, dos namoros que tivera, de como conhecera Ernestina e notara o quanto era prendada, alegre, e sentira que ela era a mulher ideal para começar uma família. Ele desejava viver no interior e ela aceitou tudo o que ele propôs.

O pai encontrava-se no escritório quando Carolina deixou Sérgio, entrou em casa e foi direto para o quarto da avó. Odete contou-lhe o que o médico lhes dissera e Carolina logo prometeu:

— Vovó, quem vai cuidar de você sou eu. Vamos acabar com essa febre de uma vez!

— Estou cansada, quero dormir.

— Mas antes você vai tomar um café com leite e comer um pedaço daquele bolo delicioso que Dina fez.

— Estou sem fome.

— Se você comer nem que seja um pouco, vou contar-lhe uma história de amor maravilhosa.

Odete preparou o café com leite e trouxe o bolo. Carolina foi conversando, contando um filme que tinha visto, e aos poucos Guilhermina foi comendo. Não quis tudo, mas Carolina deu-se por satisfeita.

Ficou segurando a mão dela na penumbra até que fechasse os olhos e adormecesse. Depois, pé ante pé, Carolina foi para o quarto.

Adalberto tinha saído para encontrar-se com Áurea, entrou em casa e, vendo a luz do quarto de Carolina acesa, bateu levemente, abriu e entrou:

— Então, matou a saudade?

— Não deu para isso porque quanto mais ficamos juntos mais queremos ficar.

— Vocês não têm remédio mesmo.

— Vai ser difícil termos de nos separar de novo.

— Sei como é isso. Tanto que convidei Áurea para vir aqui amanhã no fim da tarde.

Carolina olhou-o nos olhos séria e perguntou:

— Você está gostando dela de verdade?

— Estou. Engraçado que comecei a namorá-la para fazer ciúmes a Ana Maria. Eu pensava que estava apaixonado por ela. Aos poucos, Áurea me conquistou.

— Tem certeza?

— Eu desejei mudar-me para São Paulo para ficar perto de Ana Maria, que veio morar aqui. Mas agora, ao reencontrá-la, não sei, ela pareceu-me diferente, não me atrai como antes. Áurea é muito mais bonita e inteligente do que ela. Ana Maria quer ser atriz, casar com milionário e estar sempre em evidência. Não é essa a mulher que desejo para mim.

— É que você amadureceu. Sou muito grata a Áurea pelo que fez por mim. Ficarei feliz se ela entrar para nossa família.

— Por enquanto não tenho condições de me casar. Ambos estamos estudando, mas quando eu melhorar financeiramente, farei o pedido.

— Então é sério mesmo.

— É, vemo-nos todos os dias. Saio da faculdade antes e vou esperá-la. A cada dia estamos ficando mais próximos. Vai ser difícil aguentar esperar pelo casamento. O tempo vai custar a passar.

— De fato. E, quando estamos separados, fica pior ainda. A saudade chega a doer.

— Por isso convidei-a para vir aqui amanhã. Ela veio aqui várias vezes, mas depois que vocês chegaram retraiu-se. Sabe que papai não gosta que eu namore. Mas eu assumi minha vida e não estou mais na dependência dele. Se ele achar ruim, pouco me importa.

Carolina pensou um pouco, depois disse:

— Você tem razão. Às vezes sinto vontade de fazer o mesmo. Sérgio deseja muito falar com papai novamente. Mas eu sei que é melhor esperar um pouco mais.

— Você tem medo dele?

— Não. Mas espero um momento mais favorável. Desde que vovó adoeceu, aconteceram coisas que mexeram muito com o emocional dele. Estou certa de que ele está mudando.

Adalberto sacudiu a cabeça negativamente:

— Pois eu não acredito nisso. Ele nunca vai mudar. Ainda está muito zangado comigo. Cumprimenta-me como a um estranho e nem olha na minha cara.

Carolina pensou um pouco e decidiu:

— Há uma coisa que você precisa saber.

Vendo que ele a olhava curiosamente, ela explicou-lhe sobre espiritualidade, sobre os espíritos que via desde criança, sua mediunidade, os encontros com seres de outra dimensão, inclusive com Sérgio, e sobre reencarnação.

Adalberto a ouvia fascinado. Sempre sentira que entre Carolina e Sérgio havia alguma coisa diferente, especial, mas nunca imaginara o que estava ouvindo.

Interessou-se muito, porquanto Áurea também acreditava em espíritos, lia muitos livros sobre o assunto e muitas vezes tinham conversado a respeito.

Saber que sua irmã também pensava assim foi uma surpresa agradável. Quando ela contou-lhe o que acontecia na igreja antigamente, ele não se conteve:

— Enquanto nós ficávamos preocupados com seu desmaio, você estava passeando feliz com Sérgio no outro mundo! Isso é incrível!

— Lá ele se chama Marcos. É o nome que usava na encarnação anterior.

Notando que o irmão estava acreditando no que ela contava, não ocultou nada. Falou do impedimento do passado, abriu seu coração sobre o que havia acontecido naquele tempo e no fim, quando se referiu ao vigia do castelo que tinha atirado nela e causara sua morte, Adalberto sobressaltou-se:

— Então é isso. Está explicado porque eu sempre sonho que estou em um parque em uma noite escura e noto que um ladrão está descendo em uma corda na parede. Pergunto quem é, mas como não obtenho resposta atiro. A pessoa cai. Depois aparece um rosto de uma linda jovem que me estende os braços e eu fico arrependido, quero sumir, mas ela diz que me perdoou. Então aconteceu mesmo e era você!

— Era. Desde o começo eu não tive raiva do vigia. Ele pensou em nos proteger. Nunca poderia imaginar que era eu.

Adalberto estava muito emocionado. Aquela história mexia com ele de tal maneira que teve certeza absoluta de que era verdadeira. Abraçou Carolina com carinho dizendo:

— Obrigado por você ter permitido que eu viesse viver a seu lado. Perdoe-me se na infância, muitas vezes, eu a irritei. Estou arrependido. Você é muito melhor do que eu.

Carolina sorriu e respondeu:

— Coisas de criança. Apesar de tudo nós sempre nos gostamos. Nos últimos tempos você me apoiou e isso para mim conta muito.

— Sempre vou apoiá-la.

Carolina então contou o que havia acontecido com o pai, o que fez Adalberto vibrar:

— Quer dizer que o espírito apaixonado pela Ethel foi tomar satisfações com ele?

— Foi. Ele passou muito mal. Mas Márcia estava por perto e o socorreu. Ele melhorou na hora e ficou impressionado. Agora você entende por que eu quero esperar um pouco mais? Estou disposta a acabar com o desentendimento do passado. Quando conseguir isso, teremos tudo o que desejamos.

— Você conseguiu fazer mamãe mudar. Ela agora é outra pessoa. Mais alegre, comunicativa, parece até que remoçou.

— Na verdade era eu quem precisava mudar minha maneira de vê-la para que ela também mudasse. Pense nisso,

Adalberto, são nossas atitudes, nossas crenças que atraem os acontecimentos em nossa vida. Quando você muda seu interior, essas mudanças acontecem do lado de fora. Com papai está acontecendo isso também.

— O que você fez com ele?

— Eu sentia muita raiva dele por ter me afastado de Sérgio. Quando o olhava sentia vontade de brigar. Mas depois que descobri que eu fui culpada por ter me casado com Norton sem amor, por continuar casada para não perder o luxo a que estava acostumada, preferindo ser amante de Marcos do que assumir uma vida ao lado dele, procurei mudar a maneira como eu o olhava. Lembrei-me dos cuidados com que ele nos cercava na infância, e, a seu modo, ele sempre foi um pai dedicado à família, pensando sempre em nosso bem-estar.

— E você conseguiu? Eu ainda sinto muita mágoa dele.

— Consegui. Quando venci a raiva, notei suas qualidades e pude perceber como ele está sofrendo por não ter conseguido que as coisas fossem como ele desejava. Notei que apesar de tudo, ele esperava que você voltasse para casa arrependido.

— Era isso o que ele queria para ganhar essa batalha.

— O orgulho pode ser mau conselheiro. Acredite que sua atitude foi uma decepção para ele, que sonhava vê-lo tomando conta da empresa. Notei que depois que você saiu de casa, ele perdeu um pouco o entusiasmo pelo trabalho. Pela manhã saía sem disposição e à noite ficava mais calado do que antes. Ele também sentiu muita falta das conversas que tinha com tia Odete e com vovó.

Adalberto ouvia pensativo. Ele não viu, mas o espírito de Márcia estava ao lado, vibrando amor, e do seu peito saíam energias luminosas que os envolviam e os emocionava, enquanto do alto fluíam luzes coloridas.

— Vá para seu quarto, analise seus sentimentos, pense em tudo o que conversamos. Não julgue, apenas sinta. Perceba o que está por trás do que papai nunca disse, aproveite este momento mágico em que a vida nos reuniu para vencer o passado e consolidar os laços que nos une, pois eles vão além deste mundo e se estendem por toda a eternidade.

Adalberto levantou-se, deu um sonoro beijo na testa da irmã e silenciosamente deixou o quarto. Sentia-se relaxado e em paz.

28

Naquela mesma noite, Augusto Cezar, depois de ter ficado muito tempo pensativo no escritório do pai, vencido pelo cansaço, decidiu ir dormir; todos já haviam se recolhido. Ele foi direto para o quarto.

Ernestina dormia. Ele preparou-se para deitar-se, procurando não fazer ruído e acordá-la.

Ao olhar para o semblante da esposa adormecida, uma onda de ternura o acometeu. Ela estava diferente, tinha remoçado, e ele pensou o quanto ela sempre tinha sido prestativa procurando entendê-lo, zelando pelo seu conforto e bem-estar.

Deitou-se ao lado dela com cuidado, acomodou-se. Ernestina remexeu-se e continuou dormindo. Ele virou para o lado e tentou dormir. Mas a recordação do que lhe acontecera não saía de sua mente. Dúvidas e perguntas não o deixavam conciliar o sono.

Seria mesmo verdade que ele havia vivido outra vida antes dessa? Por que não conseguia lembrar-se de nada? Ernestina teria vivido junto dele? Se isso fosse verdade, Carolina também teria feito parte de sua vida? E Adalberto, que ligação do passado teria com ele?

A história que Carolina lhe contara parecera-lhe inverossímil, mas, ao mesmo tempo, sentia que ela tinha alguma coisa de verdade.

Como saber? Ele não tinha a sensibilidade de Carolina. A quem recorrer para tentar descobrir a verdade?

Nunca iria contar essa história a ninguém. Poderiam julgá-lo louco. Quanto ao padre da paróquia de Bebedouro, nem pensar.

Então se lembrou de Deus. Carolina lhe dissera que os espíritos de luz estão sempre dispostos a nos proteger e ajudar. Precisava fazer alguma coisa.

Deitado como estava, fechou os olhos e em pensamento implorou a Deus que o ajudasse a entender o que estava acontecendo com ele e sua família.

Reconhecia que pautara sua vida com seriedade, cuidara do bem-estar de todos do jeito que entendia ser o melhor para eles. Mas agora, diante dos problemas que haviam surgido, eles não estavam gratos pelo que ele fizera.

O filho magoado, distante, a filha infeliz, descontente por ter lhe imposto a separação do namorado. Rememorando tudo quanto acontecera, lembrou-se do pai e lágrimas vieram-lhe aos olhos. Parecia-lhe vê-lo de braços estendidos dizendo:

— Filho! Procure entender os seus filhos. Eles pensam diferente de você.

Sentiu saudades do pai, sempre cordato e amigo. Ele não fora igual a ele com os seus.

Augusto Cezar revirou-se na cama até que, cansado, finalmente adormeceu.

Sonhou que estava caminhando por uma estrada ladeada de frondosas árvores quando se encontrou com seu pai. Mesmo no sonho ele pensou: "Tanto me lembrei dele que acabei sonhando".

Ao que o espírito de Norberto respondeu:

— Sou eu, meu filho. Estou vivo!

Abraçou-o com carinho e Augusto Cezar chegou a sentir o cheiro costumeiro do perfume que o pai usava.

— Pai, tenho sentido sua falta! Tantas coisas aconteceram comigo! Tenho estado triste e sem saber o que fazer.

— Venha comigo. Vou levá-lo a um lugar de refazimento.

— Você está bem, parece que rejuvenesceu!

— Estou bem, mesmo. A doença não veio comigo, ficou naquele corpo que deixei lá.

— Como pode ser?

— Você sabe. O que Carolina lhe disse é verdade. Venha, você precisa refazer suas energias!

Norberto segurou o filho pelo braço e juntos foram deslizando, subindo. Augusto Cezar experimentou grande bem-estar.

Extasiado, ele olhava as estrelas brilhando no céu e as luzes da cidade lá embaixo, ficando cada vez menores.

— Quero ficar aqui com você! — exclamou feliz.

— Você não pode. Ainda não chegou sua hora.

Instantes depois, pararam e desceram suavemente em um bosque. A atmosfera era agradável e Augusto Cezar respirou prazerosamente.

— Vamos nos sentar naquele banco — disse Norberto.

Sentaram-se e Augusto Cezar disse com alegria:

— Que lindo lugar! Onde estamos?

— Em uma dimensão astral próxima da Terra. Trouxe-o aqui porque desejo apresentar-lhe um amigo.

Segundos depois, um homem de meia-idade aproximou-se, abraçou Norberto dizendo:

— Você está bem?

— Estou. Este é meu filho Augusto Cezar. — E para o filho: — Este é meu querido amigo Bibiano, a quem muito devo.

E o recém-vindo apertou a mão que Augusto Cezar lhe estendia dizendo:

— Seja bem-vindo, meu filho. Vamos nos sentar e conversar.

Depois de acomodados no banco, Bibiano, olhando firme nos olhos de Augusto Cezar, disse:

— Em que posso ajudá-lo?

— Várias coisas aconteceram nos últimos dias que tiraram o meu sossego.

— Eu sei. Não precisa me dizer. Nós nos conhecemos há muito tempo.

— Eu não me lembro de você.

— Você está encarnado e seu esquecimento é natural. Você mergulhou tanto nas coisas do mundo que se esqueceu das promessas que fez antes de reencarnar.

— Como assim?

— Você prometeu se esquecer das mágoas da vida passada e, apesar de não se lembrar delas, conserva em seu inconsciente hábitos daquele tempo que agora impedem que as coisas sejam como devam ser.

— É mesmo verdade que vivi outras vidas antes desta?

— É. Nosso espírito é eterno. O corpo de carne é uma máquina que utilizamos para poder interagir e fazer experiências na sociedade do mundo. Quando ele se desgasta, o deixamos entregue às transformações da mãe natureza e conservamos o corpo astral, do qual nunca nos separamos e que tem capacidade de viver e agir em outras dimensões do Universo.

— Parece incrível!

— Mas é verdade. Devo dizer-lhe que se deseja melhorar sua relação com os seus familiares, precisa cumprir a promessa que fez a eles antes de reencarnar.

— Como posso cumpri-las se não me recordo delas?

— Você na vida anterior foi um homem muito rico, adulado, e habituou-se a que todos lhe fizessem todas as vontades. Tornou-se vaidoso, punindo aqueles que ousassem contradizê-lo. O tempo passou, as coisas mudaram, mas você continua querendo ser obedecido em tudo. Essa é a origem dos problemas que tem tido com seus filhos.

Augusto Cezar baixou os olhos envergonhado. Naquele momento pareceu-lhe ver-se vestido com roupas antigas e muito ricas, no meio de pessoas, sendo admirado.

Foi uma visão rápida, mas que o fez notar que seu interlocutor dizia a verdade. Ficou silencioso durante alguns segundos, depois levantou o olhar dizendo:

— Tudo o que eu fiz foi pensando no bem da minha família.

— Não é bem assim... — disse Bibiano sério, continuando: — Você fez o que imaginava que fosse bom para eles sem se deter na vocação de cada um, em suas necessidades espirituais, no caminho que desejam seguir.

— Eu desejava poupá-los. Não queria que sofressem. O mundo está cheio de pessoas maldosas.

— Você não tem poder para impedir que eles escolham o próprio caminho e colham os resultados. É da vida. Todos nós precisamos experimentar, errar para aprender, enfrentar os desafios e assim nos tornarmos mais fortes, mais amadurecidos. O que você queria estava tornando-os dependentes de você, tornando-os fracos e incapazes para pagar o preço do crescimento.

Augusto Cezar sentiu que as lágrimas desciam pela sua face e reconheceu o quanto estava enganado. Quando Bibiano se calou ele disse:

— Eu não pensei nisso! Achava que eles eram crianças e só eu tinha condições de orientá-los!

— Você se esqueceu de que o espírito deles existia antes de reencarnar e pode até ser que sejam mais lúcidos do que você. Os filhos quando pequenos precisam de pais atentos, que mesmo observando seus pontos fracos, procurem salientar e trazer à tona todas as suas qualidades para que, valorizadas, os protejam no dia a dia.

— Eu não me lembrava de nada disso. Estou arrependido. O que posso fazer para melhorar?

— Quando você voltar a seu corpo, não vai se lembrar de tudo o que conversamos, mas vou ajudá-lo, prometo que vou ajudá-lo de alguma forma. O resto depende de você.

Bibiano levantou-se e pediu para que eles também o fizessem.

— Vamos pedir ajuda à Divina Providência.

Ambos fecharam os olhos enquanto Bibiano elevava o pensamento, braços levantados captando energias. Em alguns segundos, uma chuva de pequenos flocos alvos e brilhantes começou a cair sobre eles.

Bibiano colocou as mãos estendidas em direção a eles e delas saíram jatos de energias coloridas que envolveram os dois.

Augusto Cezar sentia-se comovido e seu rosto estava lavado pelas lágrimas. Quando Bibiano colocou a mão em seu peito, ele sentiu como se uma bola escura saísse dele e fosse levada para longe. Sentiu-se leve como havia muito não se sentia.

Em silêncio, Bibiano os abraçou e desapareceu. Norberto, olhos brilhantes e vivos, disse sério:

— É hora de voltar!

Ele passou o braço na cintura de Augusto Cezar e em poucos minutos estavam no quarto onde ele imediatamente foi atraído para seu corpo adormecido. Sentiu certo peso, mas respirou fundo e continuou dormindo.

Na manhã seguinte todos estavam pontualmente na copa para o café como de costume, menos Augusto Cezar. Ernestina estranhou:

— Vou ver o que aconteceu.

Ela subiu, abriu a porta do quarto, aproximou-se do leito onde o marido dormia e delicadamente colocou a mão em sua testa para verificar a temperatura. Estava normal. Ele respirava com regularidade, fisionomia calma.

Ernestina lembrou-se de que na véspera não vira a hora que o marido fora dormir. Era possível que ele tivesse ficado no escritório do pai até muito tarde. Mas ainda assim ele nunca se atrasava para o café. Deveria acordá-lo? Achou melhor descer e esperar.

Mais de duas horas depois, quando todos estavam conversando na sala, usufruindo o sábado, foi que Augusto Cezar desceu, olhou-os com certa surpresa e comentou:

— Dormi demais, perdi a hora.

— Vou preparar seu café.

— Aceito só um café puro. Não vou comer nada. Estamos quase na hora do almoço.

Notando Guilhermina sentada no sofá aproximou-se dela:

— Bom dia, mãe! Você melhorou, está sem febre?

— Melhorei, a febre foi embora. Sente-se aqui a meu lado.

Ele obedeceu e ela continuou:

— Esta noite sonhei com seu pai. Ele me disse que eu estava melhor, devia reagir e ficar alegre para aproveitar bem a companhia de vocês.

Augusto Cezar olhou-a admirado:

— Que coincidência, eu também sonhei com ele. Disse que estava muito bem e que sua doença tinha ficado no corpo que foi enterrado.

— Como assim? — indagou Guilhermina.

Foi Carolina quem respondeu:

— Eu já lhe falei sobre isso, lembra-se, vovó? Ele agora está curado!

— Foi um sonho bom, parecia verdade!

— Foi verdade, vovó. Esse não foi um sonho igual aos outros, foi mais vivo, e depois de acordar você ficou recordando as cenas. Não foi?

— Foi isso mesmo.

Augusto Cezar, que observava a cena com interesse, perguntou a Carolina:

— Você acha que o espírito de papai esteve aqui falando comigo de verdade?

— O que sentiu quando o encontrou?

— Abraçamo-nos e foi como quando ele estava vivo e com saúde, cheguei até a sentir o perfume que ele sempre usava.

— Então qual é a dúvida?

— É que quando nos abraçamos o corpo dele era o mesmo que ele tinha e que foi enterrado. Isso não está fazendo sentido para mim.

— Ele não tem mais o corpo de carne que como você disse, foi enterrado. Mas vocês se encontraram na dimensão astral, e lá o corpo que ele tem é sólido e parece igual ao outro, mas não é.

— Parece impossível!

— Por quê? Você deixou seu corpo físico na cama e saiu com seu corpo astral, como todos nós fazemos todas as noites quando dormimos. Se tivesse prestado atenção teria notado que do seu corpo adormecido saía um cordão prateado ligado à sua nuca, isso porque você ainda está encarnado. Essa ligação permite que você volte e entre novamente no corpo. Já vovô não o tem mais porque ele foi rompido com a morte.

Enquanto Carolina falava com desenvoltura e convicção, os demais a olhavam admirados, o que fez Adalberto comentar:

— Como é que você sabe de tudo isso, Carolina?

— Porque, enquanto a maioria das pessoas quando dorme sai do corpo sem perceber detalhes, eu saio consciente, vejo o que está acontecendo. Quando isso acontece, é comum eu ver meu corpo adormecido na cama. É uma sensação diferente, mas que confirma que temos condições de continuar vivos sem o corpo físico. Nós somos seres eternos.

Dina apareceu na sala e avisou que o almoço estava servido. Augusto Cezar ajudou Guilhermina a levantar-se e apoiar-se em seu braço, o que fez com que Carolina trocasse um olhar com Adalberto. Ele lhes pareceu diferente.

Adalberto chamou Carolina discretamente e comentou:

— O que aconteceu com papai? Perdeu a hora do café, está comunicativo, aceita o que você diz. Nem parece a mesma pessoa.

Carolina sorriu e respondeu:

— Ele está descobrindo novos caminhos. Ao enxergar a luz ninguém mais quer ficar no escuro.

— Esta tarde, quando a Áurea chegar, estou pensando em contar que estamos namorando. O que você acha?

— Não precisa falar abertamente, apenas faça-os notar que se interessam um pelo outro. Conforme a reação, você vai se abrindo.

— Às vezes sinto vontade de mostrar ao papai que sou eu quem decide a minha vida.

— Isso é competição, e o orgulho não ajuda em nada. Depois, eu sei que o que você mais deseja é a aprovação dele. Para isso não tem de provar que você estava certo e ele errado. Seja sincero, papai vai gostar de saber que você valoriza a opinião dele. Assim, tudo pode voltar ao normal.

Ernestina apareceu na porta dizendo:

— Vamos, estamos todos esperando por vocês.

Eles obedeceram imediatamente. Mais tarde, quando Ernestina viu-se sozinha com o marido no quarto, comentou:

— Dona Guilhermina melhorou, se continuar assim, logo poderemos voltar para casa.

— Só iremos embora quando tivermos certeza de que ela não corre mais perigo. Falei com Adelaide e tudo está bem na empresa. Só estou preocupado com as aulas de Carolina.

— Ela nem fala nisso. Está tão feliz aqui! Receio que teremos problemas com ela na hora de irmos embora.

Augusto Cezar não respondeu. Nos últimos dias não olhava mais para a filha como uma criança. Ela lhe mostrara coisas que ele nunca imaginara e que mexeram com sua cabeça. Ela agora lhe parecia adulta e suas palavras tinham para ele mais significado. Não sabia ainda como definir esse sentimento de respeito e admiração que o invadia sempre que ela falava sobre espiritualidade.

Ao mesmo tempo sentia certa tristeza quando pensava que tanto Carolina quanto Adalberto preferiam viver na capital. Estava claro que ambos pensavam muito diferente dele. O que aconteceria no futuro?

Adalberto não voltaria para casa nem depois de formado, uma vez que pretendia fazer carreira em São Paulo. Carolina lhe dissera que mesmo longe continuava namorando Sérgio. Quando ela se formasse não teria como impedi-la de casar-se e vir também para a capital.

Pela primeira vez pensou: valeria a pena insistir tanto em impedir esse casamento e enfrentar a animosidade de toda a família? Guilhermina e Odete gostavam de Sérgio e o criticaram por tê-los separado. Adalberto tinha se tornado amigo dele, contara que fora o pai de Sérgio quem tinha lhe arranjado emprego. E Ernestina, o que pensaria?

Olhou para a esposa e tornou:

— Quando você ligava para cá sem eu saber, Carolina conversava com o namorado?

Ernestina, apesar de surpreendida, encarou-o e respondeu com voz firme:

— Sim. Eu mesma conversei com ele uma vez.

— Por isso Carolina afirmou que o namoro continua.

— Talvez. Mas um dia ela contou-me que eles se encontravam em sonho. Então eu descobri que para o amor não há distância e que não adiantava nada impedi-los de se encontrar.

— Quer dizer que quando ele dormia, seu espírito ia visitar Carolina?

— Isso mesmo. Quer saber? Eu acho que você não vai conseguir impedi-los de se casar, passe o tempo que for.

Augusto Cezar não respondeu logo. Aquela situação ia muito além de suas possibilidades. Essa batalha estava perdida. Ele não poderia lutar contra a natureza e seus mistérios. Depois de alguns minutos, disse:

— Ela pelo menos poderia esperar até estar formada.

— Ela não pensa como você. Vou ver dona Guilhermina. Fiquei de dar-lhe um remédio.

— Vou descansar um pouco. Avise-me quando forem servir o jantar.

Ela saiu pensativa. Seu marido estava mudando. Em outros tempos teria reagido mal a essa conversa. Aquela doença de sua sogra fora providencial. O que ela mais queria era que ele se aproximasse do filho, fizesse as pazes com ele e o apoiasse como deveria ser.

29

Enquanto os pais estavam no quarto conversando, Adalberto chamou Carolina:

— Sérgio está lá fora. Disse que não suporta mais essa situação, quer entrar e falar com papai.

— Não! Ainda não é o momento. Vou falar com ele. Se perguntarem por mim, diga que estou no quarto.

Depois de dar uma olhada no espelho, ela saiu. Sérgio a esperava na porta da casa e abraçou-a com carinho, beijando-a nos lábios.

— Venha — disse ela —, vamos entrar no carro.

— Eu vou entrar e falar com seu pai. Não é possível continuarmos desse jeito.

— Ele está no quarto descansando. Vamos conversar no carro.

Entraram no carro e Carolina pediu-lhe que saísse da frente da casa.

Parados em uma rua discreta, eles se abraçaram e beijaram-se muitas vezes. Depois ele tornou:

— Quero me casar com você! Não é justo ficarmos separados. Chega de sofrer.

— Eu também quero casar o quanto antes. Mas você precisa ter um pouco mais de paciência. O impedimento, que havia no passado, está acabando. Estou conseguindo fazer a minha parte. Falta pouco.

— Eu também sinto isso. É por isso que desejo conversar com seu pai.

— Receio que uma precipitação agora possa atrapalhar tudo. Calma. Nós vamos chegar aonde queremos.

Durante algum tempo eles conversaram fazendo planos para o futuro, desejando casar-se o quanto antes. Mas, apesar da insistência de Sérgio, Carolina não concordou.

— Dona Guilhermina está melhor e logo seu pai vai levá-la de volta para Bebedouro. Será um tormento.

— Ele ainda não fala em ir embora.

— Da outra vez ele saiu de madrugada, sem que ninguém soubesse.

— Mas agora não vai fazer isso.

— Como você pode saber? Se ele decidir, você terá de ir.

— Dê-me mais alguns dias. Se eu suspeitar que ele deseja ir embora, avisarei. Nesse caso, você falará com ele. Apesar de que isso poderá não ser uma boa ideia.

Sérgio pensou um pouco, depois concordou. Eles ficaram um pouco mais conversando e Carolina achou que já era hora de voltar para casa. Sérgio levou-a de volta, despediram-se e ela entrou.

Pensativo, Sérgio foi para casa. Ao entrar, Wanda estava na sala lendo e, vendo-o, perguntou:

— Onde estava? Não veio jantar.

— Eu comi um lanche e estou sem fome. Papai está lá em cima?

— Não. Está no escritório. Por quê?

— Quero cumprimentá-lo. Hoje ainda não o vi.

Ele bateu levemente na porta do escritório e entrou. Humberto estava sentado em uma poltrona lendo algumas folhas de papel. Vendo-o entrar, colocou-as na mesinha ao lado, levantou-se e abraçou o filho com alegria.

Depois dos cumprimentos, Sérgio perguntou:

— Está muito ocupado, pai?

— Para você nunca estou ocupado. Deseja alguma coisa?

— Estou precisando conversar, desabafar.

— Venha, vamos nos sentar.

Lado a lado no sofá, Humberto tornou:

— Sinto que você está preocupado. Em que posso ajudá-lo?

Sérgio começou a falar sobre seu relacionamento com Carolina, o quanto se amavam e as dificuldades que estavam passando com a intransigência de Augusto Cezar.

— Hoje fui à casa dela disposto a entrar, conversar com ele, mesmo sabendo que não quer nosso casamento. Mas Carolina pediu-me mais alguns dias. Tenho medo de que ele a leve de repente, como fez da outra vez. Tenho estado irritado, nervoso, o que não é do meu feitio.

— Você é um bom rapaz, formado, bem de vida. Não há motivo que justifique o que ele faz.

— Ele nem quis saber nada sobre nossa família. Tem ciúme dos filhos. Adalberto, para estudar em São Paulo, precisou romper com ele. Você sabe. Eu não vou suportar se Carolina for embora de novo sem que possamos nos ver.

Humberto ficou pensativo, depois disse:

— Você gosta muito dela, não é?

— Muito. Carolina é a mulher da minha vida. Nós nos damos muito bem e estou certo de que seremos muito felizes.

— Nesse caso deixe comigo.

— O que vai fazer?

— Eu vou domar essa fera. Vou procurá-lo.

— Faria isso por mim?

— Claro. Quero ter o prazer de acabar com todos os argumentos dele.

— Nesse caso vou avisar Carolina.

— Não faça isso. Vou aparecer lá de surpresa. Anote o endereço e o nome dele.

— Acha que vai dar certo?

Humberto fixou os olhos no filho e havia um brilho malicioso neles quando retrucou:

— Você acha que vou perder essa causa?

Eram cinco horas da tarde do domingo quando Humberto tocou a campainha da casa de Guilhermina. Dina atendeu e ele disse:

— Boa tarde. Desejo falar com o doutor Augusto Cezar. Ele está?

— Sim, senhor. A quem devo anunciar?

— Meu nome é Humberto de Paiva Nunes, sou o pai de Sérgio e gostaria de falar com o doutor Augusto Cezar em particular. Não diga aos outros da casa que estou aqui.

Dina hesitou um pouco, depois disse:

— Entre. Acompanhe-me, por favor.

Dina o conduziu ao escritório do doutor Norberto dizendo:

— Sente-se, por favor. O senhor deseja uma água, um café?

— Agora não, obrigado.

— Nesse caso vou avisar o doutor Augusto Cezar que o senhor está aqui. Com licença.

Ela caminhou até a sala onde ele estava sentado lendo e aproximou-se dizendo baixinho:

— Doutor, tem uma pessoa que deseja vê-lo em particular.

— Quem é?

— Doutor Humberto de Paiva Nunes, pai de Sérgio.

Augusto Cezar estremeceu e perguntou:

— Onde ele está?

— Como ele me pediu que não avisasse os demais de sua presença, coloquei-o no escritório.

Augusto Cezar levantou-se e encaminhou-se ao escritório. Ao entrar, Humberto levantou-se dizendo:

— Como vai, doutor Augusto Cezar?

— Bem. Por que não me avisou que viria?

— Porque essa conversa é entre nós dois.

— Sente-se, por favor — pediu Augusto Cezar indicando uma poltrona. Depois de acomodados, ele continuou:

— Ao que devo a honra de sua visita?

Humberto olhou fundo nos olhos dele e respondeu:

— Estou aqui advogando a felicidade de nossos filhos. Ontem meu filho me procurou e desabafou suas mágoas. Por isso decidi interceder por ele. Naturalmente, o senhor não me conhece, nem a minha família, mas estou disposto a prestar-lhe todos os esclarecimentos que desejar.

Augusto Cezar sentia uma vontade de sair dali, de não enfrentar aquela conversa desagradável. Por que todos desejavam separá-lo de Carolina? O filho já estava fora de casa, agora ela também?

Ficou calado durante alguns segundos, depois disse tentando ser delicado:

— Não tenho nada contra seu filho, nem contra sua família que nem conheço, o problema é que minha filha é muito nova, está no primeiro ano da faculdade e eu acho melhor ela só assumir um compromisso quando se formar.

— Eles se amam e desejam ficar juntos. Sofrem quando estão separados. Por que então não permitir que namorem, se conheçam melhor? O senhor tem razão. O casamento é um compromisso muito sério. Mas se eles não conviverem, como vão tomar suas decisões?

— Não acho bom um namoro comprido. Minha filha precisa estudar.

— Não tenho esse problema. Meu filho já é formado há três anos, pode sustentar uma família. Além do que tem outros bens. Eu penso como o senhor. Um namoro longo é cansativo. Portanto, o melhor será fazer esse casamento logo.

— Carolina está estudando.

— O que é que tem? Quando casei, Wanda, minha mulher, estava no segundo ano da faculdade. Formou-se com louvor. A cultura enobrece o espírito. Sérgio aprecia conviver com pessoas inteligentes. Pelo que sei, sua filha é jovem, mas tem um espírito maduro. Está pronta para o casamento.

Augusto Cezar lembrou-se das conversas que havia tido com Carolina. De fato, ela lhe ensinara algumas coisas.

Humberto falava sem desviar os olhos de Augusto Cezar, era um homem distinto, educado, inteligente e sério. Estava difícil continuar insistindo na negativa.

Ambos ficaram silenciosos durante alguns minutos. Depois, Humberto colocou a mão sobre o braço de Augusto Cezar e disse com voz calma:

— Estou certo, doutor, que consentindo nesse casamento, o senhor vai se sentir feliz por ter realizado o desejo de sua filha. Ela vai ser eternamente grata e o amará ainda mais.

Pelos olhos de Augusto Cezar passou um brilho de emoção. Naquele momento percebeu que desejava muito acabar com a mágoa que Carolina guardava dele e conquistar o seu amor.

Baixou a cabeça e não respondeu de imediato. Depois de alguns segundos, levantou-a com certa altivez e respondeu:

— Certo, o senhor me venceu. Vou consentir o casamento.

Humberto sorriu feliz e considerou:

— Eu estava certo em acreditar que o senhor é um homem de bem e deseja acima de tudo a felicidade de seus filhos. Eu penso da mesma forma.

Augusto Cezar levantou-se dizendo:

— Venha comigo. Desejo apresentá-lo a minha família. Todos eles gostam muito de seus filhos. Eu também sou grato a Mônica pela ajuda que deu a Carolina no colégio.

Os dois saíram do escritório e foram até a sala onde estavam Guilhermina, Odete e Ernestina. Augusto Cezar fez as apresentações enquanto Dina foi correndo no quarto de Carolina avisá-la da presença do pai de Sérgio. Ela desceu imediatamente. Quando entrou na sala estavam todos conversando amavelmente e Humberto levantou-se para abraçá-la.

Carolina tremia emocionada:

— Doutor Humberto! Que alegria vê-lo aqui.

Ele abraçou-a com carinho:

— Vim advogar uma causa imperdível. Seu pai quer conversar com você.

Todos os olhos se fixaram em Augusto Cezar que emocionado tornou:

— O doutor Humberto veio pedir você em casamento para seu filho Sérgio. Eu concordei. Vocês podem se casar quando quiserem.

Carolina abraçou o pai dando um sonoro beijo em seu rosto, depois disse:

— Pai, você concordou! Estou muito feliz! — ela deu mais alguns beijos na face do pai, depois falou alegre: — Vou dar a notícia a Sérgio!

Carolina telefonou para ele, mas ele não se encontrava em casa.

De repente, a campainha tocou. Era Sérgio:

— Eu não aguentei esperar e vim até aqui. Abra a porta para mim.

Carolina, rosto corado, voltou à sala sorrindo e dizendo:

— Sérgio estava esperando aqui em frente. Vou fazê-lo entrar.

Alguns segundos depois, Carolina introduziu Sérgio na sala. Em primeiro lugar ele aproximou-se de Augusto Cezar dizendo emocionado:

— Carolina acaba de me dizer que o senhor consentiu em nosso casamento. Pode estar certo de que farei tudo para torná-la muito feliz. O senhor não vai se arrepender. Muito obrigado pela confiança.

Augusto Cezar levantou-se, apertou a mão que ele lhe estendia e respondeu:

— Para mim a felicidade dela está em primeiro lugar. Desejo que sejam muito felizes.

Carolina aproximou-se do pai e beijou-o na face com carinho; os olhos dele umedeceram e ele tentou dissimular. Depois de cumprimentar os demais, Sérgio abraçou o pai com alegria.

— Você provou que continua excelente advogado — brincou sorrindo, ao que Humberto respondeu:

— Esta foi a causa que eu mais desejei ganhar.

Todos se sentaram e Sérgio estava ansioso para falar sobre o futuro. Mas Guilhermina mandou servir champanhe para comemorar e ele esperou que todos brindassem pela felicidade deles.

Depois, sentou-se ao lado de Augusto Cezar e perguntou:

— O senhor pretende voltar logo para Bebedouro?

— Só vou esperar os resultados dos exames de mamãe amanhã e, conforme for, voltaremos para casa.

— Gostaria de marcar a data do nosso casamento.

Augusto Cezar estremeceu levemente e respondeu:

— Sei que vocês têm pressa. Mas não gostaria que Carolina perdesse o ano.

— Enquanto esperamos por esse dia, o senhor permitirá que os visite em Bebedouro?

— Pode ir quando quiser — concordou ele continuando: — Você nunca pensou em mudar-se para o interior? Bebedouro é uma cidade linda, agradável e muito tranquila. É o lugar ideal para se viver.

— Eu quero ficar onde Carolina estiver. Mas devo esclarecer que estou radicado aqui, tenho negócios rendosos e importantes em andamento e seria complicado me transferir para outro lugar.

— Eu prefiro morar em São Paulo — interveio Carolina.

— Nesse caso, façam como quiserem — respondeu Augusto Cezar. — Eu e Ernestina vamos ficar muito sós.

— Isso porque você não quer vir morar aqui — opinou Guilhermina. — O ideal é que todos nós ficássemos perto. Eu seria muito feliz.

— Pensando bem, eu também gostaria de morar em São Paulo, ficar perto dos nossos filhos — comentou Ernestina para surpresa do marido.

Adalberto entrou na sala acompanhado de Áurea e olhou surpreendido por ver Sérgio e o pai conversando com naturalidade. Ambos cumprimentaram os presentes e Guilhermina disse alegre:

— Carolina e Sérgio estão noivos. Hoje é dia de comemoração. Vamos fazer outro brinde.

— Nesse caso eu também quero dizer que pretendo pedir a mão de Áurea em casamento. Não podemos nos casar ainda, mas assim que eu melhorar financeiramente, vamos nos casar. Quero brindar também a isso.

Todos tocaram os copos, inclusive Augusto Cezar. Notando a alegria do ambiente, e principalmente dos noivos, ele sentia enorme sensação de alívio. Parecia-lhe ter vencido uma batalha.

Aquela noite de domingo foi de alegria para todos. Humberto despediu-se e Sérgio ficou um pouco mais, conversando com Carolina, fazendo planos para o futuro.

Adalberto levou Áurea para casa e quando voltou Carolina já havia se recolhido e só o pai estava sentado na sala. Vendo-o entrar, Augusto Cezar chamou-o dizendo:

— Sente-se, quero conversar com você.

Adalberto obedeceu. Estava curioso para saber se o pai tinha mudado de fato.

— Como está indo nos estudos?

Adalberto falou com entusiasmo da faculdade que estava cursando, das diferenças que encontrara e das possibilidades de progresso que notava no escritório em que trabalhava. A prática da profissão, ainda que ele estivesse apenas no segundo ano, o auxiliara a entender melhor o que estudava. Ele finalizou:

— Estou me esforçando. Tenho estudado muito e entendido melhor como funciona a profissão. Tenho certeza de que posso aprender muito mais e me tornar um bom profissional.

— Sua avó me disse que você não está recebendo a ajuda financeira dela. Como tem se mantido?

— Estou bem. Nada me falta. Aprendi a economizar. Áurea é uma moça compreensiva, sabe que essa situação é temporária.

— Quer dizer que a minha mesada não lhe fez falta?

— Eu não diria isso. Claro que precisei mudar meu padrão de vida. Fiquei mais modesto. Mas por outro lado aprendi a cortar os excessos, o que foi bom.

— Fico contente por ver que se saiu bem. Quero que saiba que me arrependi de não ter apoiado a sua decisão. Sua mãe ficou infeliz e eu, em minha vaidade, desejava seu fracasso só para vencer essa competição. Mas alguns fatos aconteceram que me ensinaram os verdadeiros valores da vida.

— Fico feliz que tenha mudado de opinião. O mais difícil para mim foi ficar longe de vocês, sem poder falar com mamãe, sem o seu apoio. Suas palavras me aliviaram.

Eles continuaram conversando e desta vez com entendimento sincero e prazer.

Epílogo

Naquele sábado de janeiro, na praça central de Bebedouro, a noite estava estrelada, o jardim florido exalava delicioso perfume e a matriz iluminada, com todas as velas acesas, cheia de flores, estava engalanada para receber os noivos.

No mezanino onde estava o órgão, orgulho da cidade, o coral esperava a chegada de Carolina. A nave estava lotada da mais fina sociedade da cidade e dos convidados do noivo que elegantes e alegres esperavam.

Na sacristia, Sérgio esperava ao lado dos pais e da irmã, olhos brilhantes de emoção e felicidade.

Finalmente eles iam realizar seus sonhos. Depois de dar o consentimento para o casamento, Augusto Cezar aceitou o que eles programaram, inclusive que viveriam em São Paulo depois de casados.

Wanda, a princípio, torceu o nariz quando soube que o filho se casaria com Carolina, mas, depois, diante da alegria do filho, da aprovação dos demais, de conviver um pouco mais com a futura nora, começou a admirá-la e a entender por que o filho se apaixonara por ela. Assim, no dia do casamento, ela também se sentia feliz com a união.

Sérgio comprara uma bonita casa nos Jardins, mas por conta do pouco tempo que Carolina tinha, uma vez que continuava estudando, ele deixou para decorá-la ao gosto dela quando voltassem da lua de mel.

Quando o carro da noiva parou diante da porta da catedral, o noivo já estava a postos, os familiares da noiva também. O órgão começou a tocar, a porta principal abriu e Carolina, linda, de braço com Augusto Cezar, entrou lentamente, olhos brilhantes de emoção, lábios entreabertos em alegre sorriso.

Augusto Cezar, emocionado, sentia-se leve e bem-disposto, observando a alegria da filha. Depois que eles voltaram a sua cidade, Sérgio viajava nos fins de semana para ver a noiva, assim ele pôde conhecer melhor o futuro genro e, quanto mais o conhecia, mais o apreciava.

Na véspera de voltar para Bebedouro, Augusto Cezar tivera uma conversa com Adalberto, onde reconheceu que tinha sido muito duro e que ele tinha o direito de escolher seu próprio caminho.

Disse-lhe que estava arrependido e esperava que o filho esquecesse aquele episódio, voltando a frequentar a casa dos pais. Prontificou-se a ajudá-lo até que se formasse, com uma boa mesada, o que fez em seguida.

Adalberto, ao lado de Áurea, observava com emoção a irmã entrando com o pai na igreja e seu coração cantava de alegria.

Augusto Cezar entregou a filha ao noivo e foi postar-se ao lado de Ernestina, que com os olhos úmidos observava feliz. Naquele momento, em seu coração brotou um profundo agradecimento a Deus por ter lhe dado Carolina como filha. Reconhecia que ela a ensinara a ter prazer de viver, a conservar o otimismo e a descobrir o lado bom de tudo.

Depois do juramento, os noivos foram abençoados e declarados casados. O coral cantara lindamente a *Ave-Maria*, e os noivos, agora de braços dados, foram saindo devagar. Em seus rostos era evidente a felicidade.

A festa ocorreu no clube, onde receberam os cumprimentos, dançaram a valsa como de praxe e cortaram o bolo. Na hora de jogar o buquê, ele foi direto às mãos de Áurea, que enrubesceu de prazer.

Adalberto aproximou-se dela, beijou-a na face dizendo:

— A vida está me dizendo que está na hora de marcarmos também o nosso casamento.

Áurea ficou séria e disse:

— Ainda é cedo. Devemos esperar um pouco mais.

— Por quê? Você não está segura dos seus sentimentos? Eu a amo e quero viver a seu lado pelo resto de minha vida. Não quero esperar muito. Vamos nos casar logo.

— Eu pensava nos seus sentimentos.

— E você, quer se casar comigo?

Ela olhou-o, olhos brilhantes de emoção, e respondeu:

— Sim. Eu também quero viver a seu lado pelo resto da vida.

Adalberto levou-a até o terraço, onde trocaram um longo beijo.

Mais tarde, às escondidas, ajudados por Mônica, Áurea e Adalberto, os noivos partiram para a lua de mel. Foram passar a noite em luxuoso hotel em Ribeirão Preto, de onde viajariam para a Itália.

Uma vez no hotel, Carolina segurou a mão de Sérgio puxando-o para o terraço.

— Venha, nesta noite temos muito a celebrar. Vamos agradecer aos nossos amigos espirituais que nos inspiraram, fazendo com que pudéssemos perceber nossos pontos fracos e assim termos condições para vencer o passado e nos libertar.

Sérgio abraçou-a com carinho e respondeu:

— Sim, minha querida. Nós vencemos as nossas fraquezas e nos tornamos mais fortes.

As estrelas brilhavam no céu, e o espírito de Márcia, ao lado do de Norberto e de Bibiano, sorriu e comentou:

— Além de estarem mais fortes, eles estão mais lúcidos. Podemos ir embora satisfeitos.

Os três, lado a lado, elevaram-se alegres e, em alguns minutos, desapareceram entre as estrelas do céu.

Fim

Zibia Gasparetto

CONHEÇA OUTROS TÍTULOS DE ZIBIA GASPARETTO:

ROMANCES

DITADOS PELO ESPÍRITO LUCIUS

O poder da escolha

Júlio, um empresário promissor, decide sair de casa para morar com a exuberante Magali, deixando para trás quinze anos de casamento. Eugênia, a esposa, ao descobrir que havia sido abandonada, passa a acreditar que viver não vale mais a pena. Em meio a uma intensa trama, que mescla amor, crime, traição, sequestro e redenção, Eugênia e Magali terão de aprender, cada uma à sua maneira, que nada na vida acontece por acaso e que o poder da escolha é absoluto na criação de nossos destinos.

A verdade de cada um - *nova edição*

Elisa é uma mulher casada, apaixonada e mãe de três filhos pequenos. Geninho, seu marido, seduzido por outra mulher, abandona todos, embalado pelas ilusões da paixão. Por conta do desamparo, Elisa, agoniada, envolve-se num acidente, e Geninho começa a perceber que a magia da vida revela sua verdadeira identidade.

A vida sabe o que faz

Isabel já pretendia se casar com Gilberto quando foi surpreendida: Carlos, seu ex-noivo, que foi lutar na Itália e dado como morto, voltou depois de anos, cheio de amor. Mas Isabel não quis. Carlos sofreu e se revoltou. No decorrer dessa história, você vai descobrir que, dependendo das atitudes de cada um, tudo pode mudar, mas sempre, em todos os casos, a vida sabe o que faz.

Entre o amor e a guerra

Uma bela e dramática história de amor vivida por um soldado francês e uma alemã, durante a Segunda Guerra Mundial. Uma lição que mostra que a realidade maior de cada ser independe da bandeira ou de seu país, pois o que toda pessoa realmente busca é viver em paz e ser feliz.

Esmeralda - *nova edição*

Esmeralda era orgulhosa, absoluta e linda! O mistério maravilhoso de sua dança, em meio ao povo, arrancava aplausos acalorados. Sempre desejada, despertava paixões e exacerbava sentimentos. Mas foi em Valença, na Espanha, que a cigana encontrou o amor, que arrastou consigo até o seu destino final.

Espinhos do tempo

Maria José, esposa dedicada e obediente ao marido, vive em uma fazenda e se apaixona pelo cunhado. Apesar de apaixonada, ela continua fiel ao marido, até o dia em que ele morre. Uma história de aceitação e resignação, por meio da qual entenderemos que o bem, do ponto de vista espiritual, é a Lei Universal — eterna e intocável.

Laços eternos

Uma história de amor, ciúme e redenção, que narra a saga entre duas vidas, revelando-nos as belezas da reencarnação e mostrando que o amor é a força motriz que se funde no Todo, criando laços indestrutíveis pela eternidade.

Nada é por acaso

Uma mãe estéril, um menino indesejado, uma ligação de puro e profundo amor. Três histórias entrelaçadas, com desfechos surpreendentes. Um plano audacioso que possibilita a união de uma mãe estéril a um filho do coração. Este romance, que nos toca a alma, relata a história de mulheres que buscam mães de aluguel para gerarem seus filhos.

Ninguém é de ninguém

Há quem pense que sentir ciúme é prova de amor ardente, até descobrir que esse sentimento é capaz de transformar a vida amorosa em doloroso drama, podendo terminar em amarga separação. A história de Gabriela e Roberto nos ensina a vencermos os desacertos do ciúme.

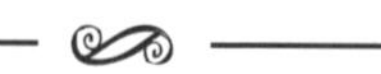

O advogado de Deus

Muitos profissionais do Direito afundam-se na ganância, perdendo-se na desonestidade. Daniel, porém, mostra-nos que ainda podemos confiar em pessoas que respeitam a ética, buscam a verdade e, com eficiência, promovem a justiça. Na Terra, são chamados de anjos do bem e, no astral, advogados de Deus!

O amanhã a Deus pertence

Apaixonado de forma doentia por sua esposa, Marcelo acaba envolvendo-se num acidente fatal. Inconformado com a morte do corpo físico, o jovem tenta, de todas as formas, ficar ao lado da mulher amada. Só depois de muito sofrimento ele entende que apego não é amor e que tempo certo é aquele em que as coisas acontecem naturalmente.

O amor venceu

Uma história que se passa na cidade de Tebas, no Egito antigo. Narra a dor do amor impossível entre dois casais, que buscam resgatar a sua verdadeira essência. Fundamentado nas leis da reencarnação, explica os mistérios em que a humanidade se debate há milênios, buscando elucidar os fatos da época, com base no estudo de diferentes povos e civilizações.

O encontro inesperado

Em romance ditado pelo espírito Lucius, a autora mostra a importância de dirigirmos nossa própria vida sem transferir ao outro responsabilidades que cabem apenas a nós mesmos.

O fio do destino

Nesta obra, o leitor conhecerá uma das vidas passadas do espírito Lucius. Sua proposta é mostrar que para cada escolha existe um resultado, uma experiência nova, e que, do emaranhado dessas constatações, surge o reconhecimento de que é possível criar nossas próprias vivências nos limites das leis da vida.

O matuto

Um matuto que não sabia ler nem escrever, herdeiro de enorme fortuna, parecia ser presa fácil para um advogado, que tencionava ludibriá-lo, e para o tio inescrupuloso. Este, julgando-o morto, pretendia ficar com sua herança. No desenrolar da trama, muitas surpresas nos ajudarão a compreender melhor as lutas da vida, encorajando-nos a manter a confiança na incomensurável bondade e inteligência de Deus.

O morro das ilusões

Na França do século 18, em Ateill, pequena vila às margens do Rio Sena, as histórias de madame Liete Merediet, frei Antônio, Anete, Marise, Ciro, Villemount, Pablo e Roberto se cruzam em uma sequência de embates. Suas experiências passadas despertam-nos para a percepção de uma nova vida, permitindo-nos crescer e conquistar o universo interior.

Onde está Teresa?

Por que Teresa saiu de casa para viajar e desapareceu? Seus filhos, marido e empregados preocupam-se em descobrir seu paradeiro e o que de fato teria acontecido a ela. A trama revela um crime, um homem e uma mulher assassinados, um corpo sem identificação, tráfico de drogas e bandidos... E a pergunta, durante toda a história, é a mesma: onde está Teresa? Uma história eletrizante do início ao fim.

Pelas portas do coração - *nova edição*

A maioria de nós traz, embutidos na mente, modelos sociais de felicidade. Pensando em fazer o melhor, acabamos por nos conduzir ao vale do desajuste e da dor, até que a audácia de uma alma forte e lúcida mostra-nos que o verdadeiro vencedor é aquele que tem coragem de adentrar as portas do coração.

Quando a vida escolhe

Conheça a história da doce Luciana e aprenda com essa adorável personagem que cada um de nós é a própria vida tornando-se realidade. Isso quer dizer que, quando escolhemos, é a vida escolhendo em nós. A vida jamais erra. Assim, seja qual for a decisão a ser tomada, no fim perceberemos que todos os caminhos apresentam razões e verdades.

Quando chega a hora

O antigo casarão, que o espírito do coronel Firmino assombrava, havia muito tempo estava fechado, guardando os segredos do passado. A família de Eurico se muda para lá e, então, o passado volta com toda a força, colocando frente a frente todos os envolvidos de outros tempos.

Quando é preciso voltar

A traição da mulher amada doía no coração de Osvaldo. Açoitado pela desilusão, ele não sabia o que fazer. Como viver carregando o peso dessa dor? Como enfrentar essa dura realidade e continuar vivendo? Osvaldo, então, descobriu a espiritualidade e acalmou o coração. Entretanto, um acontecimento inesperado mostrou que a ferida ainda doía como no primeiro dia.

Se abrindo pra vida

Com quase 40 anos de idade, Jacira acredita ser prisioneira de uma situação irreversível, sem saída. Ela prefere entrar na depressão e culpar os outros pela vida infeliz, acreditando que não tem como mudar o destino. Mas, ao contrário do que pensa, o universo trabalha a favor de seu progresso e, assim, ela vai descobrindo seus potenciais e se abrindo pra vida.

Sem medo de viver

A felicidade é a conquista do sucesso interior. Sentir-se realizado, feliz, pleno e amado é uma ambição natural de todos nós. No entanto, só conseguiremos chegar ao topo se tivermos o otimismo audacioso de confiar nos poderes do invisível.

Só o amor consegue

Guiada pelo espírito Lucius, Zibia narra a história da órfã Margarida e de Fernando e Dora, seus pais adotivos. Envolvendo o leitor numa intensa e dinâmica trama, o livro convida a refletir sobre o poder do amor para o progresso em todas as áreas da vida. Ambientada nos dias de hoje, a história se desdobra entre o mundo espiritual e o terreno e apresenta, de forma clara e envolvente, as missões de vida destinadas a cada um e que constroem os laços de amor entre as pessoas e os espíritos.

Somos todos inocentes

A culpa constrange, inferioriza, deprime. Tudo depende de como você vê os fatos da vida. Quando se vê inferior, perde o poder e, consequentemente, essa ilusão o deixa à mercê dos outros. Foi o que aconteceu com Jovino. Por que, afinal, ele foi injustamente condenado e preso por um crime que jamais cometeu?

Tudo tem seu preço

O caminho da verdadeira vitória é sempre árduo e cheio de surpresas desafiadoras que determinarão o grau de desenvolvimento de nossos potenciais inatos, garantindo a evolução de nosso espírito eterno. A cada minuto, você tem a liberdade e a responsabilidade de escolher para onde quer seguir, sempre lembrando, é claro, que na vida tudo tem seu preço.

Tudo valeu a pena

Sempre chega a hora de descobrir que a vida é mais do que supúnhamos. Sua sabedoria nos coloca diante da eterna chama da verdade, que ofusca nossas ilusões, forçando-nos a distinguir o falso do verdadeiro. É por entre os choques da realidade profunda que conquistamos as vantagens da maturidade e entendemos que tudo valeu a pena.

Um amor de verdade

Queremos ser amados e não nos amamos, queremos ser compreendidos e não nos compreendemos, queremos o apoio dos outros e damos o nosso a eles. Quando nos abandonamos, queremos achar alguém que venha a preencher o buraco que cavamos. Nessa incrível história, aprendemos que cada um é o único responsável por suas necessidades.

Crônicas

DITADAS PELO ESPÍRITO SILVEIRA SAMPAIO

Bate-papo com o Além

José Silveira Sampaio (1914-1964) foi autor, ator, diretor e empresário. Homem do teatro, foi responsável por criar peças com um estilo cômico, focando a cultura carioca dos anos 1950 e 1960. Silveira Sampaio nos brinda com uma coletânea de crônicas que trazem lições de otimismo, alegria e bondade.

O mundo em que eu vivo

Silveira Sampaio, que sempre achou o bate-papo um entretenimento delicioso, continua, no Além, entrevistando pessoas e provando, com detalhes, como é a vida em outros planos, reforçando a teoria kardecista de que a morte definitivamente não é o fim.

O repórter do outro mundo

Se você assistiu ao filme *Nosso Lar*, não pode deixar de ler esse relato fascinante do espírito Silveira Sampaio. Inteligente, curioso e observador, Sampaio nos conta como é sua vida no mundo astral, na cidade de Alverne, descortinando os mistérios do mundo onde viveremos depois de deixar a Terra.

Pare de sofrer

Valorizar a ilusão é o mesmo que preferir a infelicidade, a cegueira espiritual. O medo da realidade, que julgamos ruim, nos faz criar sonhos futuros, impedindo que percebamos e apreciemos todo o bem, todas as coisas boas do dia a dia. Nessa deliciosa coletânea, o espírito Silveira Sampaio aborda temas para profunda reflexão.

Crônicas

DITADAS POR ESPÍRITOS DIVERSOS

Voltas que a vida dá

Pequenas histórias recheadas de grandes e tocantes ensinamentos. Por meio de espíritos diversos, como Marcos Vinícius e Hilário Silva, Zibia Gasparetto nos traz casos reais, fazendo-nos reciclar valores, modificar ideias, aprender lições novas, caminhar para a frente, de modo que desenvolvemos o nosso mundo interior.

Pedaços do cotidiano

Um livro sobre os verdadeiros fatos da existência humana, repleto de histórias que envolvem as dimensões da existência: a física e a astral. Envolvidos nesse movimento da vida, buscamos respostas ao que temos como enigmas.

Outras obras

Eles continuam entre nós — volumes 1 e 2

Estes livros são o resultado de pesquisas feitas por Zibia Gasparetto com os ouvintes da Rádio Mundial. Em depoimentos diversos, ouvintes contam experiências de familiares que partiram, provando que a morte é apenas uma mudança de plano e que os espíritos continuam a manter o mesmo interesse em proteger e ajudar os que aqui permanecem.

Conversando Contigo!

Coletânea de matérias que Zibia Gasparetto escreveu durante três anos para a revista Contigo! Apesar de seus amigos espirituais interferirem de vez em quando, este não é um livro mediúnico. Respondendo a muitas cartas, à luz da espiritualidade, Zibia foi levada a repensar conhecimentos e rever crenças, na busca de novos caminhos, ajudando a melhorar a qualidade de vida das pessoas.

Reflexões diárias

Repleto de frases que tocam o coração, este livro de anotações traz para o leitor uma frase inspiradora de Zibia Gasparetto para cada dia do ano.

Pensamentos - A vida responde às nossas atitudes

Coletânea de frases retiradas dos livros de Zibia Gasparetto e de outros autores da casa em comemoração aos 20 anos da Editora Vida & Consciência.

Pensamentos - Inspirações que renovam a alma

Coletânea de frases inspiradas por mentores espirituais que se comunicam através da autora e médium Zibia Gasparetto.

Recados de Zibia Gasparetto

Mensagens inspiradoras escritas por Zibia Gasparetto e ditadas pelos amigos espirituais, que foram compartilhadas pela autora em suas redes sociais. Palavras essenciais para o dia a dia.

Outros Autores

Ana Cristina Vargas (pelos espíritos Layla e José Antônio)

A morte é uma farsa
Em tempos de liberdade
Em busca de uma nova vida
Encontrando a paz
O bispo (nova edição)
Sinfonia da alma
O quarto crescente (nova edição)

Eduardo França

A escolha
Enfim, a felicidade
A força do perdão
Vestindo a verdade

Evaldo Ribeiro

Eu creio em mim

Flavio Lopes

A vida em duas cores, ditado por Emanuel
Uma outra história de amor, ditado por Emanuel

Lucimara Gallicia

O que faço de mim?, ditado por Moacyr
Sem medo do amanhã, ditado por Moacyr

Rua Agostinho Gomes, 2.312 - SP
55 11 3577-3200

grafica@vidaeconsciencia.com.br
www.vidaeconsciencia.com.br